LES OUBLIÉS DU DIMANCHE

Photographe et scénariste, Valérie Perrin travaille aux côtés de Claude Lelouch. *Les Oubliés du dimanche* est son premier roman.

VALÉRIE PERRIN

Les Oubliés du dimanche

ROMAN

ALBIN MICHEL

© Éditions Albin Michel, 2015.
ISBN : 978-2-253-07116-7 – 1re publication LGF

À Valentin, Tess,
Emma et Gabrielle

Être vieux, c'est être jeune depuis plus longtemps que les autres.

Philippe GELUCK

1

Je suis allée acheter un cahier chez le père Prost. J'en ai choisi un bleu. Je n'ai pas eu envie d'écrire le *roman d'Hélène* sur un ordinateur parce que je veux promener son histoire dans ma poche de blouse.

Je suis rentrée à la maison. Sur la couverture j'ai écrit «La dame de la plage». Et sur la première page :

Hélène Hel est née deux fois. Le 20 avril 1917 à Clermain en Bourgogne et le jour où elle a rencontré Lucien Perrin en 1933, juste avant l'été.

Ensuite, j'ai glissé le cahier bleu entre mon matelas et mon sommier pour faire comme dans les films en noir et blanc que pépé regarde au *Cinéma de minuit* le dimanche soir.

Et puis je suis retournée travailler parce que j'étais de garde.

2

Je m'appelle Justine Neige. J'ai vingt et un ans. Je travaille dans la maison de retraite *Les Hortensias* depuis trois ans. Je suis aide-soignante. En principe, les maisons de retraite portent des noms d'arbres comme *Les Tilleuls* ou *Les Châtaigniers*. Mais la mienne a été construite sur des massifs d'hortensias. Alors personne n'a cherché dans les arbres, bien que l'établissement soit en bordure de forêt.

J'aime deux choses dans la vie : la musique et le troisième âge. Je danse presque un samedi sur trois au club *Paradis* qui se trouve à trente kilomètres des *Hortensias*. Mon *Paradis* est une sorte de cube en béton armé planté au milieu d'un pré avec un parking improvisé sur lequel je roule parfois des pelles alcoolisées à des personnes de sexe opposé vers cinq heures du matin.

Bien sûr, j'aime aussi mon frère Jules (en vrai c'est mon cousin) et mes grands-parents, les parents de feu mon père. Jules est le seul jeune que j'aie fréquenté à la maison pendant mon enfance. J'ai grandi avec le troisième âge. J'ai sauté une case.

Je sépare ma vie en trois : faire les soins le jour, lire dans la voix des vieux la nuit, et danser le samedi soir pour réapprivoiser l'insouciance que j'ai perdue en 1996 à cause du deuxième âge.

Le deuxième âge, c'est mes parents et ceux de Jules. Ils ont eu la sale idée de mourir ensemble dans un accident de voiture un dimanche matin. J'ai vu l'article que mémé a découpé dans le journal. C'est un article qui est censé être caché à condition de ne pas fouiller. Et j'ai vu la photo de la bagnole, aussi.

À cause d'eux, Jules et moi avons passé tous nos autres dimanches au cimetière du village pour mettre des fleurs propres sur leur tombe. Une large tombe sur laquelle sont posées, encadrées de deux angelots, la photo de mariage de mon père et la photo de mariage de mon oncle. Des deux mariées, l'une est blonde, l'autre brune. Celle-là, c'est ma mère. La blonde, c'est celle de Jules. Sur la photo, le marié de la blonde et le marié de la brune sont le même homme. Même costume, même cravate et même sourire. Mon père et mon oncle étaient jumeaux. Comment le même homme en apparence a-t-il pu tomber amoureux de deux femmes différentes ? Et comment deux femmes pouvaient être amoureuses du même homme ? Voilà les éternelles questions que je me pose encore en franchissant les grilles du cimetière. Et je n'ai personne pour me répondre. C'est peut-être pour ça que j'ai perdu mon insouciance, parce qu'il me manque les réponses de Christian, Sandrine, Alain et Annette Neige.

Au cimetière, les anciens morts reposent en contre-bas tandis que les nouveaux sont enfermés dans des petites cases, ils sont tous un peu excentrés. Comme s'ils étaient arrivés en retard. Ma famille repose en haut du village. À cinq cents mètres de la maison de mes grands-parents.

Mon village s'appelle Milly. Environ quatre cents habitants. Il faut prendre une loupe pour le trouver sur une carte. Il y a une rue commerçante, c'est la rue Jean-Jaurès. Au milieu, une petite église romane et sa place. Question commerces, à part l'épicerie du père Prost, il y a un PMU, un garagiste et un coiffeur qui a mis la clé sous la porte l'année dernière parce qu'il en avait marre de ne faire que des Régécolor et des mises en plis. Les commerces de vêtements et de fleurs ont été remplacés par des banques et un laboratoire d'analyses médicales. Sinon, à l'intérieur des vitrines, on a collé des journaux ou bien les gens en ont fait leur maison d'habitation, il y a des rideaux blancs à la place des pantalons.

Il y a presque autant de panneaux « À vendre » qu'il y a de maisons. Mais, comme la première autoroute est à plus de soixante-dix kilomètres et la première gare à cinquante, personne n'achète.

Il y a encore une école primaire. Celle où je suis allée avec Jules.

Pour se rendre au collège, au lycée, chez le médecin, à la pharmacie, s'acheter des chaussures, il faut prendre un bus.

Depuis le départ du coiffeur, c'est moi qui fais les mises en plis de mémé. Elle s'assied dans la cuisine, les cheveux mouillés. Elle me passe les bigoudis les uns après les autres et j'enroule ses mèches blanches autour, avant de piquer le bigoudi avec un pic en plastique pour le faire tenir. Quand j'ai fini, je lui mets un filet sur la tête, je fais sécher sous un casque, elle pique un roupillon au bout de cinq minutes puis je déroule quand c'est sec et ça tient jusqu'à la semaine suivante.

Depuis que mes parents sont morts, je n'ai pas souvenir d'avoir eu froid. Chez nous, il ne fait jamais moins de 40 degrés. Et avant leur mort, je ne me rappelle rien. Mais ça, j'en parlerai plus tard.

Mon frère et moi avons grandi dans des vêtements démodés mais confortables lavés avec adoucissant. Sans fessées ni claques, avec une table de mixage et des vinyles dans la cave pour faire du bruit quand nous en avions marre du silence des patins qui glissent sur le parquet ciré.

J'aurais adoré me coucher tard, avoir le dessous des ongles un peu crado et traîner dans des terrains vagues pour m'écorcher les genoux, descendre des côtes à vélo en fermant les yeux. J'aurais adoré avoir mal ou pisser au lit. Mais avec ma grand-mère, impossible. Elle a toujours eu une bouteille de mercurochrome à la main.

En dehors du fait qu'elle nous a nettoyé le fond

dè l'oreille avec des cotons-tiges pendant toute notre enfance, qu'elle nous a lavés deux fois par jour avec un gant de toilette et interdit tout ce qui pouvait être dangereux comme traverser la route seuls, je crois que depuis la mort de ses jumeaux, mémé a attendu le jour où Jules ou moi finirions par ressembler à nos pères. Mais ça n'est jamais arrivé. Jules a le visage d'Annette. Quant à moi, je ne ressemble à personne.

Bien qu'ils s'appellent pépé et mémé, mes grands-parents sont plus jeunes que la plupart des résidents des *Hortensias*. Mais je ne sais pas à partir de quand on est vieux. Madame Le Camus, ma chef de service, dit que c'est à partir du moment où on ne peut plus s'occuper de sa maison tout seul. Que ça commence quand il faut laisser la voiture dans le garage parce qu'on devient un danger public et que ça finit quand on se casse le col du fémur. Moi je pense que ça commence avec la solitude. Quand l'autre est parti. Pour le ciel ou pour quelqu'un.

Ma collègue Jo dit qu'on devient vieux quand on commence à radoter et que c'est une maladie qui peut s'attraper très jeune. Maria, mon autre collègue, que ça vient avec la sourde oreille et les clés qu'on cherche dix fois par jour.

J'ai vingt et un ans et je cherche mes clés dix fois par jour.

3

1924

Hélène travaille à la lumière de la bougie dans l'atelier de couture de ses parents jusque tard dans la nuit.

Elle grandit seule, au milieu des costumes et des robes. Sans frère, ni sœur.

Sur le mur de l'atelier, elle fait des ombres chinoises. Toujours les mêmes. Elle joint ses paumes l'une contre l'autre et forme un oiseau qui mange dans sa main. Le bec, elle le dessine avec son index droit. L'oiseau ressemble à une mouette. Quand il veut s'envoler, la petite fille joint ses deux pouces et bat des ailes avec ses doigts écartés. Mais avant de le relâcher, elle lui confie une prière – toujours la même – que la mouette doit emporter au ciel, chez Dieu.

4

— Mémé ?

— Mmm.

— Ils allaient où papa et maman le matin où ils se sont tués ?

— À un baptême.

— Le baptême de qui ?

— Du fils d'un ami d'enfance de ton père.

— Mémé ?

— Oui.

— Pourquoi ils ont eu cet accident ?

— Je te l'ai déjà dit cent fois. Il y avait du verglas. Ils ont dû glisser. Et puis… il y a eu cet arbre. S'il n'y avait pas eu cet arbre… jamais ils ne… allez, n'en parlons plus.

— Pourquoi ?

— Pourquoi quoi ?

— Pourquoi tu veux jamais en parler ?

5

Mon amour des vieux a commencé quand ma prof de français, madame Petit, a emmené ma classe de cinquième passer un après-midi aux *Trois sapins* (à l'époque *Les Hortensias* n'existaient pas à Milly). Après la cantine, on a pris un bus et on a roulé une petite heure. Je me rappelle avoir vomi deux fois dans un sac en papier kraft.

Aux *Trois sapins*, les vieux nous attendaient dans la salle de réfectoire. Ça sentait la soupe et l'éther. Ça m'a redonné envie de vomir. Quand il a fallu les saluer, j'ai arrêté de respirer par le nez. En plus, ils piquaient. Au niveau des poils c'était l'anarchie.

Ma classe avait préparé un spectacle, on devait chanter *Gimme! Gimme! Gimme!* du groupe ABBA. On portait des costumes en lycra blanc et des perruques empruntées au club de théâtre du collège.

Après le spectacle, nous nous sommes installés avec eux pour manger des crêpes. Aucun d'eux n'a lâché le mouchoir en papier qu'ils serraient fermement dans leur poing glacé. Mais pour moi, c'est là que tout a commencé : ils nous ont raconté des histoires. Et les vieux, comme ils n'ont plus que ça à faire, ils racontent le passé comme personne. Pas la peine de chercher dans les livres ni les films : comme personne.

Ce jour-là, j'ai compris que les anciens, il suffit de les toucher, de leur prendre la main pour qu'ils racontent. Comme quand on creuse un trou dans le sable sec au bord de la mer, l'eau remonte systématiquement sous les doigts.

Moi, aux *Hortensias*, j'ai mon histoire préférée. Elle s'appelle Hélène. Hélène, c'est la dame de la chambre 19. Elle est la seule à m'offrir de vraies vacances. Et quand on connaît le quotidien d'une aide-soignante en gériatrie, on peut dire que c'est un luxe.

Le personnel l'appelle « la dame de la plage ».

Quand je suis arrivée dans le service, on m'a dit, *Elle passe ses journées sur une plage, sous un parasol.* Et depuis son arrivée, une mouette a élu domicile sur le toit de l'établissement.

Dans la région, des mouettes, il n'y en a pas. Ici c'est le centre de la France. Des merles, des moineaux, des corbeaux, des étourneaux, il y en a plein, mais pas de mouettes. Sauf celle qui vit au-dessus de nos têtes.

Hélène est la seule résidente que j'appelle par son prénom.

Chaque matin, après la toilette, on l'installe sur son fauteuil face à la fenêtre. Et je vous jure que ce qu'elle regarde, ce ne sont pas les toits de Milly, mais quelque chose de fabuleusement beau, comme un sourire bleu. Pourtant, ses yeux clairs sont comme ceux des autres résidents d'ici : ils ont la couleur d'un drap délavé. Mais n'empêche que quand j'ai un coup de blues, je prie pour que la vie m'apporte un parasol comme le sien. Son parasol s'appelle Lucien, c'était son mari. Enfin son presque mari puisqu'il ne l'a jamais épousée. Hélène m'a raconté toute sa vie. Tout mais en puzzle. Comme si elle m'avait fait cadeau du plus bel objet de sa maison, mais qu'elle l'avait cassé en mille morceaux avant, sans le faire exprès.

Depuis quelques mois, elle parle moins, comme si la chanson de sa vie arrivait à la fin d'un disque et que le volume baissait.

À chaque fois que je quitte sa chambre, je lui couvre les jambes, et elle me dit, *Je vais faire une insolation*. Hélène n'a jamais froid. Même en plein hiver, elle se paye le luxe de se réchauffer au soleil pendant que nous, on colle nos fesses sur les radiateurs déglingués des *Hortensias*.

La seule famille d'Hélène que je connaisse est sa fille, Rose. Rose est peintre et dessinatrice. Elle a fait beaucoup de portraits de ses parents au fusain, des mers, des ports, quelques jardins et des bouquets de fleurs. Les murs d'Hélène en sont couverts. Rose habite à Paris. Chaque jeudi, elle arrive par la gare et loue une voiture pour venir jusqu'à Milly. À chaque visite, c'est le même rituel. Hélène la regarde de loin, enfin, de là où elle semble vivre.

— Qui êtes-vous ?
— C'est moi maman.
— Je ne comprends pas, madame.

— C'est moi maman, Rose.

— Mais non... ma fille n'a que sept ans, elle est partie nager avec son père.

— Ah bon... elle est partie nager...

— Oui. Avec son père.

— Et tu sais quand ils reviendront ?

— Tout à l'heure. Je les attends.

Ensuite, Rose ouvre un roman et en lit des extraits à sa mère. Ce sont souvent des romans d'amour. Quand elle a terminé sa lecture, elle me laisse les bouquins. C'est sa façon à elle de me dire merci. Merci de m'occuper de sa mère comme de la mienne.

Le début du chapitre le plus fou de ma vie, je l'ai ouvert jeudi dernier, vers 15 heures. J'ai poussé la porte 19 et je l'ai vu, assis près du fauteuil d'Hélène. Les portraits de Lucien accrochés sur les murs. C'était lui. Je suis restée comme une cruche à les regarder, je n'osais pas bouger : Lucien tenait la main d'Hélène. Elle, elle avait une expression que je ne lui connaissais pas. Comme si elle venait de découvrir quelque chose d'incroyable. Il m'a souri. Et il a dit :

— Bonjour, vous êtes Justine ?

J'ai pensé, tiens Lucien connaît mon prénom. Ça doit être normal. Les fantômes doivent connaître le prénom des vivants. Ils doivent savoir plein de trucs qu'on ignore. Et surtout, j'ai pensé : je comprends pourquoi Hélène l'a attendu sur une plage. Je comprends pourquoi elle a arrêté le temps.

On peut tout comprendre d'un seul coup, un mec

pareil c'est comme si la vie vous faisait une énorme livraison en une seule fois.

Son regard… Je n'avais jamais rien vu d'aussi bleu. Même en cherchant bien sur les catalogues par correspondance de mémé.

J'ai bredouillé :

— Vous êtes venu la chercher ?

Il n'a pas répondu. Hélène non plus. C'est fou comme elle le regardait. Ses yeux, les draps délavés, tout ça, ça n'existait plus.

Je me suis approchée d'eux et j'ai embrassé Hélène sur le front. Sa peau était encore plus chaude que d'habitude. J'étais dans le même état que le ciel quand on dit que le diable marie sa fille : dans ma tête il pleuvait et il faisait beau en même temps. C'était la dernière fois que je la voyais, Lucien était enfin sorti de l'eau pour l'emmener vers leur paradis.

J'ai pris la main d'Hélène dans la mienne.

— Vous emmenez la mouette avec vous ? j'ai demandé la gorge serrée à Lucien.

À la façon dont il m'a regardée, j'ai vu qu'il ne me comprenait pas. Celui qui se tenait devant moi n'était pas un fantôme.

C'est à cet instant que j'ai eu la peur de ma vie. Ce type existait dans la vraie vie. J'ai tourné les talons et j'ai quitté la chambre 19 comme une voleuse.

6

Lucien Perrin est né le 25 novembre 1911 à Milly.

Dans sa famille, on est aveugle de père en fils – une maladie héréditaire qui ne touche que les hommes. On ne naît pas aveugle, on le devient. Les troubles de la vision débutent dans la petite enfance et personne, depuis des générations, n'a vu les flammes de ses vingt bougies danser sur son gâteau d'anniversaire.

Le père de Lucien, Étienne Perrin, a rencontré sa femme Emma quand elle n'était encore qu'une enfant. Il l'a connue quand il voyait encore. Et peu à peu, Emma a disparu de son champ de vision comme si une couche de buée s'était déposée sur son visage. Il l'aime de mémoire.

Étienne a tout tenté pour sauver ses yeux. Il a tout versé dedans : des élixirs, des eaux de source venues de France et d'ailleurs, des poudres magiques, du bouillon d'orties, de camomille, des eaux de rose et de bleuet, de l'eau glacée, de l'eau chaude, du sel, du thé, de l'eau bénite.

Lucien est né par accident. Son père ne voulait pas d'enfant. Il ne voulait pas prendre le risque de perpétuer *la malédiction. Et quand il a appris que c'était un fils et non une fille qui venait de voir le jour pour peu de temps, il fut désespéré.*

Emma lui décrit l'enfant : des cheveux noirs et de grands yeux bleus.

Personne, dans la famille Perrin, n'a jamais eu les yeux bleus. À la naissance, ils sont noirs. On ne distingue pas l'iris de la pupille. Puis ils s'éclaircissent avec les années, jusqu'à devenir grisâtres comme du gros sel.

Étienne se met à espérer que les yeux bleus de Lucien le protégeront de la malédiction.

Tout comme son père, son grand-père et son arrière-grand-père, Étienne est organiste et harmoniste. On l'appelle pour jouer Jean-Sébastien Bach dans les offices religieux et aussi pour accorder les orgues de la région.

En plus, Étienne enseigne le braille les jours de la semaine. Ses livres sont fabriqués par un cousin germain, lui-même non-voyant, dans un petit atelier du Ve arrondissement de Paris.

Un matin de 1923, Emma quitte Étienne. Il ne l'entend pas refermer la porte derrière elle, tout doucement. Il est occupé avec un élève. Il n'entend pas non plus la voix de l'homme qui attend sa femme sur le trottoir d'en face. En revanche, Lucien la voit partir.

Il ne cherche pas à retenir sa mère. Il se dit qu'elle va revenir tout à l'heure. Qu'elle est partie faire un tour dans la belle voiture du monsieur et que c'est normal. Que son père n'aurait jamais pu lui offrir une telle balade. Qu'elle a bien le droit de s'amuser un peu.

7

Avant, mémé avait la maladie du suicide. Elle semblait aller bien pendant un mois, voire plus, et tout à coup, elle avalait trois boîtes de médicaments, se mettait la tête dans le four, se jetait du premier étage ou tentait de se pendre dans le débarras. Elle nous disait, *Bonne nuit mes petits*, et deux heures plus tard, depuis notre chambre, Jules et moi entendions le Samu ou les pompiers débarquer en trombe à la maison.

Ses tentatives de suicide avaient lieu pendant la nuit, comme si elle attendait que tout le monde soit endormi pour en finir. En oubliant sans doute que pépé cherche le sommeil aussi souvent qu'il cherche ses lunettes.

La dernière tentative remonte à sept ans. Elle avait réussi à se faire prescrire deux boîtes de tranquillisants par un médecin remplaçant qui n'avait pas lu l'annotation pourtant écrite au feutre rouge sur le dossier médical de mémé : «*Dépressions chroniques, sujette aux tentatives de suicide.*» Dans toutes les pharmacies de la région, tout le monde sait qu'il ne faut pas délivrer les médicaments prescrits sur l'ordonnance de mémé si pépé ne l'accompagne pas.

Le père Prost sait aussi qu'il ne faut pas lui vendre de mort-aux-rats, de déboucheurs de canalisations ou d'autres produits corrosifs. Mémé nettoie toute la maison au vinaigre blanc et ce n'est pas par souci d'écologie mais parce qu'on a la trouille qu'elle finisse par avaler le liquide vaisselle ou le Décap'four.

La dernière fois, elle a vraiment failli y passer. Mais quand elle a vu les larmes de Jules (moi j'étais trop choquée pour pleurer), elle a promis de ne jamais recommencer. N'empêche que dans l'armoire à pharmacie de la salle de bains, il n'y a pas de bouteilles d'alcool à 90 degrés ni de lames de rasoir.

Elle a vu un psy quelques fois. Mais comme le cabinet du premier psy est à cinquante kilomètres de Milly et qu'il faut attendre des mois pour obtenir un rendez-vous, elle dit que ça sera plus facile d'en voir un au paradis, quand elle sera morte, et que d'ici là, vraiment, elle le jure, elle ne recommencera pas, *C'est promis mes petits, je vous le jure, je mourrai de mort naturelle si ça existe.* Ce n'est jamais à pépé qu'elle promet quoi que ce soit, mais à nous, ses petits-enfants.

La dixième année de la mort de mes parents, elle a sauté d'un peu plus haut que d'habitude et s'est broyé l'os de la hanche. Ce qui lui vaut une légère claudication et une canne perpétuellement accrochée au bout de la main.

Je viens de lui faire sa mise en plis. Jules est à côté de nous dans la cuisine et avale un pot de Nutella étalé sur une baguette de pain. Pépé, assis au bout de la table, feuillette *Paris Match*. Dans la salle à manger, la télévision hurle devant le canapé vide, elle hurle des choses qu'on finit par ne plus entendre.

— Pépé, t'as connu Hélène Hel ? je demande.

— Qui ?

— Hélène Hel. La dame qui a tenu le café du père Louis jusqu'en 1978.

Mon pépé triste et taciturne referme son magazine, claque la langue et prononce ces quelques mots en roulant les « r », avec l'accent des gens d'ici :

— J'ai jamais fléquenté les bistlots.

— Tu devais quand même passer devant tous les jours pour aller à l'usine.

Pépé bougonne. Si depuis la mort des jumeaux mémé a attendu de retrouver ses fils sur nos visages à Jules et à moi en essayant de se foutre en l'air de temps en temps, pépé, lui, a cessé d'attendre quoi que ce soit le jour où ils se sont tués. Je ne l'ai jamais vu sourire, alors que sur les photos d'enfance de mon père et de l'oncle Alain, il porte des maillots de couleur et a souvent l'air de déconner. Lui qui n'a plus beaucoup de cheveux, il en a eu de sacrément beaux quand ils grimpaient tous les trois la grande côte de Milly un dimanche de juillet. Derrière la photo que je préfère, c'est marqué « Juillet 1974 ». Mon pépé a trente-neuf ans. Il a les cheveux noirs et épais, un tee-shirt rouge et un sourire de publicité. Quand mon pépé était papa, il était très beau. La seule chose qui lui reste de sa jeunesse, ce sont ses 193 centimètres de hauteur. Il est tellement grand qu'on dirait un plongeoir.

Il tourne à nouveau les pages de *Paris Match*. Qu'est-ce qu'il peut bien comprendre à ce qui se raconte là-dedans ? Et surtout, qu'est-ce que ça peut bien lui faire ? Lui qui est si loin du monde, de nous, de lui. Saurait-il faire la différence entre un tremblement de terre en Chine et un dans sa cuisine ?

— Je me souviens de son chien. On aulait dit un loup.

Louve... Pépé se souvient de Louve.

— Tu te souviens de Louve ! Mais alors, tu dois te souvenir d'Hélène !

Il se lève et quitte la cuisine. Il a horreur que je lui pose des questions. Il a horreur de sa mémoire. Sa mémoire ce sont ses enfants, il l'a jetée dans les cercueils le jour où il les a mis en terre.

J'ai envie de lui demander s'il se souvient d'une mouette qui vivait dans le village quand il était petit. Mais je sais déjà qu'il me répondrait : *Une mouette ? Comment je poulais me souvenil d'une mouette... Y en a pas dans la légion.*

8

Le jour du Seigneur, Bijou, la vieille jument, emmène Lucien et son père à Tournus, Mâcon, Autun, Saint-Vincent-des-Prés ou Chalon-sur-Saône. Les destinations changent avec les saisons. Il y a plus de morts et moins de mariages en hiver.

Lucien accompagne son père devant les grandes orgues de la région. Il est devenu sa canne blanche, le dirige et l'installe devant les claviers. C'est ce que faisait Emma, avant. Sa mère qui n'est jamais revenue de sa balade en voiture.

Lucien assiste aux messes, aux mariages, aux baptêmes et aux enterrements.

Pendant qu'Étienne joue ou accorde, Lucien reste à ses côtés et observe la foule qui prie et chante.

Lucien n'est pas croyant. Il pense que la religion, c'est juste la beauté de la musique. Un truc pour asservir les gens. Il n'a jamais osé le dire à son père et récite le bénédicité chaque soir sans broncher.

Étienne n'a jamais voulu enseigner le braille ni la musique à son fils. Il a toujours eu peur que cela lui porte malheur. Il a supplié Lucien de pratiquer tout ce dont est privé un non-voyant, comme pour exorciser la menace de la cécité. Comme pour la faire fuir. Pour rassurer son père, Lucien fait du vélo, de la course à pied et de la natation.

Il fréquente l'école municipale où il apprend à lire et à écrire comme les autres enfants. Mais, contrairement à Étienne, Lucien a le sentiment qu'un jour, cela ne lui servira plus à rien. Alors, il a appris le braille tout seul, en cachette, en écoutant les leçons qu'Étienne dispensait à ses élèves.

Vers l'âge de treize ans, Lucien accompagne son père à Paris. Il va se réapprovisionner en nouveaux livres chez son cousin. Durant ce séjour, Lucien consulte un spécialiste qui lui observe longuement le fond de l'œil. Le médecin est catégorique : Lucien ne porte pas le gène de la maladie de son père. Il a hérité des yeux de sa mère. Étienne exulte. Lucien fait semblant d'exulter.

Un jour, ce sera son tour de marcher avec une canne blanche et c'est pour cette raison que sa mère est partie. Un jour, les autres ne l'appelleront plus « le fils de l'aveugle », mais « l'aveugle ». Il deviendra dépendant à son tour de celui ou de celle qui fera tout à sa place. C'est pour cela qu'il a appris le braille sans le dire à personne.

Depuis que sa mère est partie, Lucien sait tout faire les yeux fermés. Récurer les casseroles et les sols, remonter l'eau du puits, désherber, aller jusqu'au potager, couper les bûches, porter les bouteilles, monter et descendre les escaliers. La maison qu'ils habitent son père et lui est toujours plongée dans l'obscurité. Lucien tire sciemment les rideaux sans faire de bruit pour que son père ne l'entende pas. C'est pour cela que toutes les plantes crèvent. Manque de lumière.

À son retour de Paris, avec des malles remplies de nouveaux livres en braille qu'il subtilisera un à un à son père, Lucien ne changera pas ses habitudes.

9

— Raconte-moi une histoire.

— Je croyais que tu n'aimais pas mes histoires de vieux.

Jules grimace. Tire une taffe et recrache la fumée en faisant des ronds contre mon papier peint. Il est en train de me faire écouter *Subzero* de Ben Klock, DJ résident du Berghain à Berlin, me dit-il. J'ai souvent le sentiment de vivre avec un extraterrestre.

Quand j'ai trouvé mon travail aux *Hortensias*, Jules a crié. C'est la première fois que ça arrivait. Chez nous, personne n'a jamais crié. Sauf la télé.

Je crois que ce qui l'a le plus contrarié, c'est que je travaille à cinq cents mètres de la maison. Pour Jules, réussir sa vie c'est quitter Milly. En septembre, après le bac, il partira à Paris. Il n'a que ce mot-là à la bouche : Paris.

— Ouvre la fenêtre. Je supporte pas l'odeur de ton tabac.

Il déplie son 1,87 mètre et entrouvre la fenêtre de ma chambre. Je l'aime. Même si parfois je le soupçonne d'avoir honte de nous, sa famille, je l'aime. À chaque fois qu'il bouge, je l'aime encore plus. On dirait un danseur avec des mains de pianiste. On dirait qu'il est tombé du ciel et que pépé l'a ramassé dans son jardin. Qu'il n'est pas de Milly mais d'une grande capitale où il aurait grandi entre un père astronome et une mère agrégée de lettres. Il a tellement de grâce que ce sont les choses qui dansent autour de lui. C'est plus que mon frère. Peut-être parce que ce n'est pas mon frère. Pourtant, il fait du bruit quand il marche, il ne range rien, il est égoïste, lunatique, prétentieux et dans la lune. Et il fume comme un pompier, surtout dans ma chambre.

Même si je n'avais pas de môme, je crois que je m'en foutrais parce que je l'ai, lui. Il est beau comme c'est pas permis. Je lui dis souvent que ça devrait être interdit d'être aussi beau. Je l'embrasse tout le temps. Comme si je rattrapais les bisous que nos grands-parents ne lui ont pas donnés. Chez nous, les bisous se font du bout des lèvres en échange d'un cadeau, d'un anniversaire ou d'un Noël. C'est jamais gratuit. Tout ça, à cause d'une putain de ressemblance qui n'est jamais arrivée. En plus, je crois que pépé et mémé ne pouvaient pas becqueter Annette, la mère de Jules. Mémé n'aime pas les blondes, quand elle en voit une à la télé, elle a un rictus. Un rictus invisible à l'œil nu mais moi, dans cette famille, j'ai l'œil habillé.

Jules a perdu ses parents quand il avait deux ans. Jules pense que son père était plus riche que le mien, que les études qu'il fera à Paris, ce sera grâce à l'argent que l'oncle Alain, héros de son imaginaire, avait sur son compte en banque lorsqu'il s'est tué. La vérité, c'est que l'oncle Alain était fauché. Et que c'est l'argent que j'ai économisé sou après sou depuis que je travaille aux *Hortensias* qui servira à payer ses études. Mais ça, je préférerais crever plutôt qu'il le sache. Je gagne 1 480 euros par mois. Un peu plus quand je fais des gardes. Je mets 600 euros sur un compte tous les mois. J'ai déjà économisé 13 800 euros pour lui. Je donne 500 euros à pépé et mémé pour les aider. Et mon treizième mois, je le dépense au *Paradis*.

Jules veut devenir architecte, et je suis sûre que plus tard, quand il construira des châteaux, il ne viendra plus nous voir. Et que s'il revient ici une fois par an, il le fera pour lui mais pas pour nous. Je connais sa façon de fonctionner par cœur. Je pourrais même la réciter.

Jules ne s'attache pas parce qu'il vit dans le présent. Hier, il s'en fout. Et demain ne l'intéresse pas encore. Dès qu'il passe la porte pour aller au lycée le matin, il ne pense plus à nous. Et quand il rentre le soir, il est content de nous voir mais on ne lui a pas manqué.

On n'a jamais su qui de nos deux pères conduisait la voiture, pour les secours les deux hommes étaient impossibles à différencier. On n'a jamais su ce qui n'a pas fonctionné ce dimanche-là. Et comme ils se partageaient la voiture, on n'a jamais su lequel de nos pères a tué l'autre.

Jules se vautre à nouveau sur mon lit et me regarde d'un air de dire : vas-y, raconte. Alors, je raconte :

— Madame Epting a décidé de rejoindre *Les*

Hortensias le jour où son petit chien est mort. Parce que ce jour-là, elle s'est dit qu'elle ne servirait plus jamais à rien. Elle m'a dit qu'elle en avait vu de toutes les couleurs dans la vie. Qu'elle avait connu la guerre, les privations, la peur des Boches et même un chagrin d'amour. Mais la mort de son petit chien, c'était le pompon. Il s'appelait Van Gogh parce que ses anciens maîtres lui avaient coupé l'oreille pour faire disparaître son tatouage.

— Les bâtards, dit Jules en allumant une cigarette.

— C'est l'histoire du jour.

— Et c'est déjà fini ? me demande-t-il.

— Non. C'est pas vraiment fini. Ensuite je lui ai dit : *Vous me raconterez votre chagrin d'amour, madame Epting ?* Elle s'est tellement marrée qu'elle a dû retenir son dentier avec le bout du pouce. *Il s'appelait Michel. – C'est joli Michel*, j'ai répondu, *mais il faut que j'y aille, je suis à la bourre.* Elle m'a regardée bizarrement et elle m'a dit : *À la quoi ? – À la bourre. Ça veut dire que je suis très en retard ce matin, alors vous me raconterez Michel en fin d'après-midi.* Elle a fait oui de la tête et je l'ai laissée derrière la porte 45 avec son chagrin d'amour et son petit chien. Quand je suis repassée dans la soirée, son fauteuil et son matelas étaient vides. Elle avait fait un AVC. Tu vois, c'est ça mon quotidien. Il faut écouter dans l'urgence parce que le silence n'est jamais loin.

— Putain, c'est glauque.

— Tu sais, je pique quand même des fous rires presque tous les jours.

— Entre deux couches et un fauteuil roulant?

Je me mets à rire. Jules ne dit plus rien. Il se lève, et comme tout prince qui se respecte, il ne se rend pas compte qu'il habite une principauté à lui tout seul. Il se penche à la fenêtre pour jeter sa cigarette dans le jardin et je l'engueule parce que ça caille.

1926

Le bon Dieu n'a pas exaucé ses prières. Hélène ne sait toujours pas lire.

Ce soir, elle a décidé de mourir. Elle a déjà entendu parler du suicide. Au village, un homme s'est empoisonné l'année précédente en avalant des pilules. Pour Hélène, c'est le grand tableau noir qui est empoisonné.

Après la classe, elle s'est cachée dans la remise, là où sont rangés les craies, l'encre, le papier et le bonnet d'âne. Le cœur battant, elle a écouté les autres enfants partir et son maître, monsieur Tribout, toussoter, ranger ses affaires, boucler son gros cartable, descendre de l'estrade et refermer la porte derrière lui.

Lorsque les couloirs et la cour sont silencieux, Hélène met le bonnet d'âne dans sa poche et revient dans sa classe vide. C'est étrange. Pourtant, cette classe vide lui est familière, puisque le temps des récréations, elle y reste toujours à cause d'une punition ou d'une leçon qu'elle n'a pas terminée. Mais d'habitude, elle entend les cris des autres enfants, à l'extérieur. Ce soir, elle est plongée dans le silence.

Elle observe les livres soigneusement alignés près du grand bureau du maître. Elle a une violente envie d'arracher chacune de leurs pages, de les déchirer, de les jeter contre les murs, eux qui sont si prétentieusement bien rangés. Mais jamais elle n'oserait.

Elle est face au tableau noir. Dans un ultime espoir, elle essaie de lire la première phrase d'un paragraphe que monsieur Tribout a copié avec plusieurs couleurs de craie et dont il a souligné certains mots : ELLE A CASSÉ LE PETIT POT DE LAIT.

ELCASSÉPELETIOITLA.

Voilà ce que lit Hélène.

Monsieur Tribout n'essaie plus de changer sa perception des lettres. Au début, il tentait de l'aider en insistant sur chaque syllabe. En lui faisant recopier dix fois le même mot, mais c'est comme si Hélène ne savait pas retenir. Comme si ses mots à elle étaient tout le temps chahutés par du vent.

Cette année, il l'a installée au fond de la classe. Seule. Qui voudrait s'asseoir à côté d'une élève sur laquelle on ne peut même pas copier ? Avant, le maître sortait le bonnet d'âne. Maintenant, c'est pire. Elle sent qu'il a pitié d'elle et qu'il a perdu tout espoir. Tant qu'il la punissait, cela signifiait qu'il y croyait, qu'il espérait.

ELCASSÉPELETIOITLA.

Les larmes ne lui montent pas aux yeux. Cela fait longtemps que son chagrin est à sec. La première année d'école, elle a tout pleuré.

Elle colle sa bouche sur le tableau et se met à le lécher comme le ferait un petit animal. Elle commence sur la pointe des pieds. Puis, s'apercevant que la première phrase est beaucoup trop haute, elle se perche sur la chaise du maître. Elle lèche chaque lettre, qu'elle soit rouge, bleue ou verte. Elle les avale, elle veut s'empoisonner de ce poison-là. Elle leur crache dessus pour qu'elles glissent mieux dans sa gorge. Elle frotte ses lèvres contre les majuscules, les points, les virgules.

Quand le tableau est propre et que la bouche d'Hélène a la couleur d'un arc-en-ciel, elle va s'asseoir à sa place. Au fond de la classe. À l'opposé du poêle à bois. Et elle attend la mort. Elle attend, assise sagement, que les mots ingurgités la tuent pour toujours. Qu'ils achèvent le travail commencé le premier jour où elle est entrée à l'école.

Elle portait une jolie robe rouge. Comme celle du Petit Chaperon rouge, avait-elle dit à sa mère devant la machine à coudre. Ce qu'elle ignorait, c'est que le méchant loup lui apparaîtrait sous les traits d'un grand tableau noir.

Mais la mort ne s'ensuit pas. ELCASSÉPELETIOITLA n'a pas les pouvoirs magiques d'une pilule létale. Elle pensait pourtant que ça l'achèverait aussi vite que le cochon que tuent ses voisins une fois par an d'un coup derrière la tête.

Elle ne quittera pas la classe avant de mourir.

Elle décide d'avaler l'encre de tous les encriers disposés sur les petits bureaux de la classe et de finir par celui du maître. Comme ça c'est sûr, elle mourra. Et si ça ne

suffit pas, elle avalera les aiguilles à coudre qu'elle a tou-
jours à l'intérieur de sa poche pour se faire une douleur
dans la cuisse quand celle de son ventre sera insuppor-
table.

Elle se lève et ouvre l'encrier situé sur le premier
petit bureau. C'est celui de Francine Perrier, la meilleure
élève. La première de la classe. Celle qui réussit en tout
et ne fait jamais de ratures. Celle à qui monsieur Tribout
s'adresse toujours avec un sourire. Celle dont l'écriture
ressemble à un vol d'oiseau et la voix à une mélodie
quand elle lit sans jamais se tromper, ni se cogner à la
première virgule.

Au moment où Hélène trempe ses lèvres dans
l'encrier de Francine Perrier en se disant qu'il y en a
vingt-sept autres à boire, un bruit la fait sursauter.
Quelque chose vient de heurter une des fenêtres de la
classe. Comme si quelqu'un avait lancé un caillou dans
sa direction. Quelqu'un l'observe. Le cœur d'Hélène
s'emballe. Elle repose l'encrier de Francine et se cache
sous le bureau du maître.

Dix minutes s'écoulent. Plus aucun bruit.

Elle finit par sortir de sa cachette et s'approche de la
fenêtre. Elle ne voit rien à l'extérieur. La cour est vide.
Le grand chêne perd ses dernières feuilles. Hélène suit
du regard l'une d'elles. Elle tombe à terre en même
temps que la nuit. La feuille effleure une petite flaque
blanche. Hélène la fixe quelques secondes. Ce n'est
pas une flaque mais un oiseau tombé à terre. Il bouge
encore. Hélène se précipite dans la cour. Elle traverse le
couloir aux portemanteaux vides. Pour que personne ne

remarque sa présence après l'école, elle n'a pas mis de cape ce matin.

Sous le chêne, elle s'arrête d'abord à quelques centimètres de l'oiseau. C'est une mouette. Sa mouette ! Celle qui la suit comme une ombre depuis qu'elle est petite. Celle qu'elle observe dans le ciel, quand elle veut se laver les yeux des phrases qu'elle ne parvient pas à lire. Celle qu'elle dessine avec l'ombre de ses doigts contre le mur de l'atelier. Elle existe vraiment. Elle n'est pas le fruit de son imagination.

La mouette est blessée mais vivante. Elle fixe Hélène, le bec entrouvert, la respiration saccadée, comme si son cœur battait trop fort. Elle semble souffrir. Hélène comprend soudain qu'elle s'est jetée contre la fenêtre pour qu'elle sorte de cette maudite école. Ou peut-être a-t-elle voulu mourir en même temps qu'elle.

L'oiseau et l'enfant s'observent. Agenouillée devant la mouette, Hélène n'ose pas la toucher. Elle a peur de lui faire encore plus mal. Mais elle ne peut pas l'abandonner. Hélène n'a ni frère, ni sœur. Elle ne peut pas abandonner son double.

Elle finit par la prendre délicatement entre ses mains et la glisse dans la grande poche intérieure de sa blouse, contre son cœur.

11

Chambre 19.

Le fantôme aux yeux bleus est là. Assis à côté d'Hélène. Il referme le livre qu'il était en train de lui lire.

— Désolée pour la dernière fois, je vous ai pris pour Lucien.

— Moi aussi, ça m'arrive de confondre les gens.

Ça ne lui paraît pas étrange que je puisse le prendre pour un homme qui aurait près de cent deux ans. Il passe sa main dans ses cheveux. C'est la première fois que je le vois faire ce geste que je suppose habituel.

— Comment savez-vous s'il fait jour ou s'il fait nuit sur sa plage ? Parce qu'aujourd'hui elle ne m'a pas dit un mot. J'ai vraiment l'impression qu'elle dort.

— Il n'y a pas de matin sur la plage d'Hélène. Le jour est de permanence.

— Ça fait longtemps qu'elle est là ? Enfin, en…

— Vacances ? Je l'ai toujours connue là-bas. Je crois que c'est la plage où elle est allée avec Lucien en 1936.

Il la regarde longuement. Puis il repose son bleu

sur moi. Ma tête à couper que le bleu de la mer d'Hélène est exactement le même que le bleu de ses yeux et que c'est pour ça qu'elle ne reviendra jamais.

— Comment savez-vous cela ?

— Elle me parle beaucoup.

— Qu'est-ce qu'elle vous a dit d'autre ?

— Sur sa plage... des pères courent après des ballons et des mères boivent des rafraîchissements. Des grands gosses collent leurs oreilles contre le hit-parade ou rembobinent des cassettes... Parfois, elle se tord les doigts de pieds sur des galets et je l'entends murmurer : *Aïe, les galets sont chauds aujourd'hui.* Ou bien : *Oh zut, j'ai avalé du sable.* Parfois, elle discute à voix haute avec des gens de passage, le marchand de glaces ou une femme qui dépose sa serviette de bain près de la sienne. Hélène dit : *Vous venez souvent ici ?* Elle fait les questions mais rarement les réponses.

Le fantôme reste longtemps silencieux pendant que je mets de l'eau fraîche dans la carafe.

— Ce n'est pas nous qui devrions lui lire des romans, c'est elle, dit-il.

Sa remarque me donne envie de rire. Mais je ne le fais pas. À cause de son bleu. Il m'impressionne de plus en plus. D'habitude, on s'habitue. Mais avec lui c'est différent, plus il le pose sur moi, plus je suis remuée.

— Mais... que fait-elle, sur cette plage ?

— Elle lit des romans d'amour en attendant Lucien et la petite qui sont partis se baigner tout à l'heure.

44

Il a l'air sonné par ma réponse. Il ne s'attendait d'ailleurs pas à ce que je lui en donne une. Je crois qu'il a posé la question comme ça, comme quand on s'adresse aux murs.

— La petite ?

— Rose. Votre mère. Enfin, Rose, c'est votre mère ?

— Oui.

Je fais boire Hélène à petites gorgées. Je me dis qu'il doit nous prendre pour deux folles.

— Quels romans d'amour ?

— Ceux que votre mère lui lit à chaque visite.

— C'est comme si vous veniez de me lire un mode d'emploi poétique.

S'il me dit ça, c'est qu'il est du même monde que nous, celui où l'on ne croit pas que ce que l'on voit. Celui des idiots, des naïfs, des optimistes.

12

Quand Hélène pousse la porte de la boutique de ses parents, une femme est dans la cabine d'essayage, sa mère agenouillée devant elle, marquant l'ourlet de sa robe. Son père est derrière la caisse, il étouffe un cri lorsqu'il voit sa fille.

Hélène lui ment. Les cancres mentent. Le mensonge est leur seconde peau. C'est pour cela qu'ils ont plus d'imagination que les autres. Elle dit à son père que des élèves lui ont bandé les yeux et l'ont obligée à avaler des craies. Qu'elle ne veut plus jamais retourner à l'école, que tout le monde est cruel et que ça ne sert à rien de la forcer. Elle travaillera à l'atelier. Elle sera sage. Et s'il refuse, elle se tuera.

Elle laisse ses parents débattre dans son dos, prendre une décision. Elle sait très bien ce qu'ils vont se dire. Elle a déjà surpris des conversations murmurées :

« Monsieur Tribout dit qu'elle n'aura jamais son certificat d'études… Même en redoublant… Elle n'y arrivera jamais… Elle ne sait même pas lire l'heure… à neuf ans… »

En montant l'escalier qui mène à sa chambre, Hélène sent la mouette bouger à l'intérieur de sa poche. Elle la touche, elle est toute chaude. Son cœur bat normalement. Ses ailes ne sont pas cassées. Hélène la nourrit avec du pain trempé dans du lait. Elle n'a jamais rien vu d'aussi beau que cet oiseau blanc au bec orange. Même les arbres sont moins jolis. Même les robes de mariée. Même la comtesse qui vient parfois à l'atelier dans sa belle voiture, avec des jambes superbes et un visage de poupée. Aucun paysage. Rien n'est plus beau que cet oiseau. Hélène ouvre la fenêtre de sa chambre pour le libérer.

— Toi qui touches le ciel, est-ce que tu pourrais demander à Dieu de guérir mes yeux et de m'apprendre à lire, s'il te plaît ?

L'oiseau s'envole et fait des cercles. La pleine lune le fait briller comme une énième étoile.

13

Ce matin, le fantôme m'attendait devant la porte de la chambre 19. J'ai presque été désagréable. Parfois, trop de beauté et trop de bleu, ça agace. Et puis, je n'aime pas être dérangée. Et je sens qu'il va me foutre un bordel pas possible. C'est le genre de type à faire déménager toutes les habitudes de quelqu'un d'un claquement de doigts.

— Bonjour Justine. Je peux vous voir cinq minutes ?

J'ai entendu ma collègue Jo glousser dans mon dos et, avant même que je réponde, elle a dit :

— Vas-y, Juju, je prends la relève.

Juju. Elle a dit ça. Juju. C'est nul. Quand on est face à quelqu'un qui nous plaît, on en arrive toujours à détester ceux qu'on adore. À cause de cette proximité qu'ils ont et qu'on n'a pas envie qu'ils aient, surtout quand ce n'est pas le moment.

— Pas longtemps parce que le matin, on est ric-rac.

J'ai dit ça. *Ric-rac.* Et j'ai rougi. J'ai failli me prendre le chariot dans les jambes et j'ai senti que je perdais l'équilibre. La honte. La pure honte.

Je lui ai proposé d'aller dans la petite salle du personnel, juste à côté de «l'office», là où il y a une cafetière, un four à micro-ondes, un frigidaire, une table et quelques chaises. Normalement, on ne fait pas entrer les résidents ni leur famille dans notre petit local mais «il» n'est pas normal. Avec le visage qu'il a, il a une dispense à vie.

Nous avons emprunté trois couloirs et, deux étages plus tard, je l'ai fait entrer.

Le matin, les couloirs sont très bruyants. Les portes des chambres restent ouvertes parce que tout le personnel soignant va et vient. Alors, on entend parfois des «dépendants» délirer, insulter les murs ou appeler au secours. Par les portes entrouvertes, on voit certains anciens qui ressemblent à des revenants, le regard non pas tourné vers une fenêtre mais vers un vide abyssal.

Charles Baudelaire a décrit un asile de fous qui devient angoissant quand la nuit tombe, à cause des cris qui s'en échappent. Dans les maisons de retraite, c'est quand le jour se lève que les esprits s'échauffent.

Il n'y avait personne dans le local. J'ai rempli le filtre de café et j'ai fait couler l'eau. Il s'est assis. J'ai pris deux gobelets ébréchés et j'ai servi. Sans trembler.

— Vous voulez du sucre?
— Non merci.

J'en ai mis deux dans mon gobelet avant de m'asseoir en face de lui. Il a jeté un coup d'œil aux posters accrochés aux murs ainsi qu'au vieux calendrier de 2007, où des pompiers se mettent à poil pour la bonne cause.

— Pourriez-vous me dire ce qu'il y a sur la table de nuit de ma grand-mère ? Est-ce que de mémoire vous sauriez me donner la liste de tous les objets qui se trouvent sur et dans sa table de nuit ?

J'ai fermé les yeux et j'ai dit :

— Une photo de Lucien, de Rose, de Janet Gaynor, une carafe d'eau, des chocolats qu'elle ne mange pas, des hortensias dans un vase en cristal.

— Qui est Janet Gaynor ?

J'avais toujours les yeux fermés, mais je sentais son regard passer à travers mes paupières exactement comme quand on ferme les yeux en plein soleil.

— Une actrice. Qui a eu un oscar en 1929.

— Et dans son tiroir… vous savez aussi ce qu'il y a dans son tiroir ?

— Un paquet de feuilles enroulées dans un élastique à cheveux, un dé à coudre, une photo de Louve, une plume blanche, des mouchoirs en papier et un 45 tours de Georges Brassens, *Les Sabots d'Hélène*.

— Toutes ces choses que vous savez d'elle, vous pourriez les écrire ? Pour moi ?

J'ai rouvert les yeux. Dans les siens, il n'y avait que du bleu. Un bleu à perpétuité. Et moi, du rouge aux joues.

— Faites un vœu.

— Pourquoi ?

— Vous avez un cil sur la joue.

J'ai caressé ma joue gauche, mon cil est tombé sur la table.

À ce moment-là, madame Le Camus est entrée dans le local, essoufflée. Elle nous a regardés sans nous voir, s'est précipitée sur la cafetière, puis s'est mise à boire à petites gorgées en marmonnant :

— Ça recommence. La famille est en bas. Elle veut des explications, et je n'en ai pas. Ça recommence...

J'ai demandé à madame Le Camus s'il y avait eu un nouvel appel.

Elle a fixé le 1er janvier 2007 sur le vieux calendrier des pompiers à poil pour la bonne cause, a pris une grande inspiration et, comme pour elle, a répondu :

— Cette fois, quelqu'un a appelé hier soir. À 23 heures ! Pour dire que monsieur Gérard était décédé d'une embolie pulmonaire.

Le fantôme m'a questionnée du regard en finissant son café. Je lui ai répondu que quelqu'un appelait les familles des oubliés du dimanche pour leur faire croire qu'ils étaient morts. Ses yeux m'ont questionnée de nouveau. Et j'ai laissé faire.

Juste avant de partir, il m'a regardée comme si j'étais une magicienne qui venait de mettre sa grand-mère dans une boîte à découper. Il m'a laissée seule avec ma chef qui fixait toujours le 1er janvier et le torse d'un pompier plutôt costaud.

Depuis Noël dernier, madame Le Camus a toujours l'air de franchir une ligne d'arrivée. Elle est tellement contrariée qu'elle est essoufflée en permanence. Elle fait des allers-retours entre les chambres et la direction en levant les yeux au ciel comme si les plafonds blafards pouvaient lui apporter des réponses à travers leurs néons.

Ça a commencé le 25 décembre dernier, trois familles ont été contactées par téléphone pour la mort d'un résident. Et quand ces trois familles ont débarqué le 26 au matin pour organiser les funérailles, leur aïeul leur a souri, heureux de cette visite inattendue.

Depuis, la direction mène l'enquête pour savoir d'où proviennent ces «sinistres» coups de fil. C'est comme ça que c'est écrit sur la note de service placardée dans la salle de soins, la salle de pause, «l'office» et nos vestiaires. Parce que ça a recommencé cinq fois depuis.

Ces appels proviennent de la chambre 29. Celle de monsieur Paul. Il dort presque tout le temps depuis trois ans. Les médecins sont formels : il est cliniquement impossible que ces appels aient été passés par monsieur Paul lui-même. Mais personne n'a rien vu d'anormal. Personne n'a vu quelqu'un se glisser dans la chambre 29 pour appeler ces familles en douce. Des familles qui ont toutes un point commun : jamais de visites. C'est comme si quelqu'un comptabilisait le nombre de visites par résident et déclenchait ces appels téléphoniques pour remplir les chambres sans fleurs.

Du coup, tout le monde soupçonne tout le monde, on se croirait dans un Agatha Christie sans cadavre. Ça serait drôle d'imaginer un de ses romans où miss Marple enquêterait parce que personne n'est mort...

Si miss Marple enquêtait sur moi, qu'est-ce qu'elle dirait ? Que mes bibliothèques et toutes leurs histoires sont cher payées ? que je suis trop jeune pour m'occuper de gens si vieux ?

14

1930

Dans le jardin attenant à la maison, Lucien respire une grosse rose rouge. C'est l'odeur qu'il préfère, elle lui rappelle sa mère.

Chaque matin, Emma nettoyait son visage avec un coton imbibé d'eau de rose qu'elle préparait elle-même. Elle recueillait les pétales à l'automne et les laissait macérer toute l'année dans une cuvette en émail blanc. Quand sa fiole était vide, elle la plongeait à l'intérieur de la cuvette pour la remplir à nouveau du liquide embaumant.

Parfois, Lucien trempait ses mains et ses avant-bras dans le liquide gluant. Quelques morceaux de pétales déchiquetés se collaient sur ses poils, comme des étoiles ratatinées. Son père remarquait tout de suite qu'il s'était parfumé. On ne peut rien cacher à un aveugle. Même le mensonge a une odeur. Son père lui disait, Ce sont les filles qui se parfument, pas les garçons.

Sa mère lui manque.

Lucien ouvre les yeux et observe le rouge de la rose. Elle a la couleur du sang. Est-ce cette couleur qui lui donne ce merveilleux parfum ? Est-ce que le sang qui coule dans les veines de sa mère a l'odeur des roses ?

A-t-il vraiment ses yeux ? Ceux de quelqu'un qui part ? Lucien pense que sa mère les a quittés lui et son père parce que ce n'est pas une vie de vivre auprès d'un aveugle. Qu'un jour ou l'autre, on a forcément envie de vivre avec quelqu'un qui vous regarde.

15

Aux *Hortensias*, il y a trois médecins plus les vacataires, deux kinés, un homme de service et deux cuisinières, douze aides-soignantes, cinq infirmières, une chef de service. Mais le corbeau pourrait très bien être quelqu'un de l'extérieur : le curé, un des ambulanciers, les pompes funèbres, la coiffeuse, quelques bénévoles qui donnent des heures de présence. Ça pourrait aussi être l'enfant d'un des résidents. La plupart ont vécu à Milly toute leur vie, ici tout le monde se connaît. Ça pourrait même être une des infirmières qui nous sonnent comme des domestiques, pour accompagner un résident aux toilettes par exemple.

Les infirmières ont plus de responsabilités médicales que les aides-soignantes, mais je préfère mon métier parce que nous, nous tenons la main des résidents.

Pour que les familles sachent à qui elles ont affaire, le personnel soignant ne porte pas les mêmes blouses. Celles des infirmières sont roses, celles des chefs de service, blanches et celles des aides-soignantes, vertes, couleur poubelle.

J'adore mes deux collègues Jo et Maria. C'est avec elles que je fais équipe. Madame Le Camus nous appelle les Trois Mousquetaires.

Mademoiselle Moreau, chambre 9, nous appelle les Trois Coccinelles parce qu'on a toujours des petits points de mercurochrome et d'éosine sur les mains. Elle s'amuse à les compter pour connaître notre âge. Et Jo lui répond, *Ça va nous porter chance, les cocci- nelles n'ont aucun prédateur, même les oiseaux les recrachent à cause de leurs ailes amères.*

Et moi, comme j'ai perdu mes parents quand j'étais gamine, je me dis que je devais être sacrément amère pour que la vie me recrache à ce point-là.

Depuis mon arrivée ici, le personnel m'a baptisée « la Petite Fleur » parce que je suis trop sensible et que je fais beaucoup d'heures supplémentaires non rému- nérées. Les premières années, quand Jo me voyait pleurer à chaque fois qu'un résident mourait, elle me répétait : *Garde tes larmes pour les tiens parce que per- sonne ne les pleurera.* Et moi je pensais que la plupart des miens, je les avais déjà pleurés depuis longtemps.

La canicule qui nous est tombée dessus depuis trois jours a déjà anéanti madame Andrée, la dame du 11. Ironie du sort, nous l'avions baptisée « Miss Météo » parce qu'à chaque fois qu'on la croisait dans un cou- loir, elle nous disait : *Anticyclone !* Quelle connerie la vie. Jamais j'aurais cru qu'un coup de chaud l'empor- terait.

Ses enfants sont arrivés ce matin. Trop tard. Ils n'ont pas eu le temps de lui dire au revoir. Mais ce n'est pas de leur faute. Je crois qu'à un moment nos vieux prennent trop d'avance sur nous. Ils attaquent des sprints que plus personne n'est en mesure de suivre.

Jo n'avait pas vu cet anticyclone dans la main de madame André. Jo a un don. Elle sait lire l'avenir dans les lignes de la main. Nos résidents lui demandent régulièrement des consultations. Jo dit que c'est impossible de lire dans les anciennes lignes de main. Qu'elles sont rayées comme un vieux 33 tours. Alors, elle invente.

Tout ce folklore – mes massages, les consultations d'avenir de Jo, les bénédictions du curé qui répète à qui veut l'entendre : *Profitez ! profitez de la vie !* –, ça ne leur donne pas moins envie de rentrer chez eux à nos anciens. Ils se sauvent souvent. Mais nous n'avons pas le droit de fermer les grilles, ce serait considéré comme un mauvais traitement envers nos résidents, un enfermement.

Les anciens se sauvent, mais ils ne savent pas où aller. Ils ont oublié le chemin qui retourne vers avant. « Chez-eux » a été mis en vente pour payer les mensualités de leur séjour aux *Hortensias*. Leurs jardinières sont vides et leurs chats placés. Leurs chez-eux n'existent plus que dans leurs têtes, leurs bibliothèques personnelles. Ces bibliothèques où j'aime passer des heures.

Ce qui me désole, c'est quand je les vois s'entasser

à l'accueil dès 10 heures du matin et fixer les deux portes principales de l'entrée qui s'ouvrent et se referment.

Ils attendent.

Quand il fait beau, nous sortons les dépendants dans le parc pour qu'ils prennent l'ombre du soleil sous les tilleuls. La visite du vent dans les arbres, des abeilles, des papillons et des oiseaux comble leur attente. Nous leur donnons du pain à jeter aux moineaux et aux pigeons, il y en a qui adorent, il y en a qui ont peur, il y en a qui leur balancent des coups de pied. Alors ça s'engueule. Et tant qu'ils s'engueulent, ils n'attendent plus. Chez soi ou ailleurs, tous les beaux temps se ressemblent.

Quand je suis fatiguée, je monte au dernier étage. Je m'assieds, le dos collé contre la baie vitrée qui donne sur le toit. Je ferme les yeux et je m'endors dix minutes. Lorsqu'il y a une éclaircie, le soleil brûle ma nuque et j'adore ça.

Souvent, la mouette s'envole et m'observe depuis le ciel.

Quand je reprends du service, je ne sais pas si je suis du matin, de l'après-midi ou du soir. Ce ne sont pas des heures supplémentaires que je fais, ce sont des heures où je n'ai pas envie de rentrer chez moi. Pas envie de voir pépé s'emmerder parce que c'est tout le temps l'hiver dans ses yeux, pas envie de voir mémé chercher le visage de mon père sur le mien, pas envie de frapper à la porte de la chambre de Jules, enfermé dans son mutisme, parce qu'il joue en ligne ou sur Beatport, une plate-forme de téléchargement de musique électronique.

Je préfère enlever les bas de contention d'Hélène pour lui masser les jambes et les pieds. Elle me parle de la grande blonde assise à côté d'elle, celle qui porte un maillot de bain une pièce et qui s'est enduite d'huile de monoï jusque dans les cheveux.

Pareil quand je ne supporte plus le quotidien. Lorsque la cadence est infernale, qu'une des aides-soignantes est absente et qu'on doit faire de l'abattage : soins, toilette, ménage. Dès que je sens que je pourrais m'énerver contre un des résidents qui m'insulte, n'a envie de rien ou fait exprès de se pisser dessus en me rigolant au nez, je passe la main à une collègue ou je file cinq minutes dans la chambre 19. Je demande à Hélène de me parler de Lucien ou des clients de son bistrot. Baudelaire lui revient souvent en mémoire.

Cet homme rebaptisé Baudelaire était né à Paris. À la mort de sa grand-mère, il avait hérité de sa maison à Milly et s'y était installé, seul, vers l'âge de quarante ans. Il avait fait la classe aux enfants quelques heures par semaine à la demande du maire. Il connaissait le répertoire de tous les poètes, quelle que soit leur nationalité, dont celui de Charles Baudelaire par cœur. Cet homme avait un bec-de-lièvre qui le défigurait, les enfants s'étaient moqués de lui, d'autres en avaient eu peur, les parents avaient demandé sa démission. Il avait échoué au café du *père Louis*, où il passait des heures, accoudé au comptoir, à déclamer les textes de son poète préféré.

Hélène me récite celui qu'il murmurait du matin au soir, entre deux gorgées d'alcool :

Souvent, pour s'amuser, les hommes d'équipage
Prennent des albatros, vastes oiseaux des mers,
Qui suivent, indolents compagnons de voyage,
Le navire glissant sur les gouffres amers.

À peine les ont-ils déposés sur les planches,
Que ces rois de l'azur, maladroits et honteux,
Laissent piteusement leurs grandes ailes blanches
Comme des avirons traîner à côté d'eux.

Ce voyageur ailé, comme il est gauche et veule !
Lui, naguère si beau, qu'il est comique et laid !
L'un agace son bec avec un brûle-gueule,
L'autre mime, en boitant, l'infirme qui volait !

Le Poète est semblable au prince des nuées
Qui hante la tempête et se rit de l'archer ;
Exilé sur le sol au milieu des huées,
Ses ailes de géant l'empêchent de marcher.

16

1933, avant l'été

Jour de noces à Clermain. On a dressé de grandes tables avec des nappes blanches sur la place de l'Église. Tous les gens du village sont réunis pour fêter l'union d'Hugo, le fils du maire, et d'Angèle la rousse, la fille du maréchal-ferrant.

Comme Angèle a honte d'être rousse à cause du roman de Jules Renard Poil de carotte, *elle a demandé à sa couturière, Hélène Hel, de lui faire un voile de tulle très épais pour dissimuler sa tignasse. Elle a même forcé sur la craie blanche de couture pour cacher les taches de rousseur de son visage.*

Ce devrait être le plus beau jour de sa vie, mais Angèle est mal à l'aise. Et ce n'est pas à cause de ses cheveux ni de sa peau. Frédéric, le cousin d'Hugo, ne cesse de la fixer. Elle sent ses yeux se poser sur elle avec insistance. Elle a beau boire du vin pour l'oublier, à chaque fois qu'elle tourne les yeux vers lui, elle croise son regard obscène. Même le jour de son mariage, il continue.

Cela fait des mois que cela dure. Qu'il l'attend en bas de chez elle ou qu'elle se retourne dans la rue et qu'il est dans son ombre. À chaque fois elle reste froide, mais il revient avec insistance : «Bonjour, vous êtes jolie ; Bonsoir, j'aime vos cheveux ; Bonjour, quelle belle surprise ; Bonsoir, vous avez des yeux magnifiques…»

Angèle n'a jamais osé en parler à Hugo. Pendant la cérémonie, elle a même eu peur que Frédéric ne s'oppose au mariage. Rien ne lui aurait permis de le faire, mais elle n'était pas sereine.

Frédéric profite qu'Hugo quitte sa place pour se diriger vers elle. Angèle n'a pas eu le temps de rattraper la main de son mari pour qu'il reste assis près d'elle. Frédéric contourne les invités et s'approche d'elle en souriant. Un sourire comme une mauvaise odeur. Elle ferme les yeux, avale une grande gorgée de vin qui lui brûle la gorge. Quand elle les rouvre, il est là. Elle a envie de le gifler, de le griffer, de lui arracher les cheveux. Elle voudrait être un homme et avoir la force de le battre. Elle l'entend murmurer :

— Je préfère le voile rouge de vos cheveux.

Angèle se lève trop brusquement de table pour le fuir. Elle accroche sa robe à une pointe et la déchire à la taille. Il y a comme un silence qui brouille ses sens. Elle regarde sa robe comme si c'était sa propre peau qui venait de se lacérer. Elle s'étonne même que son sang ne coule pas. Ce ne sont que quelques perles blanches qui tombent à terre. Son cœur se met à battre très fort. Elle lève la tête et dit à Frédéric, un peu comme une supplique :

— Disparaissez.

Puis Angèle demande à sa mère d'aller chercher la couturière qui vit à deux pas de l'église.

Pendant ce temps, elle attendra dans la cure. Heureusement, personne ne s'aperçoit de rien, pas même Hugo. La mère d'Angèle connaît bien la boutique des tailleurs de Clermain. Elle est fermée, nous sommes dimanche. Elle entre par une porte cochère entrouverte et emprunte un couloir qui débouche sur l'atelier de couture entièrement vitré, situé dans une arrière-cour.

Hélène est dans l'atelier, assise en tailleur comme un homme sur une table en bois. Elle est en grande conversation avec quelqu'un que la mère ne distingue que de dos.

Elle frappe à la porte. Un oiseau s'envole. À travers la porte vitrée, elle voit Hélène la regarder sans la voir. Comme quelqu'un qu'on interrompt au milieu d'une conversation et qui n'a pas envie de s'arrêter. La jeune couturière lui fait signe d'entrer.

Ce que la mère d'Angèle avait pris pour quelqu'un de dos est un mannequin de tissu. Elle s'aperçoit que la jeune fille est seule, pourtant, elle aurait juré qu'elle était en train de parler à quelqu'un.

Une heure après, la robe d'Angèle est comme neuve. Hélène a repris chaque couture. Elles sont toutes les deux face à face dans le corridor étroit, près d'une patère à miroir. Hélène a ouvert la porte de la cure pour faire entrer la lumière. La jeune mariée admire le travail d'Hélène comme un miracle.

— Je vous demande pardon, Hélène.
— Pardon ? Pardon de quoi ?

Angèle observe le visage de la couturière qui a trois ans de moins qu'elle. Elle serait incapable de dire si Hélène fait plus vieux ou plus jeune qu'elle. Sa peau claire, son chignon défait, ses yeux bleus, sa grande bouche, ses pommettes hautes. Elle est de ces beautés slaves que l'on aime ou que l'on déteste parce que tout est exagérément grand dans son visage. Même ses yeux semblent vouloir toucher ses tempes. À Clermain, les gens disent qu'Hélène Hel est folle et les enfants se méfient d'elle.

Angèle prend les mains d'Hélène dans les siennes.

— Au début des essayages, je ne vous aimais pas. C'est ma mère qui a insisté pour que vous soyez ma couturière… J'avais peur de vous.

Hélène répond :

— C'est normal. Moi aussi j'ai peur de moi.

Angèle sourit à la jeune femme qui a toujours l'air d'être ailleurs que dans la pièce où elle se trouve. C'est vrai qu'elle est attirante et inquiétante à la fois. Il y a comme un trouble dans son regard. Et puis, elle ne sourit jamais. Même lorsqu'elle dit oui. Angèle observe les mains d'Hélène.

— Vous avez des doigts de fée.

Hélène baisse les yeux. Angèle l'embrasse tendrement et retourne vers ses invités, dans sa robe neuve. Elle balaye l'assemblée du regard, Frédéric n'est plus là. Elle sourit intérieurement, soulagée.

Hélène reste seule dans le corridor. Elle observe ses doigts et finit par ranger ses affaires de couture. Elle ne *referme pas la porte de la cure derrière elle, elle a la manie de faire entrer le soleil partout où elle le peut.*

Pour repartir à l'atelier, Hélène décide de longer l'église du côté du cimetière. Elle essaie de lire les noms sur les tombes. Elle pousse la petite porte de l'église, celle qui est située sur le côté. L'église est vide. Hélène s'agenouille et s'adresse à Dieu en répétant, inlassablement : Apprends-moi à lire.

— Tu fais quoi ?

Je sursaute. Jules m'a fait peur. Je referme le cahier bleu.

— J'écris.

— Tu te prends pour Marguerite Duras ?

— D'où tu connais Marguerite Duras ?

— Un cours de français. J'ai trouvé ça chiant. J'espère que t'écris pas comme elle.

— Aucun risque. Ouvre la fenêtre.

— T'es de mauvais poil ?

— Nan. Tu sais que je supporte pas que tu fumes dans ma chambre.

— C'est surtout que je fume que tu ne supportes pas… T'es pas ma mère.

Jules ouvre la fenêtre et se penche en avant. Il fait un peu la gueule. Alors, je dis :

— Hier soir, il y a eu un nouveau coup de téléphone anonyme aux hortensias.

Il se retourne, je ne vois pas ses yeux.

— C'est quelle famille ?

— Va falloir que t'ailles chez le coiffeur. Celle

de Gisèle Diondet. La toute petite dame avec des cheveux violets qui était mercière. Je t'en ai parlé la semaine dernière.

— Me rappelle.

— Avant, elle passait beaucoup de temps dans la salle des cartes et elle participait à tous les ateliers. Mais depuis le début de l'été, elle bloque avec les autres à la réception. Alors elle était là quand sa famille est arrivée à l'accueil avec les yeux rouges et des habits sombres.

D'une pichenette, Jules balance son mégot par la fenêtre. Demain matin, pépé le ramassera dans le jardin en bougonnant. Puis il le mettra dans une bassine d'eau avec les autres, une eau qu'il utilisera pour arroser ses rosiers et tuer les pucerons.

Il revient s'asseoir sur mon lit.

— Et ils ont dit quoi, la famille, quand ils l'ont vue... vivante ?

— Imagine le choc pour eux. Mais je pense qu'ils ont été un peu déçus.

— Comment ça, déçus ?

— Quand les vieux passent l'arme à gauche, ça veut dire fin de la culpabilité. C'est compliqué. C'est du chagrin qui se mélange à du soulagement.

— Et la petite vieille, elle a dit quoi quand elle les a vus ?

— Au début, elle ne les a pas reconnus, mais elle était quand même contente. Surtout qu'à midi, ils l'ont emmenée au restaurant. Tu sais, ça arrive souvent avec les anciens. Sur le coup, ils ne sont pas aimables avec la famille, mais après les visites, y a quelque chose qui change. Ils sont moins angoissés. En tout cas cet après-midi, Gisèle est retournée dans la salle des cartes. Ça faisait trois mois qu'elle n'y avait pas mis les pieds.

— Tu vois, ça sert à quelque chose ce truc anonyme.

— Tout à l'heure, madame Le Camus nous a tous convoqués pour nous annoncer que des policiers allaient enquêter intra-muros (j'imite sa voix pour faire sourire Jules) *pour résoudre le mystère des coups de téléphone anonymes.*

Mais Jules ne sourit pas.

— Il va y avoir des vrais inspecteurs et tout ?

C'est moi qui me mets à rire.

— Tu parles, c'est Starsky et Hutch qui sont sur l'affaire !

Jules se met à glousser. Starsky et Hutch sont les deux agents de ville de Milly. Les « cow-boys », comme tout le monde les appelle. Ils sont à quelques années de la retraite et ne seront pas remplacés. Il paraît qu'on les appelle comme ça depuis toujours. Ça date de bien avant ma naissance. Il y en a un qui était brun et l'autre blond. Enfin ça, c'était avant. Maintenant ils sont tous les deux blancs. Pépé dit que ce sont les dernières personnes à appeler au secours en cas de malheur. Ils ne sont pas aimés à Milly, la bêtise est très difficile à expliquer, et eux la portent sur leur visage. Ils sont arrogants et ne saluent jamais personne. Quand ils tendent la main, c'est pour donner une contravention. Genre stationnement gênant. Mais qui peut gêner qui à Milly ? Les rues sont vides. Moi, ils ne me font qu'à moitié rigoler parce qu'ils sont quand même armés. Jules dit que leurs flingues sont des jouets. Mais je ne crois pas.

— À ton avis, qui appelle les familles ? me demande Jules.

J'observe son profil parfait. J'ai jamais rien vu d'aussi beau que le visage de Jules. Même avec des cheveux trop longs.

— Je sais pas. Ça peut être n'importe qui. En tout cas, c'est sans doute quelqu'un qui a accès au fichier des familles. Et qui connaît le nom et les habitudes des oubliés du dimanche.

— Le nom des quoi ?

17

Dimanche

La canicule est passée. Elle a duré six jours. Je suis crevée. Laminée. Déjà que je ne compte pas mes heures, mais en cas de crise comme celle-là, ce sont les heures qui ne nous comptent plus.

J'ai pris mon service à 8 heures. Je n'ai pas dormi de la nuit, je suis allée danser au *Paradis* jusqu'à 5 heures. J'ai eu besoin d'être jeune, de me soûler, de déconner, de me maquiller, de draguer, de mettre un décolleté, de fermer les yeux et de danser. De me faire croire que je suis jolie.

Depuis l'automne dernier, je finis souvent mes nuits dans les mêmes bras. Ceux d'un mec plus vieux que moi. Genre vingt-sept ans, qui s'appelle Je-ne-me-rappelle-plus-comment. Entre lui et lui, j'ai d'autres aventures d'une nuit, mais c'est souvent lui qui revient. Un peu comme une apparition bimensuelle.

Le dimanche, c'est le jour des visites. Pas pour tout le monde. Alors j'ai bu cinq cafés pour pouvoir m'occuper de ceux qui n'en ont pas. Le dimanche est un jour « à prendre avec des pincettes ». Il est chargé de chagrin. Ici, on pourrait croire que c'est tous les jours dimanche mais rien à faire. C'est comme une horloge biologique. Chaque dimanche, les anciens savent que c'est dimanche.

Après la toilette, retransmission de la messe à la télé et repas amélioré. Les avocats aux crevettes sont rebaptisés « surprises de la mer en mayonnaise » et les éclairs au chocolat, « délices de sucre fourrés ».

C'est un peu comme le potage de légumes quotidien. Il change de nom chaque jour alors que c'est de la flotte chaude. Le lundi, le breuvage se nomme « potage de saison », le mercredi, « velouté du jardin » et le vendredi, « soupe de légumes méli-mélo ». Les résidents adorent avoir les menus de la semaine. C'est leur carte au trésor. À part la rubrique nécrologique du *Journal de Saône-et-Loire*, c'est la seule lecture qui les intéresse encore.

Le dimanche midi, le kir en plus du vin fait digérer la matinée. Mais il faut faire attention qu'il n'y en ait pas un qui pique le verre de l'autre, sinon ils peuvent très vite s'engueuler, voire se taper dessus. Le réfectoire est une cour de récréation où beaucoup de résidents règlent leurs problèmes en frappant les autres. Même moi, j'ai déjà pris quelques claques.

Le dimanche midi, avec les collègues, nous disposons aussi des nappes blanches et des verres à pied. Comme au restaurant.

Après le déjeuner, certains repartent dans leur

chambre à cause des visites de l'après-midi ou de Michel Drucker. Les autres, nous les occupons dans la salle des cartes avec ce que l'on trouve : petits spectacles, karaoké, loto, belote, projections, ça dépend. J'aime bien leur passer des films de Charlot, ça les fait rire.

J'aime aussi leur faire chanter *Le Petit Bal perdu* dans un micro relié à deux enceintes. C'est leur chanson préférée. Ils prennent le micro chacun à leur tour. Il nous arrive même de danser. Chez nous, c'est pas *Dirty Dancing* mais le cœur y est.

Cet après-midi, on a fait venir notre magicien. C'est toujours le même. Un gosse bénévole qui vit dans mon quartier et qui trimbale une ribambelle de tourterelles et de lapins blancs, comme des trousseaux de clés. Ses tours sont presque toujours ratés parce qu'il est trop maladroit, alors ses trucs se voient comme le nez au milieu de la figure. Mais pour les oubliés du dimanche, rien que de voir une tourterelle ou des lapins dans un chapeau, c'est merveilleux, ça les déleste du poids du jour.

Vers 14 heures, j'ai senti le regard bleu du « fantôme » dans mon dos. J'étais en train d'installer mes résidents pour le spectacle de magie. J'ai entendu son *bonjour*. Une des tourterelles s'est échappée de la manche du gosse.

Il se tenait derrière moi. Il m'a souri. Il m'a souri. Il m'a souri. Il m'a souri. Il tenait un livre à la main. Il portait un jean et un tee-shirt un peu trop grand.

— Bonjour, je viens faire la lecture à ma grand-mère, je voulais vous saluer avant.

C'est confirmé : quand je le vois, j'ai tout qui fout le camp.

Il a un sourire d'une infinie douceur. Sa peau est claire et ses mains ressemblent à celles d'une fille, fines et gracieuses. Face à lui, moi, Justine, je n'existe pas. Je suis normale. Terrienne. Rougissante. Et trop lucide pour imaginer qu'un homme comme lui puisse me voir autrement que comme la fille qui écoute sa grand-mère lui parler de la mer.

— Bonjour, j'ai répondu, c'est gentil, et bonne lecture.

Et je lui ai très vite tourné le dos. J'ai fait semblant de chercher une tourterelle avec le magicien. J'ai à nouveau senti son regard, derrière moi, insistant. Que voulait-il ? Me brûler la nuque comme le fait le soleil derrière la baie vitrée du dernier étage ?

Après le spectacle, je suis montée chez Hélène. J'ai frappé. Il était toujours là, son livre ouvert dans les mains. Il lisait à voix haute :

— *Le matin, ils se retrouvaient dans la salle du petit déjeuner car le premier levé mangeait lentement pour laisser à l'autre le temps d'arriver et tous les jours, grand-mère redoutait que le Rescapé fût parti sans l'avertir, ou bien qu'il fût lassé de sa compagnie et qu'il changeât de table et passât devant elle en la saluant froidement, comme tous ces hommes du mercredi, des années plus tôt…*

Sa voix, belle, fluette et forte à la fois. Comme des doigts sur les touches d'un piano, qui passent des graves aux aigus. Enfin je dis ça, mais je n'y connais pas grand-chose en piano. Et encore moins en spécimens extraterrestres comme lui. À part mon frère. Mais c'est mon frère. Je n'ai pas peur de lui ébouriffer les cheveux.

Il m'a vue, il a aussitôt arrêté de lire.

— C'est quoi ce que vous lui lisez ? j'ai demandé à mes pieds.

— *Mal de pierres*, il a répondu.

Je n'ai pas osé lui dire qu'elle l'avait déjà lu. Enfin, que Rose lui avait déjà lu. J'ai levé la tête en direction d'Hélène. Je l'ai vue sourire depuis sa plage. J'ai répondu aux murs :

— Ça a l'air de lui plaire.

Il a hoché la tête. Enfin je crois.

Je suis partie, en silence. Parce que je n'existe pas quand il est là. Ensuite, je ne l'ai pas revu. J'ai jeté un coup d'œil sur le toit, la mouette était à sa place et semblait dormir. Il a laissé *Mal de pierres* sur la table de nuit, entre Janet Gaynor et Lucien, avec mon prénom dessus écrit au stylo plume. Il a une belle écriture. Je n'avais jamais vu « Justine » aussi bien écrit.

« Pour Justine ».

Il avait signé, « Roman ».

Il s'appelle Roman. Ça ne s'invente pas.

Il est 21 heures. J'ai des courbatures partout. Monsieur Vaillant m'a demandé de lui masser les mains.

Ce soir, j'ai répondu. Ensuite, j'irai m'occuper de celles d'Hélène. J'aime bien monsieur Vaillant. Ça ne fait pas très longtemps qu'il est parmi nous. Il n'est pas heureux ici. Sa maison lui manque, bien plus que sa femme. C'est ce qu'il me dit tous les jours. Après monsieur Vaillant et Hélène, j'irai éteindre les télés de ceux qui se sont endormis.

Puis, moi aussi, je relirai *Mal de pierres* avant d'écrire sur le cahier bleu, que je n'ai pas touché depuis des semaines à cause de la canicule.

18

1933, avant l'été

Ce matin, Étienne a joué Air *et des préludes de Bach
pour un mariage. C'est la première fois qu'il jouait dans
l'église de Clermain.*

*Comme d'habitude, Lucien a guidé son père jusqu'à
l'orgue en lui tenant le bras gauche.*

*Lucien a fermé les yeux et a écouté Étienne jouer. Il
a toujours associé les notes de musique aux couleurs des
roses de son jardin. Même avant le départ de sa mère.
Il n'a pas rouvert les yeux pour observer les mariés et
leurs convives agglutinés sur les bancs de l'église. Il évite
toujours de regarder ce qu'il se passe autour de lui. Il
préfère ressentir.*

*À la maison, il n'allume toujours pas la lumière
du plafonnier. Il vit dans l'obscurité et fait en sorte
qu'Étienne ne s'en aperçoive pas.*

*Bien qu'il ait vingt-deux ans et que sa vue soit par-
faite, il ne parvient pas à se résoudre à l'idée qu'il ne*

deviendra pas aveugle. Il se dit que sa maladie a juste pris du retard.

Après la cérémonie, Étienne et Lucien prennent place autour de la grande table qu'on a dressée sur la place de l'Église.

Lucien adore les mariages pour deux raisons : son père et lui partagent souvent les repas de noces, et il peut rester seul parmi les autres adultes. Il n'a plus besoin de son fils.

Lucien écoute le bruit que font les gens autour de lui. Il les entend se soûler et rire. Il entend Étienne faire comme les autres. Il dévore gaiement tout ce qu'on lui sert en vérifiant de temps en temps que le livre en braille qu'il a glissé dans sa poche est à sa place. Il se les procure toujours en cachette de son père.

Près de lui, une grosse femme essaie de lui faire la conversation, mais Lucien n'aime pas trop parler. Quand il est seul avec Étienne, il parle déjà pour deux : Attention à la marche, sur ta droite, non, un peu sur ta gauche, le ciel s'assombrit, il y a une grosse fuite d'eau à cet endroit, il faut repeindre cette porte, les mauvaises herbes envahissent les pierres, madame Chaussin est en train de passer devant la palissade, ton verre est rempli, ne touche pas c'est très chaud, tes chemises blanches sont rangées sur les étagères de gauche, le pain est coupé en tranches, cette pomme est véreuse, ton élève entre dans le jardin, attention, ça va faire du bruit. Alors Lucien sourit poliment à sa voisine, hoche la tête sans l'écouter et puis c'est tout.

Il ne se mariera jamais. Jamais il ne passera d'alliance autour de l'annulaire d'une femme. Jamais il ne demandera à une femme de lui jurer fidélité. Pas après ce qui est arrivé à ses parents. Jamais personne ne viendra au banquet de sa noce. Son père le traite souvent d'anarchiste parce qu'il critique l'armée, les hommes politiques, la peine de mort, les curés et le mariage.

Parmi les convives qui mangent, boivent et rient, Lucien est le seul à entendre un bruit de tissu qui se déchire. Même Étienne n'y a pas prêté attention. Pour la première fois de la journée, Lucien lève les yeux et les dirige vers quelque chose de précis : la jeune mariée. Elle observe sa robe déchirée d'un air épouvanté, un homme se penche vers elle, elle l'esquive.

Lucien voit l'homme s'éloigner de la mariée, la mariée glisse quelques mots à l'oreille d'une femme en robe mauve qui part en courant en direction du village. La mariée file derrière l'église à vive allure, serrant sa robe contre elle. Personne, à part lui, n'a rien remarqué.

Quelques minutes plus tard, Lucien voit la femme en mauve revenir du village, accompagnée d'une jeune fille qui baisse les yeux, une mallette de couture à la main. Elles se dirigent toutes les deux derrière l'église.

Pour la première fois depuis que sa mère est partie, Lucien est traversé par une immense tristesse. Comme une violente mélancolie, un soir d'automne où le ciel serait bas, verrouillé, sans interstice pour laisser passer la lumière. Il réalise que quand il sera aveugle, il ne verra plus de jeunes filles baisser les yeux. Comment fera-t-il pour distinguer la grâce ? Même les provisions de couleurs qu'il fait en écoutant Jean-Sébastien Bach ne peuvent répondre à cette question.

Au moment où il sent les larmes monter, quelque chose lui tombe sur la tête. Il passe la main dans ses cheveux et observe le liquide blanc, visqueux et chaud qui brille sur ses doigts. Pas de doute, c'est une fiente d'oiseau. Il lève les yeux en direction du ciel, ne voit rien. Il quitte la table pour se rincer dans la fontaine située au centre de la place.

Il plonge la tête dans l'eau glacée, quand il la relève, il voit l'homme qui était en face de la mariée lorsque sa robe s'est déchirée : il fume une cigarette en l'observant.

— Vous êtes le frère de la mariée ?

— Non. Je suis le fils de l'organiste.

— L'aveugle ?

— Oui.

— Vous connaissez Angèle ?

— Qui ?

— Angèle, la mariée.

— Non.

— Je suis amoureux d'elle. Mais je ne suis pas son époux.

Lucien reste silencieux. Il se demande si sa mère était déjà amoureuse d'un autre homme quand elle a épousé son père. Il se demande comment l'amour s'attrape et s'il peut s'attraper à plusieurs. Il a déjà couché avec des prostituées mais à part des roses, des livres et de la musique, il n'est jamais tombé amoureux. Il a lu beaucoup de livres sur le sujet, le dernier, Les Fiançailles de M. Hire, *il l'a dévoré. Il regarde l'homme s'éloigner vers le village.*

En se dirigeant vers l'église, Lucien croise la mariée. Le soleil est très chaud. Lucien pénètre dans la fraîcheur

de l'église. Il s'installe dans la pénombre du confessionnal et ouvre son livre. Il ne risque pas d'être dérangé par
le curé qui lui aussi a rejoint le banquet et la valse. Ce
n'est pas jour à se confesser. Lucien débute sa lecture du
bout des doigts :

« Dieu livre aux hommes ses volontés visibles dans
les événements, texte obscur écrit dans une langue mys-
térieuse. Les hommes en font sur-le-champ des traductions, traductions hâtives, incorrectes, pleines de fautes,
de lacunes et de contresens. Bien peu d'esprits com-
prennent la langue divine. »

Lucien s'assoupit très vite, au rythme d'un murmure
qu'il perçoit. Il se retrouve pieds nus au bord de la mer.
La lumière est belle. Le soleil est haut perché. Le bleu de
l'eau scintille sous des gréements. Une jeune fille marche
à ses côtés en lui tenant la main. Elle lui sourit. Il se
sent bien. Il n'a plus peur du noir. La jeune fille baisse
les yeux, il n'a plus peur de ne pas la voir.

De temps en temps, ses doigts fins caressent la paume
de sa main. Autour d'eux, des enfants s'amusent, plus
loin, d'autres se baignent. Ils ont presque atteint l'eau,
encore quelques pas. Le murmure se rapproche, c'est le
murmure des vagues, une musique que le père de Lucien
n'a jamais jouée dans les églises.

Lucien se réveille. Il se réveille dans le noir du
confessionnal. La jeune fille s'est envolée. Son livre est
tombé par terre. Il ferme à nouveau les yeux. Il faut
qu'il retourne dans ce rêve. Mais ça ne marche pas.
On ne peut pas se replonger dans un rêve comme dans
un recueil. Et puis, il y a ce souffle, dans l'église. Au

80

début, il croit que c'est un insecte, un bruit d'ailes qui se heurtent aux vitraux. Mais il s'agit d'un murmure. Le murmure des vagues, le murmure du rêve. Quelqu'un murmure. Lucien pousse la porte du confessionnal et aperçoit une ombre agenouillée à quelques mètres de lui.

Il s'approche. Il s'approche de l'ombre comme il s'approchait de la mer dans son rêve. Et plus il s'approche, plus il distingue les mots du murmure :

— LIRE. MOI. LIRE. MOI. À LIRE. APPRENDS-MOI À LIRE. APPRENDS-MOI À LIRE.

Lucien est juste derrière la suppliante. Elle se retourne, le fixe longuement. C'est la jeune fille du rêve. Celle qui baissait les yeux à côté de la femme en mauve tout à l'heure. Son visage est en partie éclairé par trois cierges, dont un est presque entièrement consumé. Elle ressemble un peu à une des filles du bordel d'Autun. Lucien ne sait pas pourquoi il pense à cette fille, là, maintenant. Dans une église, il pense au bordel d'Autun situé dans une maison dont l'extérieur ressemble à n'importe quelle maison. Il y a même des fleurs aux fenêtres. Là-bas, il ne ferme pas les yeux, il observe le corps des filles. Comme il contemple la fille à genoux devant lui.

Il n'ose pas la regarder dans les yeux. Comme s'il avait peur de se brûler. Il la regarde dans les mains. Les mains qu'elle a jointes.

— Pourquoi tu demandes à des cierges de t'apprendre à lire ?

19

— Comment ça va aujourd'hui, monsieur Girardot ?

— Ma femme est morte.

— Ça fait longtemps maintenant.

— Vous savez, quand on a perdu la personne qu'on aimait le plus au monde, on la perd tous les jours.

— Comment ça va aujourd'hui, monsieur Duclos ?

— Ta gueule connasse.

— Ben dites donc, vous y allez fort ce matin.

— Comment voulez-vous que ça aille ?

— Comme une fin d'été.

— Pov' conne.

— Ça m'arrive, oui. Allez, on se lève.

— Mais qu'est-ce que vous foutez ?

— Il faut qu'on fasse votre toilette, monsieur Duclos.

— Allez vous faire foutre.

— Ah, ça ne me déplairait pas.

— Espèce d'enculée.

— Entendu, je vais voir si c'est possible.

— Comment ça va aujourd'hui, madame Bertrand ?
— Annie vient de mourir.
— Ah. Qui est Annie ?
— C'était ma copine. Quand elle arrivait chez moi, elle disait, *Sers-moi une p'tite bière.* Vous croyez qu'y a un bistrot chez le bon Dieu ?
— Si y a un paradis, y a forcément un bistrot.

— Comment ça va aujourd'hui, mademoiselle Adèle ?
— Bien. Ma petite-fille va m'apporter des beignets.
— Vous en avez de la chance d'avoir une petite-fille qui vient vous voir presque tous les jours.
— Je sais.

— Comment ça va aujourd'hui, monsieur Mouron ?
— Mes douleurs aux jambes... J'ai pas fermé l'œil de la nuit.
— Je vais demander au docteur de passer dans la matinée, d'accord ?
— Si vous voulez.
— On vous allume la télé ?
— Non. Y a que des trucs pour les bonnes femmes le matin.

— Comment ça va aujourd'hui, madame Minger ?

— On m'a volé mes lunettes.

— Ah bon ? Vous avez cherché partout ?

— Partout. Je suis sûre que c'est la mère Houdenot qu'a fait le coup.

— Madame Houdenot ? Pourquoi elle vous aurait volé vos lunettes ?

— Pour m'emmerder, tiens.

— Comment ça va aujourd'hui, monsieur Teurquetil ?

— Je suis où ?

— Dans votre chambre.

— Ah non. Ici c'est pas ma chambre.

— Si, c'est votre chambre, on va vous faire votre toilette et si vous voulez, on vous emmènera faire un tour en bas.

— Vous êtes sûre que c'est ma chambre ici ?

— Oui. Regardez les photos sur les murs, là. Ce sont vos enfants, et vos petits-enfants.

— Et maman, elle est où, maman ?

— Elle se repose.

— Mon père est avec elle ?

— Oui. Il se repose avec elle.

— Ils vont venir me voir cet après-midi ?

— Peut-être, mais s'ils sont trop fatigués, ils viendront demain.

— Bonjour, madame Saban. J'enlève le fromage et le jambon que vous avez cachés dans votre placard. Vous pourriez vous empoisonner et puis ça cocotte.

— C'est à cause des Allemands, ils réquisitionnent tout.

— Ne vous inquiétez pas, madame Saban, les Allemands sont rentrés chez eux depuis longtemps.

— Vous en êtes sûre ? Parce que moi, je les ai vus hier soir.

— Ah bon, où ça ?

— Dans la salle de bains.

— Bonjour, madame Hesme, les nouvelles sont bonnes ?

— Oh non, ma pauvre petite, je voudrais tellement pouvoir prendre la place de ces enfants.

— Quels enfants ?

— C'est pas normal que des vieux comme nous soient encore là, alors que des enfants meurent chaque mois dans le *Journal de Saône-et-Loire*.

— C'est la vie, c'est comme ça.

— Le bon Dieu ferait mieux de venir faire son marché ici, chez les vieux, on ne sert plus à rien.

— Comment ça va, ma belle Hélène ?

— Quand Lucien m'a vue prier dans l'église, le jour du mariage d'Angèle, il m'a demandé pourquoi je suppliais des cierges de m'apprendre à lire. Il avait l'air d'un gamin. Je l'ai pris pour un enfant de chœur. Il était beau. Il était beaucoup plus grand que moi. J'ai dû lever la tête pour le voir. Au début, il ne m'a pas regardée dans les yeux, il parlait à mes mains. Quand il a fini par poser ses yeux dans les miens, j'ai reconnu le bleu de Prusse d'un de mes fils à coudre. Un bleu que je n'utilisais presque jamais. Il m'a regardée comme on regarde une menteuse ou une folle. Alors j'ai pris un missel posé sur un banc et je l'ai ouvert au hasard, j'ai commencé à en lire un extrait pour qu'il entende ce que je voyais. Je devais lire : Et voici quelle est la volonté de Dieu. Et j'ai lu : *Voietcillequestlalonvoldetédieu.*

» Il a refermé la bible et il m'a dit : *Je ne suis pas le bon Dieu, mais je peux t'apprendre à lire avec les doigts.* Il m'a tutoyée comme si on se connaissait. J'ai pensé à mes doigts de fée, à ce que venait de me dire Angèle. En l'espace d'une heure, deux personnes me parlaient de mes doigts. Cela faisait longtemps que je n'avais pas discuté avec quelqu'un de mon âge. Je veux dire, quelqu'un qui me parlait d'autre chose que de doublure ou de passementerie. En perdant l'école, j'avais aussi perdu la jeunesse des autres.

» On est allés s'asseoir tous les deux sur un banc, face à l'autel. Il a ouvert le livre qu'il tenait entre les mains, il n'y avait rien d'écrit dessus, mais il a dit que c'étaient *Les Misérables* de Victor Hugo. Ce livre qu'il m'a tendu ne ressemblait pas à ceux qu'on m'avait donnés à l'école. Je pouvais le regarder sans paniquer, les pages étaient blanches.

» Lucien a pris ma main et me les a fait caresser. On aurait dit une peau de bébé recouverte de petits boutons durs. Ensuite, il a pris mon index et l'a posé sur un point précis. Il a dit : *Tu sens le a ?* Puis il l'a posé sur un *m*, j'ai senti trois boutons sous la pulpe de mon doigt. Il m'a fait toucher un *o*. Puis un *u*. Il a tourné plusieurs pages avant de me faire toucher le *r*. Et il a recommencé. Et mes doigts n'ont pas mélangé les lettres. Pour la première fois de ma vie, j'ai compris ce que j'étais en train de lire. Je tenais enfin mon miracle.

» Trois jours après, Lucien est venu à l'atelier de mes parents. Il se tenait devant le miroir sur pied. Ses yeux avaient viré au bleu ciel et il avait mis de la brillantine dans ses cheveux noirs. Une mèche rebelle lui barrait le front. Elle faisait comme une virgule entre ses sourcils. Quand il m'a vue, il m'a souri, et moi aussi, je lui ai souri. Il avait la grâce des gens timides qui font semblant de ne pas l'être.

» Ses lèvres épaisses m'ont commandé un costume en flanelle. Normalement, je ne faisais pas les costumes pour hommes, c'est mon père qui s'en occupait. Mais j'ai insisté. Et ma mère ne s'est pas fait prier. Elle a compris que ce beau jeune homme était là à cause de moi. C'était inespéré que sa fille analphabète et mal coiffée soit courtisée.

» Mon père lui a tout de même demandé un acompte parce que Lucien avait vraiment l'air d'un gamin. Il a sorti trois billets de banque froissés de sa poche.

» Je lui ai montré des modèles de costumes sur une brochure de patrons. Pendant qu'il touchait les différents tissus, il m'a chuchoté que si j'acceptais de dormir avec lui, il ne pourrait jamais tomber malade de cécité, que devenir aveugle lui deviendrait impossible. Il m'a dit que depuis dimanche, il n'avait fait que penser à moi. Et j'ai répondu que moi, depuis dimanche, je n'avais fait que penser aux *Misérables* de Victor Hugo. Que j'étais allée voir mon ancien maître, monsieur Tribout, pour lui demander si ce livre existait vraiment.

» Lucien a choisi une flanelle bleu marine.

» Je lui ai demandé s'il allait m'épouser, il m'a répondu que non, que ça portait malheur de se marier dans sa famille. J'ai répondu, *D'accord pour dormir avec toi, mais en échange, tu m'apprends à lire avec les doigts.*

» Les filles qui dormaient avec les garçons en dehors du mariage s'appelaient des putains, mais moi, je m'en fichais d'être une putain si je savais lire. Ces choses de la vie, en 1933 on n'en parlait pas. On voyait nos règles arriver, on croyait que ça venait du trou par lequel on faisait pipi, on voyait les femmes se marier, leur ventre s'arrondir, mais on ne savait pas ce qui se passait dans la chambre des parents. À l'école, il y avait toujours une plus grande pour raconter aux petites comment on embrasse un garçon avec la langue, mais moi, je n'allais plus à l'école. Quand j'ai rencontré Lucien, je pensais que je finirais « vieille fille ». C'est ainsi que l'on baptisait les dames de Clermain qui ne s'étaient jamais mariées. J'étais convaincue que les « vieilles filles » étaient comme moi, qu'elles ne savaient pas lire.

» Je lui ai fait enlever ses chaussures et je l'ai mis contre un mur pour qu'il se tienne droit. J'ai attrapé mon mètre ruban pour prendre ses mensurations. J'ai commencé par son tour de poignet, puis la longueur de ses bras, la largeur de ses épaules, son dos, sa nuque, sa profondeur d'emmanchure, sa hauteur taille-genou, sa hauteur taille-sol, de la base du cou jusqu'à la pointe de ses épaules, son tour de hanches, la longueur de ses jambes, de son entrejambe, son tour de cuisse et de mollet. Ça a duré longtemps. J'inventais même des mesures dont je n'aurais jamais besoin pour faire son costume, j'avais trop peur qu'il change d'avis et qu'il ne m'apprenne pas à lire. J'étais perchée sur un petit tabouret. Il fermait les yeux. Il ne voulait pas, à ce moment précis, que je sache de quelle couleur ils étaient. Je le sentais trembler sous mes mains. J'avais pris des mesures toute ma vie et pourtant, il m'a semblé, ce mercredi-là, que je le faisais pour la première fois. 181, 40, 80, 97, 81, 36, 13, je me souviens de lui comme d'un poème.

» Des années après, il m'a avoué que ce jour-là, le jour des mesures, il a eu le sentiment d'avoir perdu sa virginité contre mon mètre ruban.

» Je n'ai pas osé lui demander "de quel côté il portait". C'est la question que posait tout tailleur à un homme pour ajuster la couture de l'entrejambe du pantalon. J'ai imaginé qu'il "portait" à gauche.

» Le dimanche suivant, je l'ai retrouvé à l'église de Clermain. Il m'avait donné rendez-vous à 16 heures, l'heure à laquelle il n'y aurait personne. Avec son père organiste, Lucien connaissait tout des églises de la région, même les heures de fréquentation de chacune d'elles. Il avait raison, quand j'ai poussé la porte, il n'y avait personne à part lui.

» Il m'attendait depuis des heures sur le même banc que la dernière fois. Celui où nous nous étions assis pour lire dans le missel. Ses mains étaient glacées. Il a pris les miennes et m'a offert l'alphabet en braille sur un morceau de bois. J'ai tout de suite reconnu le *a*. C'est le plus beau cadeau qu'on m'ait jamais fait. Je l'ai embrassé. Je n'avais jamais embrassé un garçon. Il m'a dit, *Je veux te toucher. Je t'en supplie, laisse-moi te toucher.* J'ai dégrafé ma robe. Oui, je l'ai dégrafée. C'était une robe blanche qui avait appartenu à maman et que j'avais resserrée à la taille. Il m'a regardée longtemps. Il m'a regardée comme si j'étais une vue imprenable. Le froid, dans l'église, m'a fait durcir. Mais je sais qu'il m'a tout de même trouvée douce. J'ai pris sa main et je l'ai posée sur moi. Puis je l'ai emmenée partout, doucement, longtemps, jusqu'à ma bouche.

— Comment ça va aujourd'hui, madame Lopez ?

20

Quand je me regarde dans le miroir de la salle de bains, je ne me trouve pas jolie. Mes sourcils sont droits. Normalement je devrais avoir deux arcs de cercle au-dessus des yeux, comme Janet Gaynor.

On dirait que mon visage n'a pas encore fait de choix, qu'il n'a pas fini de se dessiner. Ce que je ne trouve pas joli chez moi, je me dis qu'un jour ce sera la beauté de quelqu'un. Quelqu'un qui m'aimera et qui deviendra mon peintre. Ce sera celui qui me continuera. Qui me fera passer du brouillon au chef-d'œuvre si j'ai une grande histoire d'amour. On est tous le Michel-Ange de quelqu'un, le problème c'est qu'il faut le rencontrer.

Jules me dit que je suis trop fleur bleue, que je pense comme un livre.

C'est vrai que quand je couche avec des garçons, je pense comme un livre, mais c'est pas un livre à laisser entre toutes les mains.

Je ne couche jamais avec le garçon avec lequel je suis en train de coucher. Celui que je serre dans mes bras n'est pas celui que je serre dans ma tête. Je pense à quelqu'un d'autre, plus exactement je pense à plein d'autres. Les scénarios changent mais ils peuvent être jusqu'à cinq. Cinq bonshommes dans le plumard de mes fantasmes, c'est quand je suis très en forme. Le genre de truc qu'on ne ferait jamais dans la vraie vie, en tout cas, pas dans la mienne.

J'aime l'idée de l'amour, mais je m'ennuie quand je baise. J'ai besoin de promener ma tête ailleurs. Un jour, je renverrai mes hommes bidon et je coucherai avec le garçon avec lequel je suis en train de coucher.

La première fois que Lucien a embrassé Hélène, il a senti un battement d'ailes sous ses lèvres. J'attends garçon qui sentira le battement d'ailes de mes lèvres. Il paraît que ça n'arrive pas tout le temps. Qu'on peut passer une vie à attendre ce battement.

Hier soir, j'ai à nouveau fait l'amour avec le mec de vingt-sept ans. Celui qui s'appelle Je-ne-me-rappelle-plus-comment.

J'ai une règle de conduite à laquelle je ne déroge pas : ne jamais coucher avec un type de Milly. Ce serait comme coucher avec un collègue de travail. Impossible de ne pas se croiser tous les jours. Alors, comme tous les autres, Je-ne-me-rappelle-plus-comment vit près du *Paradis*, à 30 kilomètres d'ici. J'avais une deuxième règle de conduite à laquelle je ne dérogeais pas avant Je-ne-me-rappelle-plus-comment : ne pas coucher deux fois avec la même personne. Là, c'est raté puisque je couche avec lui depuis pas mal de temps. Je lui ai même donné mon numéro de téléphone. Ce garçon m'agace, mais en même temps, je me sens bien avec lui quand il ne m'agace pas. Depuis qu'on couche ensemble, il me pose des questions.

D'habitude, mes « une nuit pas plus » se rhabillent en silence. Il faut dire que d'habitude, je fais ça dans la bagnole vu que je n'ai pas d'appartement. Mais celui-là, il a un studio. Et il ne bouge pas après l'amour. Il n'allume pas de cigarette non plus. Il me regarde, longtemps, puis me pose un tas de questions :

— Tu fais quoi dans la vie ? Et t'aimerais faire quoi si tu avais le choix ?… Ah ouais ? Non !… Tu me feras écouter ?… Tu vis encore chez tes parents ? Ah, je suis désolé. Comment c'est arrivé ? Mais alors tu vis seule ? Je connais ton frère, de vue.

— C'est pas mon frère c'est mon cousin.

— Pourtant il te ressemble.

— Ah bon… Je croyais que je ressemblais à personne. C'est peut-être parce que nos pères étaient jumeaux. Ou qu'on a grandi ensemble. Ses parents étaient avec les miens dans la voiture.

— La vache, c'est dingue ta vie, on dirait un film dramatique. Tu penses à tes parents ?

— Tous les jours.

— Tu te les rappelles ?

— Non. Mes souvenirs ont perdu la mémoire.

— Alors, comment tu fais pour y penser ?

— Pour mon père, j'écoute ses disques de Bowie et Bashung. Et pour ma mère, Véronique Sanson et France Gall. Je cherche des odeurs de femme, aussi. La crème de sa peau. J'ai longtemps cherché une crème qui serait pareille à mon souvenir d'elle qui ne se souvient pas. J'ai reniflé toutes celles qui existent sur la terre. Encore aujourd'hui, je collectionne les échantillons, des fois que... je sais pas. Que son odeur revienne.

C'était la première fois que je parlais d'un truc aussi personnel avec un « coup ». Ce genre de truc, je le garde pour Jules. Ou pour Jo si vraiment j'ai le blues.

Je ne suis pas amoureuse de Je-ne-me-rappelle-plus-comment. Je le sais parce que je ne pense jamais à lui. Avec lui, il n'y a que du présent. Je serais incapable de dire depuis combien de temps je le connais. Je n'ai aucun repère dans le passé. Et aucun projet d'avenir. Jamais je ne lui dis, à demain, à la semaine prochaine, à plus, on s'appelle.

21

1933, après l'été

Le père de Lucien s'est remarié à cause de L'Art de la fugue *de Jean-Sébastien Bach,* Contrepoint 3, *qu'il a joué à la cathédrale de Saint-Vincent-des-Prés. Après l'office religieux, une femme a voulu rencontrer l'homme qui l'avait si merveilleusement interprété. Elle a emprunté l'escalier qui menait aux orgues. Une heure après, elle a demandé Étienne en mariage. Il a dit oui. Il l'a suivie et il a déménagé à Lille.*

Étienne a laissé la maison, les meubles, les draps, la vaisselle et les livres en braille à Lucien qui n'a pas voulu quitter la région. Il a demandé à son fils pourquoi il voulait les livres en braille, il a répondu, Pour conserver tes empreintes. Lucien a regardé son père entrer dans la belle automobile de sa nouvelle femme. Il avait l'air heureux. Il l'a embrassé et pour la dernière fois il lui a donné une indication sur ce qu'il voyait et qu'Étienne ne verrait jamais :

— *Tu as l'air heureux.*

Depuis le départ de son père, Lucien travaille dans un café, celui du père Louis. C'est le seul café de Milly. Il aide à servir, charger et décharger les caisses de bouteilles, les fûts de bière, redistribue chaque soir les hommes soûls à leurs femmes et s'occupe de l'entretien des sols, des vitres et des verres. Il doit aussi donner un coup de main au père Louis les jours d'affluence, c'est-à-dire jamais.

Depuis le jour des mensurations, Lucien prend le train une fois par semaine, le samedi, pour rejoindre Hélène à Clermain. Parfois, il s'y rend à vélo. Toujours vêtu de son costume bleu marine en flanelle. Il va directement à l'église et ne s'arrête jamais en chemin, il regarde la statue devant laquelle Hélène priait la première fois et se cache dans le confessionnal. Vers 18 heures, Hélène le retrouve. Puis ils attendent en silence de se faire enfermer dans l'église.

Lucien glisse ses pourboires de la semaine dans le tronc et illumine le corps d'Hélène en brûlant des cierges. Il guide les doigts d'Hélène vers la lecture et les siens vers l'amour. Hélène a une préférence pour les histoires qui se passent au bord de la mer, même si elle ne l'a jamais vue.

Depuis qu'ils se sont rencontrés, Hélène a beaucoup changé. La lecture l'a déverrouillée. Comme si le jour la pénétrait enfin et ressortait par tous les pores de sa peau. Elle bouge comme une femme qui porte enfin des robes légères après un très très long hiver.

Quand ils commencent à s'endormir, elle lui parle de son enfance, c'est comme une berceuse. Elle lui parle de

l'école des filles. Des jours de fièvre, des mots qui refu-
saient d'entrer dans son regard, de sa bouche qui deve-
nait folle et recrachait n'importe quoi, du désespoir de
l'isolement. Elle lui parle de la seule chose qu'elle savait
faire avant lui : des robes et des pantalons.

Elle lui raconte le soir où elle a léché les mots sur le
tableau qu'elle pensait empoisonné. Et la petite mouette
qui s'est jetée contre la fenêtre pour lui sauver la vie.
Elle lui affirme que chaque être humain est relié à un
oiseau. Et que certaines personnes ont le même. Il suffit
d'observer le ciel pour voir que son oiseau n'est jamais
loin. Elle dit que les oiseaux ne meurent pas, qu'ils se
donnent à l'infini. Que dès qu'on met un oiseau en cage,
un homme devient fou.

Lucien lui répond qu'il l'aime. Il n'a jamais rien
entendu d'aussi beau que la voix d'Hélène.

— Parle encore...

Pendant qu'elle parle, il la respire. Cette fille a l'odeur
d'un bouquet de roses et d'aubépine. Une fragrance
domestique et sauvage. Quand elle fait silence, il brûle
de nouveaux cierges pour la voir jouir de lui.

Le dimanche matin, ils repartent tôt à cause de la
messe qui commence à 8 heures. S'il prend le train,
Hélène l'accompagne à la gare. S'il repart à vélo, Hélène
regarde l'horizon l'avaler.

Quand elle se retrouve seule, elle rentre chez elle
sans passer par l'atelier où elle ne travaille plus beau-
coup. Depuis qu'elle connaît Lucien, elle ment à ses
parents. Comme à l'époque où elle était cancre. Elle
s'invente des maux de tête terribles pour s'enfermer

dans sa chambre et passer des heures à lire du bout des doigts.

Elle n'est pas amoureuse de Lucien. Elle lui est reconnaissante. Il l'a sortie de prison alors qu'elle était condamnée à perpétuité. Grâce à lui, elle sent le vent dans ses cheveux, le soleil lui mordre la peau, les sourires lui gercer les lèvres. Il est son meilleur ami, le frère qu'elle n'a pas eu, sa providence. Grâce à lui, elle a de la chance. Il lui en donne chaque samedi.

La beauté, le savoir-faire et la douceur de Lucien la font jouir mécaniquement, pas amoureusement. Ce n'est pas de l'amour comme celui qu'elle a imaginé, celui qui fait chavirer. Lucien n'est pas un prince charmant mais un royaume. Il pourrait lui demander ce qu'il veut, elle le lui offrirait.

Il est fou amoureux d'elle. Il ne pense qu'à elle. Il voudrait la respirer nuit et jour. Ses cuisses, son sexe, ses bras, sa peau, sa bouche, ses yeux, ses reins, son cul, ses mains, ses doigts, sa voix. Elle a tout remplacé. Même sa peur de perdre la vue. Il ne lit plus, n'écoute plus de musique, ne nage plus. Il mange à peine et commence à flotter dans le costume en flanelle.

Au café, il lave les carreaux et les verres propres plusieurs fois par jour pour s'occuper les mains, pour ne pas devenir fou. Il ne pense qu'au samedi. Quand elle rentrera dans l'église, qu'il reconnaîtra son pas, qu'elle plongera sa main dans l'eau bénite, qu'elle saluera son Seigneur d'un signe de croix, tirera la porte du confessionnal, lui sourira, soulèvera sa jupe et n'attendra qu'une seule chose de lui : le nouveau livre en braille qu'il aura apporté.

Au bordel, il payait les filles avec de l'argent, celle-là, il la paye en livres. Il sait qu'elle ne l'aime pas et qu'elle se donne à lui comme se donnent les putains d'Autun. L'amour, c'est l'art d'être égoïste.

Le dernier samedi de l'année 1933, un 30 décembre, Lucien Perrin fait sa non-demande en mariage à Hélène Hel.

22

— Tu lis ton horoscope, Armand?

Pépé hausse les épaules, Jules le contourne et se penche au-dessus de lui.

— «Bélier, vous allez faire une rencontre capitale.»

Nouveau haussement d'épaules. Pépé bougonne:

— Je lis pas ces connelies-là moi.

Jules insiste:

— N'empêche que tu vas faire une rencontre capitale.

Mémé ronchonne après Jules:

— Mange tes patates au lieu d'embêter ton grand-père.

Jules reprend sa place à table et arrose ses œufs au plat avec du ketchup. Chez nous on mange à 18 h 30. Comme les poules. C'est une expression que je déteste parce que quand j'étais petite, mes copines se moquaient de moi en disant ça. En fait, ce n'étaient pas des copines, mais des voisines en vacances chez les voisins.

À table, j'ai toujours eu la même place, je suis en face de mémé, Jules sur ma gauche, pépé sur ma droite. C'est comme ça. Et on n'a pas intérêt à changer, sinon pépé gueule. Plus tard, quand j'aurai un chez-moi, je ne mangerai que sur des tables basses pastel, il n'y aura pas de toile cirée et j'aurai jamais la même place. Chez nous, il n'y a que du chêne. Tout est marron foncé. Pépé dit que c'est beau parce que c'est du bois noble. Moi, je trouve ça moche. Et puis chez nous, tout est recouvert, protégé. Sur les canapés, il y a des couvertures. Sur les fauteuils, il y a des couvertures. Et sur toutes les tables, des nappes. C'est comme si notre maison avait quelque chose à cacher.

Chaque soir, après le repas, Jules monte dans sa chambre pour réviser et moi dans la mienne pour écrire sur mon cahier bleu si je ne suis pas de garde. Pépé reste devant la télé. Et mémé monte dans sa chambre pour ouvrir un roman de Danielle Steel, qu'elle va mettre un an à lire parce qu'elle pique du nez après deux pages. Pour Noël, je lui en offre toujours plusieurs. Les livres de Danielle Steel ont souvent une couverture pastel comme ma future table basse et portent des titres tels que *Maintenant et toujours*, *Une saison de passion* ou *L'Anneau de Cassandra*. Je ne sais pas ce qui fait rêver mémé là-dedans, peut-être la couverture.

Vers l'âge de six ans, j'ai découvert que mémé et pépé avaient un prénom. Mémé s'appelle Eugénie et pépé Armand. Il arrive souvent à Jules de les appe-

ler par leur prénom : Eugénie, y a plus de cornichons !
Armand, j'ai trouvé tes lunettes.

Avec eux, Jules est beaucoup plus insolent que moi.

Sur leur photo de mariage, c'est bizarre de les voir
jeunes. Et encore plus de voir mémé porter une robe
cintrée. Le temps a échangé sa taille de guêpe contre
celle d'un labrador. Mémé n'a plus de corps. C'est
comme si elle était taillée dans un tronc d'arbre. On
ne saurait distinguer où se trouvent les seins, la taille,
les hanches, les fesses. Mémé n'est pas grosse, elle est
gonflée, construite d'un même morceau. Ses jambes
et ses pieds sont comprimés dans des bas à varices –
même en été – et ses mains, toujours rêches comme si
jamais personne ne les avait caressées. Je n'arrive pas
à imaginer qu'un jour pépé a dragué mémé. Je n'arrive
pas à imaginer pépé en train de basculer mémé sur un
lit. Je n'arrive pas à me dire qu'un jour mémé a taillé
une pipe à pépé. Alors que quand Hélène me parle de
Lucien, j'arrive à imaginer des trucs.

Pépé et mémé ne s'adressent presque jamais la
parole. La seule chose qu'ils font ensemble ce sont les
courses. Ils ne s'engueulent jamais. On dirait qu'ils
ont décidé d'un commun accord de se foutre la paix.
Je ne les ai jamais vus s'embrasser sur la bouche. Juste
un petit bisou comme ça, sur la joue, si c'est Noël,
pour remercier pour les cadeaux. Et parce qu'on est
là. Certains se cachent pour s'embrasser, par pudeur.
Eux, c'est le contraire.

On ne peut pas dire qu'ils soient méchants avec
nous, juste absents. Ils sont toujours à la maison mais

jamais dans les pièces. Ils sont toujours à table mais jamais au menu du jour.

Le soir, pépé rejoint mémé vers 22 h 30 dans la chambre. Sauf le dimanche. Tous les dimanches soir, pépé regarde *Le Cinéma de minuit* sur France 3. Quand pépé rejoint mémé dans la chambre, elle dort déjà. Elle a posé sa canne contre sa table de nuit, elle a mis son dentier dans un verre d'eau avec une pilule effervescente, un filet sur sa tête et je jure que ça fait peur. Quand j'étais petite, j'étais terrorisée à l'idée de rentrer dans leur chambre en pleine nuit. Même malade, avec 40 de fièvre, j'attendais qu'elle redevienne la mémé du matin avec ses dents.

Je n'arrive pas non plus à imaginer qu'un jour, elle a eu une vie de jeunesse, sans tentative de suicide ni pot de chambre au pied du lit.

Il y a deux ans, je suis rentrée plus tôt que prévu à la maison. Pépé était parti pour la journée à Mâcon faire un check-up remboursé à 100 % par la Sécu, un cadeau d'anniversaire pour ses soixante-quinze printemps. J'ai entendu du bruit dans la salle de bains d'en haut. Un bruit de marteau. Comme si quelqu'un tapait sur les tuyaux. J'ai tout de suite pensé au plombier parce que le matin même, il y avait eu une grosse fuite entre la douche et le lavabo. Le carrelage pissait littéralement.

En rentrant dans la salle de bains, j'ai vu mémé en bleu de travail, couchée sur le dos, la tête sous le lavabo, on n'apercevait que ses jambes moulées dans le coton bleu. Elle avait posé sa canne contre la baignoire. Elle portait aussi des chaussures que je n'avais jamais vues. On aurait dit des chaussures d'homme à sa taille. Une boîte à outils était entrouverte et la main de mémé passait de la tuyauterie à la boîte avec une dextérité déconcertante. Je regardais sa main attraper différentes clés à molette et autres objets comme des tournevis, sans dire un mot. Couchée sous la partie basse du lavabo, elle ne m'a pas vue. Je me suis retrouvée dans la position d'une petite fille qui découvre que sa grand-mère a une double vie. Une vie où elle lit des romans à l'eau de rose et une autre où elle est plombier. Ce qui m'a le plus interloquée était de la voir en pantalon, les jambes écartées, et d'une souplesse qui faisait penser qu'elle n'était pas si vieille que ça. Aussi déconcertée et embarrassée que si je venais de la trouver au lit avec un amant, j'ai reculé et je suis ressortie de la maison. Je suis allée boire un café au PMU et je suis revenue une heure plus tard, en faisant un maximum de bruit. Elle était dans la cuisine, dans sa robe grise commandée à La Blanche Porte trois ans plus tôt. J'ai regardé ses pieds et elle s'est demandé pourquoi je détaillais ses vieux chaussons usés.

La salle de bains était nickel.

Le soir, Jules a demandé s'il pouvait prendre une douche en haut et j'ai entendu ma grand-mère lui mentir. Oui, le plombier était passé dans la journée, la fuite était réparée. Pépé a demandé à mémé combien ça avait coûté, et elle a répondu : trente euros au noir. J'ai cherché les traces de la panoplie du parfait petit bricoleur de mémé dans l'abri de jardin, dans le débarras, dans la cave, je ne l'ai jamais retrouvée. Maintenant, je me dis que j'ai peut-être halluciné et que tout ça n'est que le fruit de mon imagination débordante. À moins que le plombier de Milly ne soit le sosie de mémé.

Depuis que j'écris sur le cahier bleu, je ne descends plus à la cave pour écouter de la musique. Du coup, Jules révise. Ou fait semblant de réviser en jouant en ligne et en téléchargeant de la techno.

Avec les années, je crois que j'ai fait le deuil de la musique comme j'ai fait le deuil de mes parents. Je crois que j'ai commencé à mixer pour faire résonner le son de leur voix autour de moi : tous nos disques appartenaient à nos parents. Ils étaient disquaires.

Après leur mort, pépé et mémé ont rendu le local que nos pères louaient à Lyon. Mais, ne sachant pas quoi faire des vinyles et des CD, ils ont tout rapporté à la cave. La musique est restée dans des cartons jusqu'à ce que nous les découvrions, Jules et moi. On a d'abord acheté une première platine pour écouter les 33 tours et, avec les années, une table de mixage. La table de mixage, ce sont les grands-parents de Jules, Magnus et Ada, qui nous l'ont offerte. Quand Jules leur parlait encore.

L'année prochaine, Jules ne sera plus à la maison. Je n'arrive pas à y croire. Comme je n'arrive pas à croire que pépé va faire une rencontre capitale.

23

Je rentre chambre 19. Roman est assis près d'Hélène.

— Bonjour.

Il se lève.

— Bonjour Justine.

Il désigne *Mal de pierres* des yeux. Je l'ai reposé sur la table de nuit pour qu'il le récupère lors d'une visite.

— Vous l'avez aimé ?

— Je l'ai dévoré.

Il sourit.

— Ça ne vous a pas fait trop mal j'espère.

Je rougis.

— Ça donne envie d'aller en Sardaigne.

Il me regarde.

— J'ai une petite maison là-bas, au sud de l'île, vers Muravera. Je vous prête les clés quand vous voulez.

Je baisse les yeux.

— Vraiment ?

— Vraiment.

Silence.

— Est-ce qu'on y croise les personnages du livre ? je demande.

Il me regarde.

— Tous les jours.

Je le regarde.

— Même le Rescapé ?

— Surtout le Rescapé.

Il prend le roman dans ses mains et le repose aussitôt. Puis il se lève.

— Je suis en retard, il faut que je parte si je ne veux pas rater le dernier train. Hélène ne m'a pas dit un mot aujourd'hui.

Je regarde Hélène. Je pense à la maison en Sardaigne et je réponds :

— La prochaine fois.

Et lui, tristement, il me dit :

— Oui. Peut-être. Au revoir.

— Au revoir.

Quand il sort d'une pièce, il y a toujours un peu d'ombre qui se pose. Il ne me demande jamais si j'ai commencé à écrire pour lui.

Hélène tourne la tête vers moi et me sourit.

— Alors ma belle Hélène, c'est le monde du silence aujourd'hui ?

— Lucien m'a non épousée le 19 janvier 1934 à Milly, son village. Il y avait beaucoup de neige ce jour-là. Il a fait exprès de choisir le jour le plus froid de l'hiver pour que personne ne puisse venir… Justine ?

— Oui ?

Je m'approche d'elle et lui prends la main.

— Tu sais pourquoi Lucien n'a jamais voulu m'épouser ?

— Parce que l'alliance encercle le seul doigt qui possède une veine allant vers le cœur.

Elle se met à rire comme une petite fille.

— L'annulaire gauche.

Je m'assieds près d'elle. Elle reprend son monologue :

— On a déguisé la maison du père Louis en mairie. C'était une grande maison carrée à trois étages, juste en face de la gare. Avec une échelle, Lucien a accroché un drapeau bleu blanc rouge sur la gouttière et un grand écriteau «MAIRIE» au-dessus de la porte d'entrée. Mes parents qui n'avaient jamais mis les pieds à Milly n'y ont vu que du feu. Et puis, cette neige recouvrait tout.

» Il n'y avait personne dans les rues. On attendait mes parents devant la fausse mairie quand ils sont sortis de la gare. Je portais une robe blanche très simple, sans dentelle.

» On a dit à mes parents qu'on se marierait à l'église plus tard, aux beaux jours, et que j'ajouterais de la dentelle et un voile de tulle à ce moment-là. Ma mère était déçue que la fille unique des tailleurs de Clermain ait une robe aussi simple le jour de son mariage. Lucien, lui, arborait fièrement son premier costume en flanelle bleu marine. Il avait beaucoup maigri, j'avais dû faire des retouches.

» Quand il a pris mon bras et que nous sommes

entrés dans la fausse mairie, ses yeux m'ont embrassée. Ce jour-là, ce n'est pas ma main que je lui ai donnée, ce sont les deux : je commençais à lire le braille toute seule, sans son aide. Je lui devais tout... Justine ?

— Oui.

— Tu sais ce que ça veut dire, tout devoir à quelqu'un ?

— Je sais ce que ça veut dire, mais je n'ai jamais rencontré quelqu'un à qui je pourrais tout devoir.

Silence.

— Au rez-de-chaussée de la maison, le père Louis avait dégagé les meubles et mis un grand bureau et quelques chaises. Lucien avait accroché de faux arrêtés municipaux aux murs, et sur une porte verrouillée, il avait inscrit « État civil ». Le père Louis a adoré jouer au maire. Il a pris son rôle très au sérieux sans vraiment comprendre pourquoi Lucien dépensait une telle énergie pour ne pas m'épouser. Lucien a eu beau lui expliquer que le mariage empêchait le sang de circuler jusqu'au cœur et qu'il rendait les hommes et les femmes esclaves de promesses impossibles à tenir, il n'a jamais compris.

» Le père Louis était un homme corpulent, à la voix grave. Son écharpe tricolore sur le buste, il nous a lu le Code civil du mariage. Article 212, les époux se doivent mutuellement fidélité, secours. Article 213, les époux assurent ensemble la direction morale et matérielle de la famille, ils pourvoient à l'éducation des enfants et préparent leur avenir.

» Mes parents sont repartis après la cérémonie pour

ne pas être surpris par la nuit qui tombait très tôt à cette période de l'année.

Elle se tait.

— Hélène ?

— Oui.

— Pourquoi vous n'avez pas dit un mot à Roman aujourd'hui ?

Elle lève les épaules en signe d'ignorance. Puis elle ouvre la bouche une dernière fois avant de retourner sur sa plage :

— Après l'échange des baisers, Baudelaire, notre faux témoin, a récité un poème :

Mon enfant, ma sœur,
Songe à la douceur
D'aller là-bas vivre ensemble !
Aimer à loisir,
Aimer et mourir,
Au pays qui te ressemble !

24

En 1935, Lucien et Hélène achètent le café du père Louis qui le leur cède pour une bouchée de pain. Ils n'en changent pas le nom. Se disant que ça ne sert à rien puisque c'est ainsi qu'il s'est toujours appelé. Changer le nom de ce café, ce serait comme rebaptiser un vieil homme qui a ses habitudes. Ils repeignent les murs, voilà tout.

La salle de café est lumineuse, on y accède par une porte en bois vitrée dont le verre dépoli est teinté de rouge, de bleu et de vert. Deux grandes fenêtres donnent sur une rue et une autre sur la place de l'église romane. Le sol est fait de planches en bois sombre. Quatre colonnes recouvertes de miroirs renvoient des images en kaléidoscope des clients accoudés au bar en zinc.

Derrière le comptoir, une petite remise aveugle sert de débarras. À droite, quatre marches conduisent à une pièce qui fait office de cuisine et de salle de bains parce qu'il y a un évier, un fourneau, une table et deux chaises.

Depuis cette pièce, une échelle de meunier mène à un étage où une chambre est sommairement aménagée.

Hélène apprend par cœur le nom des alcools à servir. Comme elle ne peut pas se référer aux noms écrits sur les bouteilles, elle se repère aux dessins sur les étiquettes, à la couleur des liquides et à la forme des bouteilles.

Au début, ce sont les clients qui lui expliquent dans quel verre servir le Byrrh violet, le Saint-Raphaël, l'Amer Cabotin, l'Eau d'Arquebuse, le Dubonnet, la gentiane, le vermouth, le cherry, le pastis Olive, la Malvoisie Saint-André.

Aucun client ne triche avec les quantités, le prix à payer ou la contenance des verres. On compte même de nouveaux consommateurs de limonade et d'orangeade parmi les habitués et les piliers de bar, la couleur des yeux d'Hélène attirant la jeunesse du village comme de l'absinthe.

En général, nos anciens puent. Ils n'aiment plus se laver. Comme s'ils se foutaient d'arriver cradingues au paradis.

Le matin, pendant la toilette, on se fait souvent engueuler. Et lorsqu'on fait remarquer aux indépendants qu'il faut prendre une douche, idem. On doit insister.

Hélène, elle, ne pue jamais. Elle sent le bébé.

La première fois que je me suis retrouvée seule avec elle c'était un soir de Noël. Ça faisait un mois que je travaillais aux *Hortensias*. J'étais de garde. L'infirmière m'avait dit de la surveiller parce qu'elle avait un peu de fièvre. Je suis montée relever sa température. Elle m'a pris la main. Ça m'a donné envie de chialer parce que personne n'avait jamais eu de geste aussi tendre avec moi. C'était quelque chose de maternel que je ne connaissais pas. Enfant, quand ma grand-mère me touchait, c'était toujours avec un gant de toilette.

— Quel temps fait-il sur votre plage ? j'ai demandé.

— Beau. En ce moment c'est le mois d'août. Il y a du monde.

— N'oubliez pas de vous protéger du soleil.

— J'ai mon grand chapeau.

— C'est beau ce que vous voyez ?

— C'est la Méditerranée. C'est toujours beau la Méditerranée. Comment tu t'appelles ?

— Justine.

— Tu viens souvent ?

— Presque tous les jours.

— Tu veux que je te parle de Lucien ?

— Oui.

— Viens par ici. Colle ton oreille contre ma bouche.

Je me suis penchée contre elle. J'ai entendu ce que l'on entend à l'intérieur d'un coquillage : ce que l'on a envie d'entendre.

*En 1936, ils ferment leur bistrot du 20 au 31 août,
sur une grande pancarte Lucien écrit :*

FERMÉ POUR CAUSE DE CONGÉS.

Même la mouette disparaît du toit.

*Pendant onze jours, les hommes de Milly sont
condamnés à boire seuls. À réparer une fuite d'eau,
gratter la terre de leur jardin, couper du bois, graisser la
poulie du puits, accompagner leur dame à la messe.*

*C'est la première fois que le café du village ferme
depuis leur naissance. Même pour les anciens qui ne se
souviennent plus de leur âge.*

*Quand Lucien et Hélène rouvrent leur commerce
au matin du 1er septembre, Baudelaire trépigne devant
la porte, un portrait de Janet Gaynor à la main qu'il a
découpé dans un magazine. Il entre dans le bistrot avec
sa nouvelle compagne comme s'il entrait dans une cathédrale pour l'épouser.*

En ce jour de 1er septembre, tous les clients font

un peu la tête, surtout à Hélène. C'est à elle qu'ils en veulent d'avoir fermé boutique. Les hommes sont silencieux, sauf lorsqu'ils exhibent le portrait de Janet Gaynor tour à tour, déclamant à Hélène que cette femme-là est la plus belle femme du monde. Qu'il y en a qui feraient bien de prendre modèle sur elle et de se coiffer un peu mieux. Hélène n'y prête pas attention et reprend ses habitudes, elle reprise les trous aux poches et aux coudes, ignorant sa rivale de papier glacé.

Le soir, alors que le café est fermé depuis plus d'une heure, Hélène retrouve le portrait de Janet Gaynor abandonné sur un coin du bar. Est-ce qu'elle sait lire… ? C'est la première chose que se demande Hélène en regardant le portrait. C'est toujours la première chose qu'elle se demande quand elle rencontre quelqu'un.

Elle a appris à lire à l'âge de seize ans. Elle a eu la sensation de naître quand elle a touché l'alphabet, d'apprendre à respirer. Ensuite, sont venus les mots, puis les phrases. La première phrase qu'elle a su lire, elle s'en souviendra toujours. Elle est extraite d' Une vie, de Guy de Maupassant, un roman qu'Hélène a lu vingt fois, peut-être trente, depuis : « Toute petite, comme elle n'était point jolie ni turbulente, on ne l'embrassait guère ; et elle restait tranquille et douce dans les coins. »

Lorsque Hélène lit des phrases aussi sinistres que : « Alors l'humide et dur paysage qui l'entourait, avec la chute lugubre des feuilles, et les nuages gris entraînés par le vent, l'enveloppa d'une telle épaisseur de désolation qu'elle rentra pour ne point sangloter », elle exulte. Aucune lecture ne peut l'attrister. Chaque mot est une gorgée de chaleur qui l'enivre joyeusement. Avant la lecture, Hélène ressemblait à Jeanne, l'héroïne de Maupassant, enfermée dans un couvent.

Hélène avait toujours le sentiment de rester à la surface des choses, des gens. En lisant, elle croque dans un fruit qu'elle a convoité pendant des années et sent enfin son nectar sucré couler dans sa bouche, sa gorge, sur ses lèvres, ses doigts.

Avant la lecture, sa vie se résumait à des gestes quotidiens, habituels, qui la plongeaient dans un profond sommeil à la fin de la journée, comme un cheval de trait abruti de fatigue. Maintenant, ses nuits sont peuplées de rêves, de personnages, de musique, de paysages, de sensations.

Hélène observe Janet Gaynor, son beau regard songeur, provocant et lointain. Ses sourcils parfaits, sa bouche parfaite, ses cheveux parfaits, son cou dénudé. Hélène n'ose pas la jeter. Elle la coince entre deux bouteilles de Malvoisie Saint-André.

Plus tard, la photo de Janet Gaynor a été collée, punaisée, scotchée entre les bouteilles de limonade et les verres à pied derrière le comptoir. Presque toujours à la même place pendant des années. Elle a fini accrochée au percolateur qui a été livré après la guerre avec les bouteilles de Coca-Cola. À chaque fois qu'une boisson chaude coulait, Baudelaire disait que la vapeur d'eau décoiffait un peu Janet.

27

L'automne approche. Ce matin, je suis passée au cimetière avant d'aller au travail. J'aime y aller depuis que je n'y suis plus obligée.

Les feuilles mortes recouvraient les dates sur la tombe. Un jour, je serai plus vieille que mes parents. Eux, ils auront toujours trente ans. Je me demande ce que je ferai quand j'aurai trente ans. Est-ce que je serai mariée ? Est-ce que j'aurai des enfants ? Est-ce que Jules aura une bonne situation ? Est-ce que je serai allée sur l'île de Muravera ? Est-ce qu'Hélène sera toujours là ? Est-ce que j'aurai rencontré mon Lucien à moi ? Est-ce que mémé récurera toujours son salon deux fois par jour en écoutant la radio ?

Je n'aimerais pas savoir. Parfois, Jo me propose une consultation de voyance, elle dit que c'est pour rigoler mais moi je lui réponds toujours que l'avenir, c'est pas pour rigoler. Surtout quand on a vingt et un ans.

Je ne vais jamais aux enterrements des résidents. Je m'occupe d'eux pendant la vie, mais je m'arrête sur le pas de la porte quand ils passent de «l'autre côté».

Tout à l'heure, Rose est venue avec Roman. C'est la première fois qu'ils viennent ensemble.

En surface, Hélène n'a pas bougé, pas ouvert les yeux, pas dit un mot.

Roman est venu me demander un deuxième vase pour les hortensias de Rose parce que l'autre était occupé par les roses blanches qu'il avait apportées.

Dans l'office, j'ai trouvé un de nos vases trop moches qui doivent avoir mon âge. Il a murmuré :

— Vous avez commencé à écrire ?

— Oui.

Mon « oui » l'a fait sourire. Je n'ai vu que de la douceur sur ses lèvres.

Je lui ai tendu le vase en me disant que le bleu de ses yeux ferait un beau bouquet. Même dans un vase aussi moche. Je sais que je radote mais je jure que je ne peux pas faire autrement.

— Merci.

Je ne l'ai pas revu depuis.

Cet après-midi, Je-ne-me-rappelle-plus-comment m'a téléphoné deux fois. La première fois, je n'ai pas répondu, la seconde fois, non plus. J'ai dormi chez lui la nuit dernière.

Avec lui, je continue à passer du coq à l'âne. Du froid au chaud. L'espace d'un instant, j'ai envie de l'embrasser et trois secondes après, quand il me colle trop ou qu'il enfile un pull à col roulé immonde, tous les prétextes sont bons pour le jeter par la fenêtre.

J'ai toujours été comme ça. Je rêve d'amour, mais dès qu'on me l'offre, ça m'horripile. Je deviens méchante et odieuse. Je-ne-me-rappelle-plus-comment est très tendre et je ne sais pas si c'est parce que la vie ne m'a pas fait de cadeaux, mais je crois que j'ai besoin d'un amoureux qui gratte comme du papier de verre dans les encoignures.

Ce soir, je suis de garde.

J'ai la nostalgie, la nostalgie de ce que je n'ai pas encore vécu.

28

*Parfois, Lucien demande à Hélène si elle veut chan-
ger de vie, partir, fermer le bistrot, arrêter de respirer le
tabac des hommes et de les écouter radoter, faire autre
chose. Parfois, Lucien demande à Hélène si elle veut
rencontrer un autre homme. Un qui l'épousera pour
de vrai et qu'elle aimera pour de vrai. Ce à quoi elle
répond, Non, surtout pas, tu me portes bonheur.*

*En 1941, le café du père Louis compte toujours ses
habitués. La plupart des hommes sont trop vieux pour le
travail obligatoire. Et les tranchées n'existent plus qu'à
travers leurs cicatrices, leurs tremblements, leurs jambes
de bois et le monument aux morts érigé sur la place de
l'Église.*

*Quand des Allemands débarquent dans le village, ils
réquisitionnent certaines denrées mais ne s'installent pas.*

*Le temps de leur passage, les portes et les volets se
verrouillent. Puis les hommes reprennent le travail de la
terre. Et les anciens lèvent le coude pour noyer leur chagrin ou leur maigre repas sous le regard clair d'Hélène
qui reprise toujours leurs trous de pantalons.*

Après trois verres d'alcool, ou cinq selon la corpulence du client, elle remplit les verres de limonade. Les clients, croyant qu'elle se trompe de bouteille puisqu'elle ne sait pas lire les étiquettes, n'osent rien lui dire. Ils demandent discrètement à Lucien de les resservir « sérieusement ».

*

En 1939, Lucien avait été appelé sous les drapeaux pour faire « la drôle de guerre ». Il est revenu à Milly en juin 1940.

Le passage des forces allemandes sur la ligne Maginot a ramené la plupart des hommes dans leurs foyers.

Juste avant son départ, Hélène avait découvert que Lucien n'était pas baptisé. Elle avait voulu devenir sa marraine, mais Lucien ne croyait pas en Dieu et se moquait des bigots. Ce qui avait le don de fâcher Hélène. Elle lui disait qu'il blasphémait, ce à quoi il répondait : Mon blasphème, c'est toi. Hélène le supplia. Lucien accepta de se faire baptiser. Restait à trouver un parrain. Il fut décidé qu'il serait tiré au sort parmi les clients du café.

Lucien écrivit tous les prénoms des hommes sur des morceaux de papier découpés à l'identique. Ce jour-là, tous les hommes du village étaient présents. Même ceux qui d'habitude ne buvaient que l'eau de leur puits. Jules, Valentin, Auguste, Adrien, Émilien, Louis, Alphonse, Joseph, Léon, Alfred, Auguste, Ferdinand, Edgar, Étienne, Simon. Les entendre révéler leur pré-

nom, c'était exactement comme s'ils s'étaient désha-
billés devant les autres. D'habitude, ils s'appelaient par
leurs surnoms, Titi, Lulu, le Grand, Quinquin, Féfé,
Caba, Mimile, Dédé, Nano, ou ne s'appelaient pas. Juste
bonjour au silence. Seul Baudelaire obtint une «déroga-
tion». Lucien écrivit Charles Baudelaire sur le rectangle
de papier.

C'est Simon qui gagna le titre de parrain de Lucien.
Les autres furent un peu déçus, ils avaient perdu à la
loterie du bon Dieu. Ils se rendirent à l'église. Tous sans
exception car c'était la première fois qu'ils assistaient au
baptême d'un adulte.

Bien que Simon fût de confession juive, le curé ferma
les yeux. On était en temps de guerre, tout le monde
fermait les yeux, même le Saint-Esprit.

Le curé inonda la tête de Lucien d'eau bénite et récita :

— «L'enfant Lucien que vous présentez, parrain et
marraine, va recevoir le sacrement du baptême : dans
son amour, Dieu lui donnera une vie nouvelle. Il va
renaître de l'eau et de l'Esprit-Saint. Ayez le souci de
le faire grandir dans la foi pour que cette vie divine ne
soit pas affaiblie par l'indifférence et le péché, mais se
développe en lui de jour en jour.»

Le curé donna le carnet de baptême de Lucien à
Hélène le 7 mai 1939.

Trois jours plus tard, le matin du départ, Lucien se
réveilla sans qu'Hélène soit encore endormie à son côté.
Ça n'était jamais arrivé. Lucien se demanda si ce n'était
pas les prémices de la maladie de son père. Il se frotta
longtemps les yeux. Il la chercha, l'appela, en vain.

Il finit par trouver une feuille blanche sur la table de la cuisine. Elle était constellée de trous, qu'Hélène avait dû faire avec une aiguille à coudre. En passant ses doigts dessus, Lucien lut : «Reviens mon cher filleul, mon tendre frère, mon bel ami, reviens.»

*

Le jour du tirage au sort, Lucien avait triché. Hélène avait vu les deux bérets. Un premier pour mettre le prénom de tous les hommes à l'intérieur, un deuxième rempli préalablement de «Simon».

Juste avant le tirage au sort, Lucien avait offert une tournée générale et, dans la cohue, avait fait un tour de passe-passe sous le bar pour intervertir les bérets.

Hélène avait plongé les doigts dans le deuxième béret et Lucien avait fait semblant de découvrir le prénom de son parrain.

Ce soir-là, en balayant la sciure, Hélène avait trouvé 29 morceaux de papier «Simon» cachés derrière des bouteilles vides. Elle n'avait pas su les lire, mais les avait balayés et fait disparaître dans le caniveau pour que personne ne les retrouve. Ce qu'Hélène ignorait, c'est que les nazis étaient en train de faire exactement la même chose qu'elle.

*

Simon était arrivé un jour de neige en 1938. Il était entré par la mauvaise porte, celle de derrière, de la remise, de ceux qui s'excusent. Il avait bu du café et avait expliqué à Lucien, avec un fort accent, qu'il avait fui la Pologne pour se réfugier dans le pays des droits de l'homme et que, depuis, il avait pris l'habitude de ne plus entrer par les portes principales. Son seul bagage était un étui contenant un violon et une veste.

Simon avait cinquante ans. Il était luthier, son atelier avait été saccagé et brûlé, on l'avait laissé pour mort, avec cette inscription gravée au couteau sur son front : zydowski (*juif*).

La cicatrice était encore visible. Le y apparaissait sur son front quand sa peau se colorait au soleil. Il portait toujours un petit chapeau qui lui couvrait le front. Il était grand et maigre, il avait des mains solides qui contrastaient avec le reste de son corps, frêle. Ses cheveux gris et crépus n'auraient pas laissé une chance à la moindre goutte d'eau de mouiller son crâne.

Avant de parler, Simon souriait. Comme si aucun mot ne pouvait sortir de sa bouche sans qu'il soit accompagné d'un sourire.

Lucien et Hélène lui proposèrent de rester quelques jours et de prendre la chambre de l'enfant qui finirait bien par arriver mais qui prenait son temps.

Ils lui offrirent le gîte et le couvert en échange de quoi, il jouerait du violon au café pour distraire la clientèle, devenue morose à cause de cette menace de guerre imminente. Mais Simon eut peur. Peur que le bruit de son violon n'attire une faune malveillante.

Il ôta son chapeau pour la première fois, se frotta la tête et proposa de jouer du violon pour eux deux, rien

qu'eux deux. En quelques heures, il devint l'ami Simon.
Le véritable ami, celui dont la présence enchante par sa
bonté.

Pour Simon, Lucien était un intellectuel transformé
en garçon de café par amour. Ce grand jeune homme
aurait pu enseigner plutôt que servir des verres de vin
toute la journée. Mais il avait fait le choix de n'avoir
qu'une seule élève, Hélène.

Dès qu'Hélène s'était penchée sur Simon pour faire
des points de croix sur son pull bouffé par les mites, il
avait compris l'abnégation de Lucien.

29

— Nom. Prénom.

— Neige. Justine.

Il inscrit ça sur son ordinateur. Il tape avec deux doigts. Je ne savais pas que les gens qui tapent avec deux doigts existaient encore. Je pensais que les derniers avaient disparu à la fin des années quatre-vingt.

— Date de naissance ?

— 22 octobre 1992.

— Depuis quand travaillez-vous aux *Hortensias* ?

— Trois ans.

— Fonction ?

— Aide-soignante.

Il arrête de taper et m'observe attentivement.

— Neige… Votre nom me dit quelque chose… Que font vos parents ?

— Ils sont morts dans un accident de voiture.

— Dans la région ?

— Sur la nationale, à la sortie de Milly en direction de Mâcon.

— En quelle année ?

— 1996.

Il se lève brusquement et fait cogner sa chaise à roulettes contre des étagères en fer.

— Neige. Mais bien sûr, Neige. L'accident de la route. Je suis allé sur les lieux ce jour-là… L'adjudant Bonneton a même fait ouvrir une enquête.

Trop d'informations pour une seule phrase. Starsky a vu mes parents. Morts. Et l'adjudant Truc a ouvert une enquête. Une enquête pour quoi faire ?

— Une enquête ?

— Oui. Quelque chose clochait sur les circonstances de l'accident…

— Les circonstances ? Vous devez confondre. Mes parents ont glissé sur une plaque de verglas.

— Peut-être.

J'insiste :

— C'est marqué dans le journal.

Il me regarde, reprend sa chaise, se rassied et appuie sur la touche « enter » de son clavier.

— Bon. Revenons à nos moutons. Nos vieux moutons ! Avez-vous la moindre idée de l'identité de la personne qui passe ces coups de téléphone aux familles ?

— Non.

— Pourtant, ces dernières semaines, ces appels anonymes ont redoublé. Vous n'avez rien remarqué d'anormal sur votre lieu de travail ?

— Mes grands-parents… ils savent ? Que vous avez ouvert une enquête après l'accident ?

— Comment ils s'appellent, vos grands-parents ?

Il a les yeux d'une sauterelle. Les vertes qui entrent dans les maisons pendant l'été et vous piquent atrocement si vous les prenez dans les mains. Je crois même que ce sont elles qui dézinguent leur mâle après le coït.

— Neige. Armand et Eugénie Neige.

— Je ne pense pas. C'est resté en interne.

— Et alors ?

— Alors quoi ?

— L'enquête ? Qu'est-ce que ça a donné ?

— Rien. On a fermé le dossier. Mais vous, en revanche, aux *Hortensias*, j'ai appris que vous faisiez beaucoup d'heures supplémentaires.

Il m'observe avec mépris. Comme si tout à coup je sentais mauvais. Je pense qu'il a plus d'indulgence pour les braqueurs de banques que pour les employées qui font des heures supplémentaires non rémunérées.

— C'est parce que je suis bien là-bas… Et ce dossier… sur ma famille, vous pourriez me le montrer ?

Il renifle un grand coup avant de me lancer, comme dans une mauvaise série policière tchèque ou allemande :

— Si vous me trouvez le corbeau des *Hortensias*.

En sortant du bureau des agents de ville, je vais directement aux *Hortensias* sans repasser par chez moi. Je veux voir Hélène. J'ai besoin de l'embrasser. De la respirer. Après, je me sens toujours mieux. Comme à la fin d'une longue marche.

Je fonce aux vestiaires pour me changer. Je prends

mon service à 17 heures parce que j'ai encore accepté d'intervertir mes horaires avec Maria.

Devant la porte 12, j'entends madame Dreyfus qui m'appelle. Elle veut des nouvelles du *gros chat*, un énorme matou sauvage qu'elle nourrissait avant de rentrer ici. Trois fois par semaine, je vais remplir sa gamelle de croquettes. Je lui promets que demain, je le prendrai en photo avec mon Polaroid.

Je-ne-me-rappelle-plus-comment me téléphone à ce moment-là. On dirait qu'il fait exprès de ne jamais prononcer son prénom. Il dit toujours : *C'est moi.*

Je suis de nuit, je ne peux pas «le voir» ce soir. *Pas grave*, me répond-il, *je viendrai te chercher demain matin. – Mais je termine à 6 heures. – Pas grave, je t'attendrai devant* Les Hortensias *à 6 h 05.*

J'ai envie de répondre d'accord parce que ce serait la première fois qu'une personne de moins de quatre-vingts ans m'attendrait quelque part. Mais je lui réponds que non. Quand je sors de mes nuits de garde, j'ai besoin de rentrer chez moi. Seule.

30

Annette est née à Stockholm en 1965. Jules a
gardé son passeport. Sur la photo, elle ressemble à la
chanteuse blonde du groupe ABBA, Agnetha. C'est
sûrement pour cette raison que ma mère, qui s'appelait Sandrine, l'a choisie comme correspondante au
collège en 1977. Ma mère avait pris l'option suédois
parce qu'elle était fan du groupe. Ce qui peut paraître
étrange puisqu'ils chantaient en anglais. Quant à
Annette, elle voulait une correspondante française,
parce que c'est en France qu'il y a la plus grande surface de vitraux (90 000 m²) et qu'elle voulait devenir
maître verrier.

Jules a gardé toute leur correspondance. Elles
se sont écrit en anglais pendant sept ans. Au début,
elles se racontaient comment était leur chambre, ce
qu'elles aimaient manger, faire, combien d'enfants
elles auraient plus tard, décrivaient leur chat et leur
poisson rouge. À chaque voyage, elles s'envoyaient des
cartes postales.

Normalement, elles auraient dû arrêter de correspondre assez vite parce que, au collège, on a autre chose à faire que d'écrire des lettres en anglais à une fille qu'on ne connaît pas. Mais elles n'ont pas été normales. Elles ont commencé leur correspondance en 1977 et se sont rencontrées en 1980. Ensuite, elles se sont revues chaque année. Jusqu'à ce qu'elles meurent ensemble.

Avec les années, les lettres deviennent de plus en plus personnelles. Elles y parlent de leur famille, de leurs amours, leurs joies, leurs déceptions, leurs envies. Elles s'envoient des photographies, la plupart sont des Polaroids, que Jules et moi-même avons partagées. Il y en a même certaines qu'on a découpées en deux pour avoir la partie qui nous intéressait.

Grâce à Annette, j'ai appris des choses sur ma mère que personne n'aurait pu me raconter. Comme son enfance passée dans la loge d'un immeuble de la rue du Faubourg-Saint-Denis où sa mère était concierge. Elle n'a jamais connu son père. Dans ses lettres, elle raconte la vie dans l'immeuble, les locataires, les propriétaires, l'espace exigu où elle dansait en écoutant ABBA, *Gimme! Gimme! Gimme!*, le Michael Zager Band, *Let's All Chant*, les Korgies, *Everybody's Got to Learn Sometimes*, Visage, *Fade to Grey*.

Ma mère a toujours adoré la musique, toutes les musiques. Quand elle a rencontré mon père qui projetait de devenir disquaire, c'est normal qu'elle soit tombée amoureuse de lui.

Elle faisait partie d'une troupe de théâtre appelée Plume Paradis. Je pense qu'elle était drôle et d'une nature joyeuse parce que sur les photos, elle se marre toujours un peu plus que les autres. Elle était brune, les cheveux mi-longs, petite, un peu boulotte, avec un sourire d'actrice de cinéma américaine.

En 1983, l'année de leurs dix-huit ans, Annette et Sandrine sont parties camper dans la région de Cassis. Elles ont planté leur tente dans un camping situé près d'une calanque à vingt minutes du port. Elles nageaient toute la journée et dévoraient des beignets aux pommes.

Jules a un petit journal appartenant à Annette dans lequel elle a écrit plein de phrases en suédois qu'on a traduites grâce à Internet. Ça fait des phrases comme :

— La lumière est blanche.

— C'est comme si quelqu'un avait frotté les maisons à l'eau de Javel – il n'y a jamais de flaques.

— Ça sent bon.

— On sèche sans serviette.

— Il y a du sucre sur les beignets.

— Les insectes chantent.

— J'avais jamais attrapé de coups de soleil, c'est comme une gifle qui dure longtemps.

Six jours plus tard, en achetant une glace sur le port, elles rencontrent Alain et Christian Neige.

Sur le journal d'Annette, on peut lire :

— J'ai tout de suite fait la différence entre les deux garçons, il y en a un qui me regarde tout le temps et l'autre pas.

— Ils repartent demain.

— Ils repartent après-demain.

— Ils repartent la semaine prochaine.

— Ils restent avec nous jusqu'à la fin des vacances.

L'année suivante, Sandrine et Annette ont retrouvé Christian et Alain à Lyon pour passer l'été avec eux. À la gare de Lyon-Perrache, les jumeaux les attendaient avec une 2CV verte décapotable. Ce qui les a fait beaucoup rire.

Ils s'étaient revus depuis Cassis, mais pas ensemble.

Alain était allé deux fois à Stockholm, dans la famille d'Annette. Christian, rue du Faubourg-Saint-Denis, de nombreuses fois.

Après sa deuxième visite à Stockholm, Alain avait demandé la main d'Annette, ce qu'elle avait trouvé très romantique mais un tantinet précipité. Et puis, elle n'avait que dix-neuf ans.

De toute façon, Annette avait choisi de faire ses études de vitrailliste en France. Elle avait trouvé un maître d'apprentissage dans la région de Mâcon. Ce n'était qu'à 100 kilomètres de Lyon. Alors, Sandrine avait décidé elle aussi de partir s'installer à Lyon avec Christian. Ils n'auraient qu'à se trouver un appartement pour quatre.

Les jumeaux, tous les deux en fac de musicologie à Lyon, s'étaient mis en tête de devenir disquaires et compositeurs. Christian dénicherait les disques rares et Alain composerait des morceaux en plus de leur activité.

Depuis Lyon, ils ont mis trois jours pour remonter vers Milly à bord de leur 2CV, alors qu'à peine 170 kilomètres séparent la grande ville du village.

À chaque fois qu'elle apercevait une église, Annette criait : *STOP !*

Pendant qu'Annette observait chaque vitrail et le prenait en photo, les trois autres buvaient des coups en terrasse.

Des dizaines d'églises plus tard, quand la voiture s'est enfin garée devant le portail, on était au mois de juillet, le 14 exactement. Des gamins jouaient avec des pétards sur les trottoirs.

À la radio, le tube de Bronski Beat *Smalltown Boy* passait en boucle.

Le père de mon voisin magicien m'a raconté qu'ils étaient beaux à voir. Mais que le plus beau, c'étaient les cheveux blonds d'Annette. Et son visage aussi. Il n'avait jamais vu une aussi jolie fille en vrai. Pour lui, ça n'avait toujours été réservé qu'à ses magazines de télévision. Quand j'étais petite, ce même voisin m'a dit, *Elle était bien roulée, ta tante.* Je ne savais pas ce que ça signifiait «bien roulée». J'ai pensé au gâteau que fait mémé. Qu'il voulait dire que ma tante ressemblait à un roulé à la fraise.

Ils sont donc descendus de la 2CV tous les quatre en chantant : *Run away, turn away, run away, turn away, run away* en imitant la voix de Jimmy Somerville. Puis ils ont embrassé mémé. Enfin, pas exactement. Les jumeaux ont embrassé mémé et mémé a serré la main de Sandrine et Annette. Ensuite, ils se sont installés tous les quatre sous la tonnelle (c'est comme ça qu'on l'appelle : quatre bouts de bois et des canisses en osier accrochés dessus).

Sur la table en fonte, mémé a posé une bouteille de porto, des glaçons et six verres. Elle a dit qu'Armand n'allait pas tarder à rentrer.

Ce jour-là, mémé avait fait un couscous de la mer. Ce n'est pas un plat que l'on fait un 14 Juillet, mais les jumeaux avaient insisté.

31

L'heure d'hiver

— Bonjour madame Mignot, on a changé d'heure
cette nuit. Il faut reculer votre réveil d'une heure.
— Vous savez, pour moi, ici c'est toujours la même
heure.

32

Le dimanche le plus dingue que j'aie jamais connu depuis que je travaille ici. Jo et Maria non plus n'avaient jamais vu ça.

Même la retransmission de la messe en a pris un coup : à 11 heures, il n'y avait plus personne devant le grand écran de la salle télé.

Hier, il y a eu quinze appels téléphoniques entre 14 heures et 15 h 30 depuis la chambre de monsieur Paul. Et ils ne concernaient que les familles qui habitent à plus de 300 kilomètres. Parce que l'inconnu du téléphone est super bien organisé. En plus, d'après madame Le Camus, il ou elle utilise un modificateur de voix.

— Bonjour, ici *Les Hortensias*, maison de retraite à Milly, nous sommes au regret de vous apprendre le décès de… Merci de vous présenter à l'accueil demain matin avant 11 heures, heure du transfert du corps vers la chambre mortuaire située 3, rue de l'Église, à Milly. Toutes nos condoléances.

Pour les familles qui habitent tout près d'ici, les coups de fil ont été passés hier soir, après 23 heures. Pour que personne ne puisse débarquer avant ce matin.

J'étais de garde hier soir. Je suis passée voir monsieur Paul vers 22 heures, il était seul. Si Peter Falk était toujours de ce monde, je suis sûre qu'il réglerait ça en deux coups de cuillère à pot.

Madame Le Camus est sur les dents et Starsky et Hutch perquisitionnent les chambres des «victimes». On se croirait dans une série américaine. Sauf que les flics sont moins sexy.

Toutes les familles ont décidé de porter plainte contre *Les Hortensias*. Et *Les Hortensias* portent plainte contre X. Est-ce qu'on a le droit de porter plainte contre X quand on est un oublié du dimanche?

Mais ça a été le plus beau dimanche de mémoire de dimanche que j'aie connu: l'accueil, les couloirs, la salle des cartes et la salle vidéo étaient vides. Notre magicien est rentré chez lui avec sa ribambelle d'oiseaux, Chaplin est resté dans son DVD et *Le Petit Bal perdu* dans son micro.

Roman est venu voir Hélène. Je ne l'ai pas croisé, j'étais trop occupée à donner des nouvelles des vivants aux vivants.

Quand je suis passée embrasser Hélène avant de partir, il y avait encore son parfum sur elle. Alors je suis restée un peu. Je me suis assise à côté d'elle, et je lui ai lu des extraits de mon cahier:

Depuis le 4 octobre 1940, tout «ressortissant étranger

de race juive » doit être interné. Simon ne quitte plus la cave du café. Hélène et Lucien ont fait croire aux clients qu'il était reparti du jour au lendemain sans laisser d'adresse.

La commune de Milly est en zone occupée. La police française veille, fouille, perquisitionne. Des officiers allemands entrent dans le café, consomment et repartent. Quand ils entrent, c'est toujours Lucien qui les sert. Dès qu'ils poussent la porte, il donne l'alerte à Simon en lançant un coup de pied dans une trappe en acier dissimulée derrière le bar. Le moindre choc résonne jusqu'à la cave.

Simon se dissimule alors – non sans mal et à l'aide d'un marchepied – à l'intérieur d'un faux plafond fabriqué par le père du père Louis. Et il reste en suspension jusqu'à ce que Lucien vienne le délivrer. Il ne pourrait pas s'extraire seul de sa cachette. Une fois fermée, elle ne peut se déverrouiller que de l'extérieur.

Après avoir alerté Simon, c'est au tour d'Hélène. Pour la prévenir de rester en retrait, il existe deux codes : baisser le volume de la radio posée sur une étagère derrière le bar ou décrocher la photo de Janet Gaynor des étagères pour la coller sur la porte à l'entrée de la cuisine. Comme s'il fallait déplacer le portrait pour faire la poussière. Baisser le volume de la radio signifie : des Allemands boivent un verre. Déplacer Janet : police française, milice, Gestapo, inconnus douteux.

Le soir, quand le bistrot est fermé et que les chaises sont rangées sur les tables, Lucien et Hélène rejoignent Simon dans la cave. Ils dînent ensemble d'une soupe de

140

topinambour et d'un morceau de pain gris en écoutant la radio.

Simon ne joue plus de violon. Il regarde l'instrument enfermé dans son étui comme si c'était une partie de lui qu'on avait mise dans un cercueil.

Lorsqu'il se fait tard, Lucien et Hélène rejoignent leur chambre. Lucien veut lui faire un enfant. Il rêve d'un enfant avec elle. Mais Hélène ne tombe pas enceinte, il lui dit que c'est parce qu'elle ne l'aime pas d'amour.

Hélène s'est endormie.

Fin de journée. Fin de dimanche.

Hélène s'est tirée sur sa plage, et moi, je vais rentrer dans l'ancienne chambre de mon père.

Dans les vestiaires, je vois que j'ai trois appels en absence de Je-ne-me-rappelle-plus-comment sur mon portable. Je ne lui téléphone jamais. S'il est au *Paradis*, c'est agréable. S'il n'y est pas, il n'y est pas.

Mais d'avoir vu ces faux orphelins défiler toute la sainte journée, ça m'a retourné quelque chose. C'est comme si le 15 août avait débarqué le jour de la Toussaint pour faire une surprise.

Je compose son numéro pour la première fois. Une sonnerie et il me dit, direct :

— Tu viens ?

— Il est tard, je suis crevée.

— Tu viens ?

— Je tiens plus sur mes jambes.

— Je les tiendrai pour toi. Tu viens ?

33

— Comment ça va, Hélène ?

— En 1943, j'ai dit à Lucien : *Ne t'inquiète pas, nous n'avons pas d'ennemis.* Il m'a répondu : *Tant que je vivrai avec une femme aussi belle que toi, j'aurai un tas d'ennemis.* Et le lendemain, il s'est fait arrêter.

Elle ferme les yeux.

— C'était il y a longtemps. Maintenant nous sommes en vacances.

En l'écoutant me raconter sa vie pour la centième fois, je passe la serpillière sur le sol de la chambre en essayant d'imaginer sa plage du jour.

Roman pousse notre porte. Il marche sur la pointe des pieds et évite les endroits mouillés. Panique à bord de moi, jambes en coton, idiote, cruche, gauche, coup de pied maladroit dans le seau, une flaque, je me penche pour éponger.

Je le regarde sous ma frange poser de la tendresse dans les cheveux d'Hélène. Je les regarde depuis ce monde, elle dans les limbes, lui dans la grâce.

— Je pars demain. Pour deux mois.

Il me lance ces mots, me vise en plein cœur.

Je bredouille :

— Deux mois ?

— Je vais faire des photos au Pérou.

— Au Pérou ?

— Sur les îles Ballestas. Je vais photographier des fous.

— Dans un asile ?

Il me regarde comme si j'étais la dernière des demeurées.

— Non... les oiseaux.

Si la honte tuait, je serais déjà morte et enterrée à côté de mes parents.

— Je photographie les oiseaux de mer du monde entier. Des goélands, cormorans, mouettes, albatros, fous, frégates.

Je reprends le nettoyage de la chambre. J'ai envie de lui dire qu'il n'a pas besoin de partir au bout du monde pour photographier des oiseaux de mer, qu'il y en a un sur le toit des *Hortensias* et que cet oiseau-là doit avoir de sacrées histoires à raconter, autre chose que ce que j'écris dans le cahier bleu. Mais je n'en fais rien. Nous avons tous deux vies, une vie où l'on dit ce que l'on pense et une autre où on la ferme. Une vie où les mots passent sous silence.

— Vous serez rentré pour Noël ?

Il sourit. Un sourire timide. Presque comme une grimace. Il baisse les yeux.

— Oui. Enfin j'espère. Et vous ? Vous serez là ?

— Moi, je suis toujours là.

— Vous ne vous ennuyez jamais ici ?

— Jamais.

— Mais ce n'est pas trop dur votre travail ?

— Si, c'est super-dur. Je n'ai que vingt et un ans. Mes collègues sont plus vieilles que moi. Elles ont toutes commencé plus tard. Ce métier c'est souvent un deuxième métier. À mon âge, ce n'est pas normal de voir des corps fatigués. Enfin, ce que je veux dire c'est que... c'est violent. Et puis, il y a la mort... Les jours d'enterrement, je ferme les fenêtres parce qu'on entend les cloches de l'église jusqu'ici...

— C'est quoi le plus dur ?

— Le plus dur, c'est d'entendre : *Il ne se rappelle jamais mes visites alors je ne viens plus.*

Silence.

— Pourquoi vous ne cherchez pas un autre travail ?

— Parce qu'il n'y a pas un seul travail où je pourrais entendre les histoires que me racontent les résidents d'ici.

— Je peux vous prendre en photo ?

— Je déteste ça...

— C'est normal. Les gens qui aiment se faire prendre en photo ne m'intéressent pas.

Il sort un énorme appareil photo de son sac et se cache derrière.

— Mais... je ne suis pas coiffée.

— Justine, si je peux me permettre, vous n'êtes jamais coiffée.

Il me dit ça comme s'il me connaissait depuis toujours. Jules pourrait dire ce genre de truc. Mais lui, au fond, je le connais depuis si peu de temps. Mais c'est vrai que mes cheveux résistent aux peignes, aux brosses, aux élastiques, aux barrettes. J'ai toujours l'air d'un chiffonnier. C'est mémé qui le dit. Il y a des filles qui ont toujours l'air de sortir de chez le coiffeur, moi c'est le contraire.

— Je n'ai pas eu de mère, je ne sais pas faire ces trucs de nattes et tout et tout.

— Pourquoi vous n'avez pas eu de mère?

— Elle est partie quand j'avais quatre ans. Elle n'a pas eu le temps de m'apprendre à être une fille.

— Je vous trouve très bien.

Il aurait pu dire, je vous trouve très belle ou très jolie ou ce n'est pas grave ou vous me plaisez comme ça ou ça ira. Mais il a dit très bien. Très bien. Comme une appréciation sur une interrogation écrite.

— J'en…, j'enlève ma blouse?

— Surtout pas. Parlez-moi.

— Moi aussi, j'ai, enfin, j'ai un appareil photo. Un Polaroid. Je prends mon frère en photo et je l'accroche au-dessus du lit des résidents qui n'ont pas de famille. Parce qu'il est beau. Et que ça fait un fils parfait accroché au mur. Je prends des paysages aussi. Des animaux. Vous avez bientôt fini? Mais c'est rare les résidents qui n'ont plus de famille. Vous avez fini?

— J'arrête. Regardez, je range mon appareil.

Il dit ça comme s'il rangeait un flingue à l'intérieur de son sac.

Hélène se met à crier :

— Je viens avec vous ! Emmenez-moi avec vous !

Roman m'interroge du regard. Je baisse les yeux.

— Elle est en train de parler de l'arrestation de Lucien.

— Vous savez comment ça s'est passé ?

— Je vous l'écrirai. Je n'aime pas qu'Hélène entende.

34

Tu devrais mettre ton haut rouge, ça t'irait mieux, t'es mal coiffée aujourd'hui, range ta chambre, ne laisse pas traîner tes affaires, c'est toi qui m'as piqué mon rouge à lèvres, d'accord, ça va ma puce, aide-moi à débarrasser, tu viens avec moi au magasin, je passe te reprendre à 16 heures, tu me demandes mon avis, je te donne mon avis, j'ai pas le temps là, t'as fait tes devoirs, mais qu'est-ce que c'est que ça, t'as vu si c'est beau, tu n'iras pas, je t'ai acheté ça, fallait pas commencer, va mettre la table, non, non, non, bon d'accord mais une seule fois, ne rentre pas trop tard, pas de chocolat, pas de soda après 18 heures, tu ne pars pas sans prendre un petit déjeuner, mets ta veste il fait froid dehors, mais qu'est-ce que c'est que ce bordel, tu t'es brossé les dents, il serait peut-être temps de grandir, va prendre ta douche, ne t'inquiète pas, ce n'est pas grave, je t'aime, bonne nuit, qu'est-ce que t'es belle ce matin, j'adore ce truc sur toi, ton prof d'histoire-géo vient d'appeler, il est tard, va te coucher, mais si c'est important les maths, ça va mon amour, c'est qui ce garçon, je sais que tu n'aimes pas lire mais ça tu vas adorer, je te récupère à quelle heure, ils font quoi ses parents, éteins les lumières, ne marche pas pieds nus, on va aller voir un médecin, ne discute pas, viens faire un câlin, si tu n'obéis pas, j'appelle ton père.

Avoir une mère, même chiante, même dingue, même mère.

Je ne sais jamais si c'est bien. Si je suis bien. Si la note est juste.

Hier soir, j'ai dîné avec Je-ne-me-rappelle-plus-comment. Juste avant le restaurant, dans la salle de bains, quand je me préparais, j'aurais aimé piquer son rouge à lèvres à ma mère. Mémé n'a pas de rouge à lèvres. Sur l'étagère de la salle de bains, y a qu'une vieille bombe de laque Elnett, des gants de toilette et un pot de crème Nivea.

Je-ne-me-rappelle-plus-comment m'a donné rendez-vous dans un restaurant japonais. Il m'a à nouveau posé plein de questions pendant que je galérais à manger mes sushis avec des baguettes. Mes parents, mon frère, mes grands-parents, *Les Hortensias*, mes collègues, mon enfance, le collège, le lycée, mes derniers mecs.

Avec lui, pas de temps mort ni la peur de ressembler aux couples qui ne se disent rien à table, qui font semblant d'observer les luminaires ou le bouquet de fleurs imprimé sur leur serviette.

Puis il m'a dit que j'étais belle. Quand il a dit ça, il avait tellement l'air sincère que j'ai coupé court, surtout qu'il ne me plaît pas du tout. Enfin, pas vraiment. Personne ne me plaît vraiment. À part Roman.

— Il faut que je rentre, j'ai promis à ma mère de l'aider à faire un truc demain matin.

Il m'a dévisagée.

— Je croyais que ta mère était…

— Morte. Mais elle m'attend au cimetière. À 8 heures.

— Tu vis avec les vieux et les morts. T'es moderne comme fille…

— T'es ni vieux, ni mort.

— Mais tu ne vis pas encore avec moi.

— …

— …

— Il faut qu'on arrête de se voir.

— On se retrouve au *Paradis* demain soir ?

— Non. Demain soir, je suis de garde.

— Je te raccompagne ?

— Non. Je suis venue avec la 4 L de mon grand-père…

Dans la voiture, j'ai pensé à Je-ne-me-rappelle-plus-comment pour la première fois.

Je passe mon temps à interroger les résidents des *Hortensias*, mes parents dans leur tombe, mes grands-parents dans leur cuisine. Avec lui, c'est le contraire. C'est moi qui réponds aux questions.

Et quelque chose en moi n'arrive toujours pas à s'en débarrasser.

Je-ne-me-rappelle-plus-comment ressemble à ces

airs agaçants qu'on fredonne toute la journée parce qu'ils ne nous sortent pas de la tête. Un jour, je me dis, c'est fini, je ne le verrai pas ce week-end, et quand il débarque sur la piste du *Paradis*, qu'il m'embrasse dans le cou, je n'arrive pas à lui dire, dégage.

Je ne suis pas rentrée tout de suite. Ils repassaient *Amélie Poulain* au cinéma. J'adore ce film, et j'ai un faible pour monsieur Dufayel… Encore un petit vieux.

La salle de cinéma était vide. Je me suis calée au premier rang, fauteuil du milieu, et je suis partie dans le monde d'Amélie en léchant un esquimau chocolat-fraise. Le bonheur.

35

1943

Des coups de feu. C'est ce qui a dû la réveiller.

Il est à peine 5 heures du matin. Hélène sursaute. Elle entend le bruit des bottes. Puis elle entend son propre cœur faire plus de bruit que les bottes à l'étage en dessous. Lucien n'est plus dans le lit. Elle pense, la cave. Il est descendu à la cave comme d'habitude. Rien ne peut lui arriver puisqu'il n'y a pas de lumière. Lucien sait se diriger dans le noir depuis toujours.

Elle est nue. La veille au soir, ils ont lu tard. Elle attrape une robe. Elle se trompe d'un cran et boutonne lundi avec mardi. Elle descend, pieds nus.

Ils sont dans la cuisine en bas de l'escalier. Ils sont six. Deux portent un uniforme, deux sont habillés en civil et deux autres sont des gendarmes qu'Hélène n'a jamais vus. Ils sentent la sueur et le tabac. Ils la déshabillent froidement du regard. Il y en a un qui tient une arme à la main. Ils prononcent des mots qu'elle ne comprend pas.

Au même instant, quatre autres hommes, deux civils et deux officiers, remontent de la cave avec Lucien. Un filet de sang coule de sa bouche. Il est très pâle. Il la regarde. Elle le trouve maigre. Comme s'il était déjà parti depuis longtemps. Comme s'il avait manqué de tout depuis des années alors qu'elle vient de passer la nuit à ses côtés. Lucien lui crie :

— Ne descends pas, remonte dans la chambre !

Mais elle ne l'écoute pas, elle descend les escaliers à vive allure et lui répond : Je viens avec toi. Lucien dit non. C'est la première fois que Lucien lui dit non.

Puis elle s'adresse aux quatre hommes qui le maintiennent fermement :

— Je viens avec vous. Laissez-moi venir avec vous.

L'un des quatre se détache du groupe et lui met une gifle d'une violence inouïe. Hélène se cogne la tête contre la rampe de l'escalier et s'écroule, elle sent le goût du sang dans sa bouche, elle entend Lucien hurler. Elle entend des coups.

Hélène gît sur le sol. Elle aperçoit les pieds de Lucien s'éloigner. Juste ses pieds sans chaussures qui traînent par terre, comme accrochés aux jambes d'un pantin désarticulé. Elle n'a pas la force de se relever.

Elle sent des hurlements dans sa poitrine. Ceux qu'elle retient pour que Lucien ne les entende pas. Les deux gendarmes français qu'elle n'avait jamais vus redescendent à la cave.

Elle tente de s'agripper aux murs du couloir pour se relever, mais elle est prise d'un vertige. Avant que sa tête ne cogne à nouveau le sol, elle voit Simon. Un des gendarmes le tient par les bras et le deuxième par les pieds. Son crâne a explosé sous l'impact des balles. Il porte encore le pull gris qu'elle lui a tricoté au point de riz. Une maille à l'endroit, une maille à l'envers. Elle entend un des gendarmes dire, Où est-ce qu'on enterre les juifs ? Et l'autre répondre, J'sais pas si ça s'enterre.

À 5 heures et demie, le silence.

À 6 heures, Baudelaire la trouve allongée sur le sol du couloir et l'aide à se relever. Une maille à l'endroit, une maille à l'envers est la seule chose qu'elle parvient à lui dire.

Hélène et Baudelaire descendent à la cave et trouvent le violon et le chapeau de Simon par terre. Les quelques vêtements qu'elle lui avait confectionnés, brûlés. L'assiette vide de son repas de la veille est posée sur une cagette en bois. Ils ont dîné tous les trois dans la cave hier soir. Une soupe claire de navets et pommes de terre. Simon était toujours heureux de manger. Même quand c'était dégueulasse, Simon souriait.

Elle regarde l'empreinte de son corps sur le vieux matelas. Caresse ce qu'il reste de lui du revers de la main. Elle revoit le sang et la chair à la place de son sourire. Son sourire, une maille à l'endroit, une maille à l'envers. Elle s'allonge sur le lit, dans l'empreinte de Simon, pour offrir à sa mémoire ce qu'elle ne lui a jamais donné.

Avec les années, elle avait senti l'amour que Simon lui portait se transformer, grandir, comme grandit un enfant. L'enfant que Lucien et elle ne parvenaient pas à faire. L'amour de Simon était passé de l'enfance à l'ado-

153

lescence, depuis quelques mois il était arrivé à maturité. Comme un adulte. Lucien s'en était aperçu, mais il avait eu l'élégance de ne rien dire. Des types qui regardaient Hélène amoureusement, il y en avait beaucoup de l'autre côté du comptoir.

Où ont-ils emporté le corps de Simon ? Pourquoi ne l'ont-ils pas arrêtée, elle ?

Pendant des jours, les habitants du village cherchent la trace de Lucien.

Ils ont quitté le village en camion le jour de l'arrestation. Hélène questionne, supplie, mais n'obtient pas de réponse. Elle va jusqu'à se rendre au QG allemand le plus proche de Milly à vélo. Un manoir que les Allemands ont réquisitionné, situé en rase campagne dans un lieu-dit du Breuil. Elle pédale pendant des heures. Elle parvient à rencontrer un gradé qui ne parle qu'un français approximatif. Il aboie que Lucien a été arrêté pour haute trahison, qu'il a caché un juif. Elle ne comprend pas les mots qu'il répète d'un ton menaçant : Royallieu, Royallieu.

Terrorisée, elle sent qu'elle doit partir, elle sent que Lucien n'est pas mort et qu'elle n'a plus qu'une chose à faire : rester en vie. Elle remonte sur son vélo et pédale en sens inverse jusqu'à son café. La nuit tombe. Elle met des heures pour rentrer, à chaque fois qu'elle entend un moteur, elle se cache dans le fossé pour ne pas être vue.

Quand elle arrive enfin, il doit être 3 ou 4 heures du matin. Le village est silencieux. Pourtant, elle entend quelqu'un parler, les dénoncer, elle, Lucien et Simon. Qui, parmi les clients ?

Elle s'est écorché les genoux dans les ronces. Elle saigne, mais elle n'a pas mal. Son pneu arrière a crevé. Elle pénètre dans son bistrot bleu nuit. Elle aère tout et reste assise à une table, attendant que l'odeur des hommes, de la sueur et du tabac, s'en aille. Elle repense aux mots de l'officier, «Royallieu». Qu'est-ce que cela signifie ? Elle repense à Simon, personne ne sait où est son corps.

Dans le silence de son café que le vent traverse par toutes les issues entrouvertes, elle s'en aperçoit peu à peu. Puis, une évidence : la mouette n'est plus là. Hélène a tellement l'habitude de vivre avec elle, qu'elle ne s'en est même pas aperçue. Elle ne l'a pas entendue de la journée. Pas vue. Hélène ressort. L'église est plongée dans l'obscurité. Le ciel est noir. Le quartier de lune est caché derrière un gros nuage. Rien. Elle l'appelle, prend du recul et regarde le toit du café. Rien.

La mouette est partie. C'est la première fois depuis le jour de l'école. Elle a dû suivre Lucien.

Hélène réfléchit, tout va très vite. Tant qu'elle ne la reverra pas, c'est que Lucien sera vivant.

Je rentre dans la chambre de Jules. Il joue en ligne. Il ne m'entend pas, il a son casque sur la tête. Je le regarde dézinguer des officiers allemands. Enfin, je crois qu'ils sont allemands. Je finis par lui taper sur l'épaule. Il sursaute. Se retourne. Enlève son casque.

— Il faut que tu me fasses des recherches sur le Net.

— Tout de suite ?

— Je cherche une date. Tape, Kommando Dora. Kommando avec un K. Dora comme *Dora l'exploratrice*.

— Qu'est-ce que c'est que ça ?

— Une usine souterraine créée par les nazis. Leurs prisonniers fabriquaient des fusées.

Jules me regarde comme s'il n'avait pas compris.

— Pourquoi tu fais des recherches là-dessus ?

— Parce que je connais quelqu'un qui a été déporté là-bas en décembre 1943.

— Qui ?

— Tu connais pas. Il a fait partie du convoi de Compiègne en décembre 1943.

Jules ne cherchera rien sans que je lui donne des explications.

— Lucien Perrin, l'amoureux d'Hélène Hel, est resté dans un camp de transit qui s'appelait Royallieu. Ensuite, il a été déporté à Buchenwald.

Jules tape «Kommando Dora». Nous voyons la liste des déportés et des déportations.

— 14 décembre 1943. Le convoi est arrivé deux jours après à (il a du mal à prononcer) Buchenwald.

— Oui. Et de Buchenwald, il a été immédiatement déporté dans l'usine souterraine de Dora.

Jules lit les lignes qui résument les conditions de vie là-bas. Jamais le ciel du jour.

Il y a du silence entre nous. La dernière fois qu'il y en a eu, du silence entre nous, c'est quand nos enceintes sont tombées en panne.

Tout à coup, on entend des détonations dans son casque audio. Celles de son jeu vidéo *Faces of War*.

— Lucien savait tout faire dans le noir. Il a sûrement mieux supporté l'obscurité que les autres prisonniers.

Jules ne semble pas me croire.

— Mais ces prisonniers... ils sont presque tous morts. Comment il aurait fait pour s'en sortir ?

37

S'il n'y avait pas eu de guerre, il aurait pissé tranquillement, il se serait rasé, il l'aurait réveillée en l'embrassant dans le cou, il aurait enfilé n'importe quelle chemise, il aurait ouvert son bistrot en soulevant légèrement la porte dont le bois a travaillé à cause de l'humidité, mis la radio, des chansons idiotes l'auraient fait siffloter, aujourd'hui on est dimanche, alors ils seraient partis se baigner dans la Saône.

Dans le camion qui l'emmène à Royallieu, il ne pense qu'à ce qu'il se serait passé s'il n'y avait pas eu cette guerre pour faire un croche-patte monstrueux à l'existence.

Quand la bâche en toile se relève de quelques centimètres, il aperçoit un morceau de route, de ciel, de mouette ou d'arbre. Et, comme un peintre, il redessine les jours tels qu'ils auraient pu être en rafistolant les dernières années.

Il n'y aurait pas eu de Simon qui aurait débarqué par la porte de derrière, il n'y aurait pas eu de Simon parrain et violoniste, il n'y aurait pas eu de vie à trois, sans un enfant pour enorgueillir les jours de Lucien. Dans la cave, il n'y aurait eu que des bouteilles rangées les unes sur les autres, du fromage de chèvre et du jambon cru, qu'il aurait découpé en grosses tranches, sans peur de manquer.

S'il n'y avait pas eu cette guerre, Simon n'aurait jamais regardé Hélène, il n'aurait jamais baissé les yeux en sa présence. Il n'aurait pas dormi dans la chambre de l'enfant à venir, ni fini sur un matelas dans la cave. Ils n'auraient pas dîné ensemble chaque soir, un an, deux ans puis trois. S'il n'y avait pas eu cette guerre, Hélène n'aurait pas passé des heures dans la cave quand les avions allemands survolaient Milly. S'il n'y avait pas eu cette guerre, elle n'aurait pas rouvert les yeux peu à peu pour regarder Simon jouer du violon pendant les bombardements. Elle serait restée assise sur un casier à bouteilles, droite comme un i, les paupières closes, les mains collées sur les oreilles à prier son Dieu de pacotille. S'il n'y avait pas eu cette guerre, elle n'aurait pas passé des heures à détailler les mains du violoniste, ses bras, son profil, son corps en mouvement. S'il n'y avait pas eu cette guerre, elle n'aurait pas tricoté ce pull, les mains serrant ses aiguilles. Ce pull que le musicien ne quittait plus et qu'il effleurait tout le temps du bout des doigts. S'il n'y avait pas eu cette guerre, elle n'aurait pas rapiécé pour lui les pantalons que Lucien ne portait plus.

S'il n'y avait pas eu cette guerre, Lucien n'aurait pas entendu des hommes frapper contre la porte du bistrot à 5 heures du matin, descendre directement à la cave et l'empoigner. Il n'aurait pas vu le désespoir dans les yeux de Simon quand ils ont ouvert la trappe et que son corps est tombé comme un sac de pommes de terre vide sur le sol tant il était maigre. Lucien ne les aurait pas vus le tabasser du bout de leurs godasses, puis l'abattre comme un chien. D'ailleurs, il n'avait jamais vu personne abattre le moindre chien. S'il n'y avait pas eu cette guerre, il n'y aurait pas eu ce matin qui laisse Hélène seule. Il ne serait pas descendu à la cave pour parler avec Simon.

Il ne l'aurait pas vu prier à la lumière d'une bougie, les yeux fermés, ses lèvres articulant des mots silencieux. Il ne se serait pas demandé ce qu'il racontait à Dieu. S'il lui parlait d'Hélène. Et Simon, sentant sa présence, n'aurait pas ouvert les yeux, ni souri. Et Lucien n'aurait pas détesté le sourire de Simon parce qu'il était la force et la beauté. Et qu'il attirait de plus en plus Hélène dans la cave. S'il n'y avait pas eu cette guerre, Lucien ne serait pas devenu cette espèce de connard qui laisse son verre se remplir d'alcool frelaté, la cervelle rongée par une jalousie non avouée, et qui raconte à Dominique Latronche, le Judas du village, que dans sa cave on peut cacher quelqu'un à l'intérieur d'une trappe construite par le père du père Louis trente ans plus tôt. Et de le répéter, le répéter, le répéter dans les yeux de Latronche qui lui ressert des verres et le fait répéter. S'il n'y avait pas eu cette guerre, Lucien ne serait pas assis dans ce camion, le corps couvert d'ecchymoses, le dégoût de lui-même et le désespoir en bandoulière, à penser que si la mouette survole son convoi de prisonniers, c'est qu'Hélène est amoureuse de lui.

38

Quand j'étais petite, j'habitais à Lyon dans un immeuble avec un vide-ordures. Je ne me rappelle que ça. J'ouvrais sa gueule noire et je balançais des sacs-poubelle dedans. J'entendais les sacs chuter contre les parois. Ce trou béant avait une haleine de chiottes et me terrorisait car j'étais sûre qu'un jour ou l'autre, la bête que nous nourrissions d'ordures m'aspirerait et m'emporterait.

Elle l'a fait. Un matin où je me suis réveillée chez mes grands-parents. Dans le jardin de pépé, il y avait du feu. Je suis descendue le rejoindre en pyjama. Les yeux de pépé étaient rouges et j'ai cru que c'était à cause de la fumée. Je lui ai dit : *Mais pépé, pourquoi tu brûles ton jardin ?* Il m'a répondu : *En octoble, on blûle les mauvaises helbes. Avant de changer d'heule. C'est bientôt l'hivel, il faut aider le sol, ce feu c'est comme lui mettle un manteau, hiel tes palents ont eu un accident, Jules et toi, vous allez lester chez nous.*

Il a dit ça dans un souffle. Je l'ai regardé et je

me souviens si bien, si bien m'être dit, Tant mieux, comme ça, je ne retournerai pas à l'école.

Plus tard, j'ai su que ce n'était pas les mauvaises herbes qui brûlaient devant moi, mais les deux arbres fruitiers qu'il avait plantés le jour de la naissance de ses fils. Pépé les avait abattus, aspergés d'essence et brûlés dans son jardin.

Plus tard, Thierry Jacquet, un garçon de ma classe, m'a demandé ce que ça faisait d'avoir des parents morts, je lui ai répondu, *Ça fait qu'on voit le feu d'octobre.*

— Mémé ?

Je la réveille. Elle s'est assoupie pendant que je lui mettais ses bigoudis.

— Oui.

— Si Jules a son bac, il faut qu'on commence à lui chercher un appart à Paris dès le mois de juillet. Peut-être même avant.

— Sûrement.

— Après, il gérera ses sous tout seul. Je vais faire un virement sur votre compte et vous lui donnerez un chèque en lui disant que c'est l'héritage de l'oncle Alain.

— D'accord.

— Et il ne saura jamais que ça vient de moi.

— Si c'est ce que tu veux.

— Un peu mon neveu. Je me tuerais si mon frère me vouait une reconnaissance éternelle. Il a autre chose à foutre.

162

— Justine ! Ton vocabulaire.

— Mais quoi mon vocabulaire ! ! ! C'est quoi le vocabulaire que tu emploies pour me mentir ?

J'ai crié si fort qu'elle lève sa tête pleine de bigoudis pour vérifier que c'est bien moi qui viens de parler, là, derrière elle. Moi qui n'ai jamais dit un mot plus haut que l'autre dans cette maison. Même le jour où je me suis pété la tête en tombant de vélo et que j'ai mis du sang partout dans la cuisine.

— Qu'est-ce qui te prend ?

— Il me prend que… Tu savais que les gendarmes avaient ouvert une enquête après l'accident de tes fils ?

Elle marque un temps. Elle a l'air stupéfaite. Normalement il y a interdiction de contrarier mémé à cause de sa maladie du suicide. Je ne sais pas si elle fait cette tête à cause de ma question ou si c'est parce que j'ose la contrarier. Elle parvient à articuler d'une voix blanche :

— Quoi ?

— Parfaitement ! Une enquête !

Pépé débarque, son *Paris Match* à la main.

— C'est quoi ces clis ? il demande en se foutant déjà de la réponse.

D'un geste de la main, mémé m'intime l'ordre de me taire. C'est comme ça depuis toujours : interdiction de parler de l'accident sous ce toit, ça fait trop souffrir pépé et mourir mémé sur ordonnance.

Et là, j'entends mémé mentir :

— C'est rien. C'est Justine qui me tire les cheveux, ça me fait mal.

— C'est pas vrai pépé, je ne lui tire pas les cheveux, j'étais en train de lui demander si elle savait que les gendarmes avaient ouvert une enquête après la mort de vos fils parce que les circonstances de l'accident n'étaient pas claires.

Pépé me fusille du regard : je viens de profaner la tombe de ses souvenirs. Je sens mes jambes se dérober sous moi à cause de la culpabilité. Mais je ne baisse pas les yeux et les laisse dans les siens.

— Qui t'a dit ça ? me demande pépé.

— Starsky.

Il me dévisage comme si j'avais perdu la raison.

— Il m'a convoquée à cause des appels anonymes aux *Hortensias*. Et quand j'ai prononcé le nom de *Neige*, il s'est parfaitement rappelé qu'il y avait un truc qui clochait dans l'accident.

Mémé attrape sa canne et se lève brusquement alors que je n'ai pas fini sa mise en plis. Je la saisis par les épaules et la pousse sur son fauteuil. Je crois que je lui ai fait mal. C'est la première fois de ma vie que j'ose faire une chose pareille. Du coup, elle ne bouge plus. Elle a la tête rentrée dans les épaules. Je crois qu'elle a peur de ma violence. Et moi, j'ai honte. Je me mets à penser à tous mes oubliés, à cette facilité qu'ont les adultes à rudoyer les anciens. À ces histoires qu'on lit dans les journaux, de personnel soignant qui met des beignes aux petits vieux et les insulte dans les services de gériatrie. Je sens mes larmes monter.

— Pardon. J'aurais voulu… j'aurais voulu que vous répondiez à une de mes questions. Pour une fois.

J'ai perdu la partie. Ils ne me répondront pas. Et je n'élèverai plus jamais la voix. Je vaporise de la laque sur la tête de mémé. L'odeur se répand dans la cuisine. Puis j'enferme ses cheveux gris dans un filet qu'elle n'enlèvera que demain matin.

Pépé a abandonné son *Match* sur la table pour sortir ramasser les derniers mégots que Jules a jetés par la fenêtre.

En glissant le casque qui souffle de l'air chaud sur les fausses boucles de mémé, je pense qu'il faut que je retourne voir Starsky.

Quitte à le sucer, faut que je sache la vérité.

39

En 1944, *quatorze mois après l'arrestation de Lucien, des Allemands abandonnent un de leurs chiens sur le bord de la route. C'est une femelle, une grande bête fauve et noire, famélique.*

Elle reste longtemps figée à la sortie du village, comme une statue fixant l'horizon.

Un soir, la grande chienne suit Hélène jusque devant le bistrot du père Louis. Hélène la laisse entrer. La bête se couche dans la sciure. Hélène lui donne de la soupe à laper. Puis elle la baptise Louve.

À la Libération, Hélène sert des verres gratuits à tout Milly. Même les femmes sont là. Même celles qui regardent Hélène d'un mauvais œil parce qu'elle est peut-être trop belle pour une patronne de bar. Louve, seule rescapée allemande à des centaines de kilomètres aux alentours, les observe boire et trinquer jusque tard dans la nuit.

Hélène boit aussi ce jour-là. Elle boit à l'attente de Lucien. Elle boit aux sursauts qu'elle fait chaque jour à cause du silence de son absence. Aux portes qu'elle entend claquer, mais qui ne claquent plus. À la taie d'oreiller qui reste impeccable et qu'elle frappe du poing chaque matin, avant de faire le lit. Aux cheveux noirs qu'elle ne trouve plus dans les draps blancs. Aux pages des livres qu'elle tourne seule, aux repas qu'elle prend debout sur le coin de la table, tournant le dos aux chaises vides.

Elle boit à l'espoir de le voir revenir, blessé peut-être, mais vivant. Elle sait qu'il n'est pas mort, elle sent son cœur qui continue de battre, mais elle ignore où et comment. Et puis la mouette n'est pas revenue. Elle boit en pensant que celui qui les a dénoncés est peut-être parmi cette foule qui trinque et danse joyeusement sur le parquet de son bistrot. Mais elle ne veut pas détester. Elle veut juste espérer. Comme elle a espéré apprendre à lire.

À partir du jour où l'on fête la fin de la guerre, elle voit des hommes revenir dans son bistrot. Le village les récupère peu à peu. Pas tous, mais certains. Ceux qui ont fait la guerre de 14-18 parlent avec ceux qui reviennent de 39-45. Quant aux paysans qui ont fait les deux guerres, ils ne semblent plus croire à leur propre survie lorsqu'ils lèvent le coude en regardant la photo de Janet Gaynor.

Chaque jour, le journal apporte des nouvelles de la guerre. Exactement comme si les balles qui avaient été tirées des années auparavant n'atteignaient leurs cibles que maintenant. Les chiffres du nombre de morts tombent. Les photos d'exécutions massives et des camps de concentration, aussi. Quelques témoignages qu'Hélène ne sait pas lire. Aucune nouvelle ne lui parvient en braille. Elle demande à Claude, un gamin qu'elle a embauché au café du père Louis, de les lui lire le soir, en cachette, pour que personne ne sache qu'elle ne sait pas lire. Alors que tout le monde le sait.

Claude boite de naissance, sa jambe gauche plus courte que sa jambe droite l'a empêché de partir pour le travail obligatoire. Et pendant que les hommes devenaient des esclaves, Claude avait appris à lire et à écrire. C'est pour cela qu'Hélène l'a choisi, lui, parmi d'autres garçons de salle bien plus chevronnés.

Chaque soir, Hélène écoute religieusement Claude lire différents articles relatant la guerre, les doigts dans la fourrure de Louve. Parfois, quand les mots sont trop durs à entendre, elle dit à Claude :

— Attends.

Elle respire profondément. Puis elle lui demande de reprendre là où il s'est arrêté d'un mouvement de la tête.

Parfois, et elle ne l'apprendra que bien plus tard, Claude évite certains passages insoutenables décrivant les conditions de vie des prisonniers dans les camps. Il transforme les mots et invente que certains prisonniers étaient mieux traités que d'autres, qu'ils mangeaient à leur faim et dormaient dans des lits propres.

La nuit, quand Claude est reparti chez lui, Hélène ouvre l'armoire de la chambre et regarde les vêtements de Lucien accrochés aux cintres. Il est parti sans rien sur lui. Pas même un Je t'aime de sa part. Heureusement que la mouette l'a suivi. Elle espère qu'il comprendra cette preuve d'amour.

Depuis son départ, elle a cousu d'autres vêtements,

des pantalons, des vestes, des chemises. Elle range les neufs à côté des anciens. Quand il reviendra, il choisira ce qu'il veut garder. Avec les années, la mode a changé. Les Américains ont apporté de nouveaux tissus. Est-ce que cette mode plaira à Lucien ?

En 1946, Hélène reçoit une lettre en braille. Une lettre d'Étienne, le père de Lucien, postée de Lille. Le gouvernement français l'a informé que son fils, Lucien Perrin, né le 25 novembre 1911, a été déporté à Buchenwald et serait mort en déportation. À l'état civil, Lucien Perrin est désormais inscrit au registre des prisonniers de guerre « morts pour la France ».

Buchenwald. Elle repasse plusieurs fois ses doigts sur ce mot.

Claude lui montre Buchenwald sur une mappemonde. À l'aide d'une règle, il mesure que c'est à 905 kilomètres de Milly. Hélène regarde la minuscule tache, près de Weimar. À peine plus grosse que le chas d'une aiguille. Un minuscule point sur le cœur de l'Allemagne. Refusant de croire à sa mort, elle fixe la carte du monde comme si elle avait été dessinée pour lui montrer où est Lucien, cherchant un signe, une lumière, un oiseau.

Comme si l'espoir était contagieux, Claude commence à faire des recherches. Il écrit à tous les hôpitaux qui ont recueilli les prisonniers de guerre, à la Croix-Rouge, à toutes les associations et tous les organismes qui se chargent de répertorier les déportés.

Dans chacune des lettres que Claude envoie, Hélène glisse un portrait de Lucien dessiné au fusain parce qu'elle ne possède pas de photographie de lui qui ne soit floue ou prise de loin.

Sous chaque portrait, elle demande à Claude d'écrire :

Lucien PERRIN

Reconnaissez-vous cet homme ? Je suis à la recherche de toutes informations susceptibles de m'aider à le retrouver.

Écrire au café du père Louis, Hélène Hel, place de l'Église à Milly.

40

— Mémé?

— Oui.

— Le jour de l'accident, pourquoi ils nous ont pas emmenés avec eux à ce baptême?

— Je ne sais pas. Je crois que c'est pépé qui n'a pas voulu.

— Pépé?

— Oui.

— Pourquoi?

— Je ne sais plus. Je crois que Jules avait un peu de fièvre.

— Mémé?

— Oui.

— Qu'est-ce qu'ils t'ont dit papa et maman avant de monter dans la voiture?

— *À ce soir.*

Je repense à mes sempiternelles questions en attendant Starsky devant le petit local des agents de ville. J'ai mis du gloss et du fard à joue. On dirait que je suis prête à partir danser au *Paradis*. Quand il s'approche de moi en marchant comme un cow-boy, sa casquette vissée sur la tête, il me demande direct si j'ai des renseignements sur cet « enculé de corbeau qui commence à les lui briser menu ». Je lui offre mon plus beau sourire (trois années d'orthodontie à cause de mes dents du bonheur…).

— Non, je voudrais voir le dossier que vous avez ouvert après l'accident de mes parents. Vous savez, ils sont morts dans cet accident de voiture.

Il me regarde avec mépris et ne fait aucun effort pour paraître un tant soit peu compatissant. Je ne dois pas être son genre.

— Mais moi, j'ai le maire sur le dos ma ch'tite demoiselle, alors va falloir sacrément m'aider. Surtout après ce qui s'est passé dimanche dernier.

Il fait référence aux appels qui ont mis un joyeux bordel aux *Hortensias*.

— Mais… c'était bien dimanche dernier, tout le monde était heureux.

— Heureux ? Vous vous foutez de ma gueule ?

— Y avait jamais eu autant de visites. C'était bien.

— Et les types qui croient que leur mère a clamsé, ils étaient heureux, eux ?

— Je me place plus souvent du côté des résidents que des familles.

— Eh bien moi je me place du côté du maire qui me harcèle, vous m'entendez ? Il me harcèle…, alors pas de corbeau, pas de dossier Neige.

— Mais je ne sais pas qui c'est, moi !

— Faites un petit effort.

Pendant que ce gros con me parle sur le trottoir, j'observe l'extérieur du local. Je n'écoute plus ce qu'il me dit. Dans ma tête, j'élabore un plan : revenir une nuit pour fracasser la fenêtre située derrière le local à trois mètres du sol et qui est la seule à ne pas avoir de barreaux. Je prendrai l'échelle de pépé.

— Vous êtes la plus jeune, donc la plus maligne. Démerdez-vous.

— Je ne suis pas une balance.

— Ah bon, c'est quoi alors votre signe astrologique, ha !

Il est consternant. Je n'ai plus envie de lui montrer mes dents, plus envie de lui plaire et puis, jamais je ne sucerais un type pareil, même avec un préservatif, même en fermant les yeux, même en imaginant que c'est Roman.

— Au revoir.

Je vais nourrir le «gros chat» de madame Dreyfus. Il m'attend sur le trottoir. Je lui verse 500 grammes de croquettes au poisson dans une cuvette et change son eau. Je fais ça tous les trois jours. Pendant qu'il mange, je le prends en photo pour le montrer à madame Dreyfus. Il est tout pourri, genre roux clair dégueulasse, cicatrices de baroudeur sur le corps. Je ne peux pas le toucher, il se méfie de moi. J'aurais adoré avoir un animal de compagnie quand j'étais petite. Jules et moi, surtout moi, on a supplié pépé et mémé pendant des années. Mémé nous a toujours répondu que pépé était allergique aux poils de bêtes. Une pure invention, je suis sûre. C'est plutôt parce qu'un animal, c'est «sale».

En ce moment, on fait signer une pétition à tous les résidents avec Jo et Maria, pour obtenir un petit chien aux *Hortensias*. Les animaux domestiques devraient être obligatoires dans les maisons de retraite. Et même remboursés par la Sécurité sociale.

Après avoir photographié « gros chat », je fonce direct dans la chambre de Jules et je cherche : « entrer par effraction » sur son ordinateur.

Ce qui est bien à Milly, c'est qu'on passe d'un endroit à un autre en cinq minutes. C'est l'avantage de vivre dans un bled.

Je lis le mode d'emploi et je fonce à l'épicerie du père Prost commander un pied-de-biche et une pince-monseigneur. Je dis que c'est pour mon grand-père et, pour que ça ne paraisse pas bizarre, je commande aussi les produits de mise en plis pour mémé et des piles pour mon Polaroid. Le père Prost me dit qu'il faudra compter trois semaines pour la livraison.

Je ne suis pas pressée, j'attendrai même deux mois pour rentrer dans le local, ça tombera pile quand Roman reviendra.

41

1945

Paris. Gare de l'Est. Un homme erre sur les quais. Il mesure 1,81 mètre et pèse 50 kilos.

Il a mal à la tête. Un mal de chien. Quelque chose cogne dans son crâne, l'empêche de penser. Chaque minute qui commence efface la précédente.

Il y a du bruit autour de lui, beaucoup. Des trains, des haut-parleurs, la foule.

Dans son poing droit, il serre des feuilles de papier journal. Il ne veut pas les lâcher. Il ne faut pas les lâcher.

Quelqu'un essaie de lui prendre le bras pour l'allonger sur une civière. Il ne veut pas. Repousse, refuse, dit «non». Mais aucun son ne sort de sa bouche douloureuse.

Toujours ce bruit, ces trains, ces haut-parleurs, cette foule.

Une femme le prend par la main. La main gauche. Celle qui est libre. Il se laisse faire, parce qu'elle est douce, rassurante. La femme l'entraîne. Il la suit douce-

ment, en titubant. Elle se cale sur ses pas. Il lui semble qu'ils marchent tous les deux pendant des heures ou alors il se trompe. Cela ne dure pas si longtemps. Elle l'aide à monter dans un camion. Il se laisse guider. Il a peur et il a mal. Mal. Il s'allonge, enfin. Ferme les yeux.

La femme ne lui lâche pas la main.

À ses côtés, d'autres silhouettes. Et bien que le moteur du véhicule soit bruyant, c'est le silence. Chacun reste effroyablement silencieux.

Personne ne se regarde dans les yeux. Mais toujours cette main dans la sienne.

Il s'assoupit. Il ne rêve pas. Tout est noir.

Quand il sort de son semi-coma, le camion est en train de pénétrer dans un parc avec des chênes centenaires. C'est le printemps, le soleil est doux. Et le vent ressemble à un pardon.

Allongé sur sa civière, il regarde le ciel. Et toujours cette main dans la sienne. Et toujours la douleur et ce silence. On le porte dans un grand bâtiment. À l'intérieur, une odeur de chou et de papier, et de longs couloirs éclairés par la lumière du jour.

Il aime l'odeur de la femme qui lui tient la main. Quand elle la lâche pour qu'on le porte sur une table d'examen, elle lui dit, Je m'appelle Edna, je suis infirmière, je vais m'occuper de vous.

Edna lui ouvre la main droite délicatement, desserre ses doigts un à un. Elle est noircie par l'encre. À certains endroits, Edna a du mal à enlever le papier qui s'est collé à ses chairs.

Depuis combien de jours, de semaines, de mois, cet

homme serre-t-il ces feuilles de papier journal ? Il voudrait hurler, mais il ne hurle pas. Il voudrait empêcher l'infirmière de les lui prendre, mais il ne l'en empêche pas. Il est à bout de forces.

Une larme coule sur sa joue. Celle qui n'est pas balafrée. Et malgré sa maigreur, malgré ses blessures, malgré son silence, Edna ne voit qu'une seule chose : la beauté des yeux de cet homme-là.

Pour le rassurer, Edna range immédiatement ce qu'il reste des feuilles dans une boîte en carton. Elle les manipule comme s'il s'agissait d'une parure de diamants. Elle referme le couvercle et place la boîte près de lui, bien en évidence sur un chariot de soins.

Il a de plus en plus de mal à respirer. La douleur crânienne est insoutenable, lancinante.

Un médecin les rejoint et le salue. Il pose un stéthoscope sur son cœur tandis qu'Edna commence à desserrer le bandage qui lui entoure la tête. Il essaie de toucher ses pansements, mais Edna l'en empêche.

Une odeur de charogne envahit la pièce. Edna pâlit. C'est imperceptible. Mais elle pâlit en lui souriant.

Il veut dormir. Ferme les yeux. Un battement d'ailes et c'est le noir.

Il tombe dans le coma.

42

On a parlé des *Hortensias* à la télé à cause du corbeau. Dans le journal télévisé de France 3 Régions. Celui que pépé ne rate jamais et regarde chaque soir, le son poussé au maximum.

Une équipe de tournage a débarqué hier matin.

Toutes les infirmières s'étaient maquillées, Jo et Maria étaient allées chez le coiffeur et madame Le Camus portait une robe fuchsia. Exit les blouses, on se serait cru au festival de Cannes. Même les résidents étaient sur leur trente et un. Madame Le Camus nous avait demandé de « soigner leurs toilettes ».

La journaliste a choisi deux résidents à interviewer, un homme et une femme, monsieur Vaillant et madame Diondet. Ce qui a provoqué quelques jalousies parmi les autres : *Pourquoi eux et pas nous ?* Monsieur Vaillant n'est pas une « victime », contrairement à madame Diondet.

Avant de choisir, la journaliste s'est assurée qu'ils n'avaient pas trop perdu la boule. Nom, prénom, date et lieu de naissance, nombre d'enfants et métier exercé avant la retraite. Puis elle leur a poudré le visage, le cou et les mains. Monsieur Vaillant n'en revenait pas. Et tous les autres se sont gentiment moqués de lui.

Ensuite, le preneur de son a caché un micro dans leurs vêtements. Ils n'osaient plus bouger, c'était très drôle.

La journaliste a commencé à leur poser des questions. Elle les a posées en parlant très fort et en articulant exagérément.

Je déteste les gens qui s'adressent aux personnes âgées comme si c'étaient des demeurés.

Elle a « tenté d'analyser les souffrances psychologiques infligées par ce corbeau aux résidents ».

Monsieur Vaillant a répondu qu'il s'en foutait complètement et qu'il n'était pas sourd.

Ensuite, la journaliste a « tenté de comprendre les conséquences néfastes du traumatisme engendré au sein des familles impactées ».

Madame Diondet, en tant que victime, a répondu qu'elle se sentait plutôt bien à part quelques douleurs dans les jambes.

Enfin, tous les résidents ont été filmés les uns à côté des autres et l'équipe de tournage est partie.

Monsieur Vaillant m'a immédiatement demandé de lui enlever son maquillage. Il a poussé des cris d'horreur quand je lui ai passé le coton démaquillant sur la figure.

Ce soir, pendant la retransmission du journal télévisé, tous les résidents étaient dans la salle de télé et ont beaucoup ri quand ils se sont vus. Madame Diondet m'a confié qu'elle avait pris un sacré coup de vieux, elle a trouvé que la télé était plus méchante que le miroir de sa salle de bains.

43

À partir de 1947, une usine de fabrication de textiles s'implante à Milly. Cette nouvelle industrie amène une cinquantaine de nouvelles têtes masculines du jour au lendemain au café du père Louis.

Grâce à cette rentrée d'argent, Hélène embauche Claude «officiellement», rachète des tables, des chaises neuves et un flipper. Claude fait le service tandis qu'Hélène, qui a transformé l'ancienne remise derrière le bar en petit atelier de couture, a repris sa première activité. Comme si coudre était la seule chose qu'elle avait toujours su faire pour attendre Lucien.

Beaucoup d'hommes déchirent leur manche, un ourlet de pantalon, le col de leur chemise ou arrachent un bouton de leur veste pour se retrouver dans l'atelier exigu d'Hélène et sentir ses mains à travers leurs vêtements. Ils l'observent, penchée, à genoux, accroupie, concentrée à recoudre un bouton, un ourlet, ou à mettre une pièce, ses épingles dans la bouche et les sourcils froncés.

L'ultime bonheur des clients est de se faire faire un

costume sur mesure. Les essayages durent des heures. Elle entoure le corps avec son mètre. Elle commence par le tour de cou, puis les épaules, le dos, la taille, le bassin, elle descend le long des jambes, vous mesure de partout en longueur et en largeur. Elle trace vos lignes à la craie et à chaque fois qu'ils sentent une pression de ses doigts sur un muscle, ils frissonnent comme de jeunes mariés.

Tous les hommes de Milly et des environs ont de beaux costumes. Même les paysans. On pourrait jurer qu'à partir de 1947 jusqu'à l'apparition du prêt-à-porter, les hommes de Milly étaient plus élégants que ceux de Paris.

Parfois, l'un de ces hommes se hasarde à lui dire qu'elle est jeune, belle, qu'elle pourrait refaire sa vie. Mais elle n'a pas envie de refaire sa vie. Juste de continuer la sienne. Avec Lucien.

Les portraits de Lucien qu'elle a fait envoyer par Claude aux associations qui s'occupent de recenser les prisonniers de guerre n'ont rien donné. Aucune nouvelle. Assise derrière sa machine à coudre, elle fait tout de même un projet d'avenir, celui de dire à Lucien qu'elle l'aime.

Depuis la pièce aveugle, elle entend les hommes pousser la porte d'entrée du café en sachant que ce n'est pas le sien, d'homme. Lui a une façon bien particulière de remonter la clenche sans faire de bruit. Elle sait, elle se le répète en boucle : il n'est pas mort. Il reviendra.

Hélène entend la voix des hommes passer leur commande. Elle entend Claude les servir. Rarement :

Qu'est-ce que je vous sers ? Souvent : Comme d'habi-
tude ? Parfois, il sert sans rien demander, sachant depuis
bien longtemps ce que chaque pilier boit pour s'enraciner
un peu plus dans l'oubli. Des bouteilles s'entrechoquent,
des verres se remplissent, des verres se vident dans le
corps de ces hommes qui n'est pas celui de Lucien. Ils
recrachent l'alcool ingurgité à travers des phrases un peu
décousues tandis qu'elle trace des lignes droites au fil
blanc.

Au début c'est la guerre qui revient le plus souvent
dans les conversations. Le fantôme des disparus délie les
langues. Puis, la vie reprenant ses droits, on parle d'un
mariage, d'une naissance, d'une mort naturelle dans
son lit à cent ans, de la nouvelle usine où l'on cherche
chaque jour un peu plus de main-d'œuvre, de la mère
Michèle qui a perdu son chat.

Après quelques verres, certains poussent jusqu'à la
remise pour faire un signe timide de la main. Hélène et
Louve lèvent toutes deux la tête en même temps.

En 1950, le nouveau percolateur fait le même bruit
que la locomotive qui lui ramènera Lucien. Elle le sait.
Il reviendra.

*

Edna lui a dit : Vous n'avez nulle part où aller, voulez-
vous vivre chez moi le temps de trouver un travail ? Il a
répondu oui.

Il pénètre dans la maison d'Edna pour la première

fois. Elle lui a aménagé une chambre sous mansarde. Elle a accroché une copie d'un tableau de Paul Gauguin au mur et un Christ au-dessus du lit. Elle lui a acheté du savon à raser et un savon de Marseille. Elle a mis des serviettes propres et de la lavande à l'intérieur de l'armoire pour que le linge sente bon. Elle a pris soin de ne pas suspendre de miroir, elle a remarqué qu'il ne supporte pas son reflet, ce visage inconnu et ravagé qui le regarde fixement quand il se croise dans une glace.

Il a repris du poids. Ne fait plus le tour de son poignet avec le pouce et l'index. Ses cheveux noirs ont repoussé sauf à quelques endroits, là où sa boîte crânienne a été écrasée. Les médecins pensent qu'il a reçu de violents coups de crosse et qu'on lui a tailladé le visage avec un couteau à longue lame comme ceux que les chasseurs utilisent pour achever les grands animaux. Une cicatrice lui barre le visage du front à la lèvre supérieure en passant par l'aile gauche du nez.

Edna lui a dit : Vous êtes un soldat inconnu, sans plaque militaire et sans papiers d'identité. Vous n'apparaissez pas dans le registre des personnes recherchées. On va vous trouver un nom et un prénom. Comment aimeriez-vous vous appeler ?

Elle lui a donné une liste de prénoms masculins.

Un béret, des morceaux de papier à l'intérieur, un prénom. Et puis c'est tout. Un souvenir furtif : des prénoms dans un béret. Où ? Quand ? Pourquoi ? Était-ce un rêve ? Le rêve ? Celui qu'il fait chaque nuit ? celui dont il n'a jamais parlé à personne, même pas à Edna ?

Il a répondu, Simon. J'aimerais m'appeler Simon.

Edna l'a fixé quelques instants. Comme si elle se méfiait de lui. Non, ce n'est pas de la méfiance. C'est de la peur. Il a le sentiment qu'Edna ne veut pas qu'il se souvienne. Lui aussi, il a peur. Il est terrorisé, hanté par une question : Qui suis-je ?

Il parle et il écrit en français. Il sait à quoi servent un blaireau, un rasoir, un stylo, des ciseaux. Et il fume des gitanes. Ce sont là ses seules certitudes. Aux autres amnésiques, on montre des photographies, des images, des visages, des lieux. À lui, on ne peut rien montrer. Il a perdu sa trace. Il est comme tombé du ciel. Et personne ne le recherche.

Il parvient à lire, à écrire, à marcher, à courir, à tenir, à soulever, à réfléchir, à se souvenir de tout à l'heure. Sa mémoire immédiate est intacte. Le reste est noir. Son esprit porte le voile noir des veuves. Il en a croisé parfois. Elles lui font peur. Ces grands fantômes, ces spectres, il s'en méfie, il a peur qu'ils l'emmènent là où il ne guérira pas.

Heureusement qu'il y a le rêve, chaque nuit. Une présence familière, une réponse, un soulèvement contre l'amnésie. Quand il se réveille, il ferme les yeux pour y retourner, mais le matin l'aspire vers la journée, Edna, il faut se lever, boire un café, rééduquer son corps, enlever le goût d'eau de mer dans sa bouche.

Depuis qu'il est sorti du coma, Edna dort près de lui au dispensaire. Mais il ne l'a jamais déshabillée. Parfois, elle croit voir un souvenir de Lucien passer dans *le regard de Simon. Aussi rapide qu'un clignement de cils.*

*

Edna Fleming a reçu la lettre en 1946. Le 29 mai 1946. L'enveloppe blanche était épaisse et grande. Ce matin-là, c'est elle qui devait réceptionner le courrier et les médicaments. Cela n'était que très rarement arrivé. Le directeur du dispensaire s'était absenté pour la semaine. En tant qu'infirmière-chef, c'est à elle qu'était revenue cette tâche.

Elle a pris cela pour un signe. C'est ELLE qui devait ouvrir cette lettre. ELLE et personne d'autre : la main de Dieu.

Quand elle a découvert le portrait de Lucien Perrin, elle a eu un haut-le-cœur et ses mains se sont mises à trembler. L'homme que les autres infirmières du dispensaire appelaient « le malade d'Edna » avait un nom, un prénom, une adresse :

Lucien PERRIN.

Reconnaissez-vous cet homme ? Je suis à la recherche de toutes informations susceptibles de m'aider à le retrouver.

Écrire au café du père Louis, Hélène Hel, place de l'Église à Milly.

Une femme le recherchait. Elle ne portait pas le même nom que lui. Était-ce une mère, une sœur, une fille ?

Elle a regardé le portrait crayonné. Aucun doute. Malgré les cicatrices, les kilos en moins et les années en plus, c'était bien lui. Son regard bleu. Sur le portrait, il souriait. Elle ne l'avait jamais vu sourire. Il disait merci. On aurait dit que c'était l'unique mot qu'il savait prononcer. Merci. Le seul mot qui lui revenait en mémoire.

Milly en Bourgogne. C'était à 400 kilomètres du dispensaire qui se trouvait dans l'Eure.

«Reconnaissez-vous cet homme?» Oui. Elle le reconnaît. Elle le reconnaît mieux que personne. Elle l'a reconnu sur le quai, gare de l'Est. Peut-être parce qu'il avait tout oublié. Un peu comme un nouveau-né. Elle l'a nourri. A pansé ses plaies au crâne plusieurs fois par jour. Lui a tenu la main quand il a eu une fièvre de cheval deux semaines après son arrivée, au sortir du coma. Elle l'a fait pisser et chier, ne l'a quitté que pour dispenser les soins aux autres malades. Elle a prié pour lui comme elle n'a jamais prié pour personne quand le chirurgien lui a dit qu'il ne s'en sortirait pas, qu'il était en trop mauvais état. Elle lui a parlé. Lui a fait la lecture. L'a aidé à faire ses premiers pas en dehors du dispensaire. Lui a redonné le goût de se lever, de marcher, de manger, de dormir. Qui pourra s'occuper de lui comme elle s'en est occupée? Qui pourra l'aimer d'amour comme elle l'aime d'amour?

La famille qui recherche cet homme, ce Lucien Perrin, ne connaît que l'homme crayonné souriant d'avant-guerre. Une vie sépare l'avant et l'après-guerre. En tant qu'infirmière, elle est bien placée pour le savoir. Combien de rescapés a-t-elle rendus à des familles désem-

parées, choquées, ne reconnaissant ni frère, ni fils, ni mari ? Ce Lucien est mort et enterré. Simon est né de ses cendres.

Celui qui reste n'est plus que l'ombre de lui-même. Ce n'est pas une ombre que cette Hélène Hel recherche, c'est le passé.

44

Il vient de fermer à clé la porte principale au rez-de-chaussée.

Je suis calée dans un placard entre des seaux et des balais-brosses. De temps en temps je chasse les fourmis que j'ai dans les jambes en sautant doucement sur place. Je suis frigorifiée. Et mon cœur bat à se rompre. Si Starsky et Huch reviennent, je suis foutue.

Si Jules savait… Je ne pourrais pas lui dire pourquoi je fais des recherches sur les circonstances de l'accident de nos parents. Je serais obligée de mentir. De lui raconter que je veux savoir ce que les agents de ville ont sur le «corbeau». Tout comme j'ai menti à pépé quand je lui ai offert le pied-de-biche et la pince-monseigneur. Il a fait une drôle de tête. Il a même dit : *Tu veux que je cambriole une banque ?*

Quand j'ai récupéré le pied-de-biche et la pince chez le père Prost, j'ai compris que je ne saurais jamais m'en servir. Qu'il vaudrait mieux faire comme Hélène, quand elle s'est laissé enfermer dans son école le jour de la mouette.

En fin d'après-midi, je suis entrée dans le «service municipal et espace public» comme une fleur.

— Bonjour.

Le «service municipal et espace public» est situé dans un petit local carré de deux étages en ciment. Date de construction: 1975. Quand j'étais petite, je me souviens que tous les bureaux étaient occupés. Qu'il y avait de «vrais» gendarmes au premier étage et que je suis venue avec mémé. Mais cela fait plusieurs années qu'il n'y a plus que Starsky et Hutch à l'intérieur.

Starsky m'a demandé si j'avais du nouveau, des noms de collègues ou de résidents à balancer. Je lui ai répondu que depuis la diffusion du reportage à la télé, il n'y avait plus eu d'appels anonymes. Mais ça, il le savait déjà. Il m'a regardée bizarrement. J'ai senti que je l'emmerdais. Ou qu'il me soupçonnait.

Le téléphone du standard a sonné. Starsky a paru surpris. À croire que ça n'arrivait jamais.

Je me suis pincé l'intérieur de la main pour ne pas rire parce que c'est Jo qui appelait. Je lui avais dit: *Tu appelles les agents de ville à 16 heures tapantes pour une histoire de voisinage et de stationnement interdit, tu bredouilles, tu dis n'importe quoi et tu raccroches. Ce qui compte, c'est que la conversation dure cinq minutes.* Elle m'a demandé: *Pourquoi*, je lui ai répondu: *S'il te plaît.*

Au moment où Starsky a décroché en articulant *Service municipal, j'écoute*, j'ai fait semblant de partir.

— Au revoir.

J'ai refermé la porte de son bureau derrière moi, j'ai mis mon téléphone portable sur vibreur et je suis

190

montée à l'étage dans la partie inoccupée par les « vrais » gendarmes depuis belle lurette. Si je me faisais gauler par Hutch, je pourrais toujours dire que je cherchais les toilettes. Mais je n'ai croisé personne dans l'escalier.

Quand je me suis enfermée dans le placard à balais, il était 16 h 04. Depuis, j'attends. En principe, à 18 heures il n'y a plus personne.

Lorsqu'on attend dans un placard à balais, on a le temps de penser. À tout. Moi, j'ai pensé à Roman. Roman le si beau, en train de photographier des fous au Pérou. J'ai pensé à sa grande vie et à ma toute petite vie. Son regard qui n'existe qu'en un seul exemplaire dans l'univers, et moi, une petite gonzesse mal coiffée qui remue du popotin le samedi soir au *Paradis* et pousse des chariots de désinfectants en tout genre. Moi qui dois exister en un tas d'exemplaires.

Nous ne sommes pas égaux. Nous ne naissons pas égaux. Ça n'est pas possible. Un spécimen comme Roman en est la preuve.

Comment une fille comme moi pourrait partager le quotidien d'un garçon comme lui, à part en rêve ? Comment imaginer deux individus comme nous en train de rentrer à la maison et de se dire : *Comment ça va mon amour, tu as passé une bonne journée ?*

Tout doit lui réussir depuis qu'il est né. Et puis lui, il a une mère.

Notre maison ne sera jamais la même. Chez moi, il y aura des meubles suédois et chez lui, des meubles qu'il aura chinés à travers le monde. Chez moi, ce sera du carrelage blanc et chez lui, du parquet recouvert de tapis persans verts et bleus.

Même faire des courses au supermarché avec Roman doit relever du chef-d'œuvre. La vie est un chef-d'œuvre quand on se réveille à côté d'un Roman. Enfin, j'imagine.

Je continue régulièrement à me réveiller à côté de Je-ne-me-rappelle-plus-comment. Je ne sais pas ce qu'il fait comme travail, mais en ce moment, il arrive toujours un peu avant la fermeture du *Paradis*. Que je pue l'alcool et la transpiration ne semble pas le déranger. Il me cueille chaque dimanche matin, et si je suis de garde, il me laisse repartir dans la 4 L de pépé.

En fait, il continue à me poser des questions et moi, jamais. Parfois, j'ai l'impression d'être son enquête, une affaire qu'il ne veut pas classer. Chez lui, il y a tout un tas de bouquins et souvent, quand je me réveille, il est en train de travailler à son bureau. Peut-être qu'il écrit un rapport sur moi, la fille qui n'aime que les vieux. Quand il voit que j'ouvre les yeux, il me presse un jus d'orange et m'apporte un café au lit – comme dans les publicités. Puis il me regarde avaler mon petit déjeuner en souriant.

Nous sommes le 20 décembre. Roman m'a dit qu'il reviendrait pour Noël. Il va me demander où j'en suis avec l'histoire d'Hélène. J'avance. Les pages du cahier bleu se remplissent comme une bouteille. Je ne sais pas ce qu'il sait d'elle. Je ne sais pas ce que sa mère lui a raconté ou pas.

CLAC. Starsky s'en va. J'entends la clé verrouiller

plusieurs serrures. Plus de lumière dans l'escalier. Il fait nuit. Il fait froid. Je n'ose pas bouger. Je ne bouge pas. Je souffle dans mes mains et dans l'encolure de mon pull pour me réchauffer.

Hutch pourrait repasser avant de rentrer chez lui.

Au moment où je me décide, le téléphone du standard sonne à nouveau. Je sursaute, je me cogne la tête, ma lampe de poche tombe. J'entends les piles rouler par terre. Heureusement que j'ai la lumière de mon téléphone portable pour les retrouver.

Je descends les escaliers avec ma lampe de poche. J'ai pris soin d'atténuer la lumière pour ne pas être repérée depuis l'extérieur. J'ai les jambes en coton. J'ai envie de faire pipi. Je ne vois rien à plus de trente centimètres. Je rentre dans le bureau de Starsky. Une odeur de tabac froid et d'alcool. Pourtant, il n'y a ni cendrier ni bouteille sur le bureau.

La salle des archives se trouve derrière les bureaux de Starsky et Hutch. Elle est fermée à clé. Je me demande si c'est depuis que les «vrais» gendarmes ont foutu le camp ou si Starsky et Hutch ont toujours la clé.

Il faut absolument que je la trouve. Il fait nuit noire. Ma lampe n'éclaire pratiquement plus rien. Le silence qui m'entoure est terrifiant. Puis, je ne sais pas ce qui se passe dans ma tête, je me mets à penser à mon père. Je ne pense pas à lui comme on pense au jumeau d'un jumeau, à une personne dans un cadre sur le buffet, à un fait divers, à une tombe fleurie. Non. Je me mets à penser à lui comme on pense à un être humain qui s'est tué sur la route à l'âge de quarante ans en abandonnant une petite fille derrière lui, chez ses parents un dimanche matin. Une petite fille qui avait peur d'un vide-ordures. Est-ce que les gens qui ont un père mesurent leur chance ?

Où se trouvent ces foutues clés ?

La lumière de ma lampe de poche se pose sur un meuble haut, fermé par une porte coulissante. Je trouve une clé dans une boîte à agrafes vide. Ce n'est pas la bonne.

Soudain, du bruit.

Quelqu'un vient d'ouvrir une porte. Celle de l'entrée principale. Je me cache sous le bureau de Starsky. J'entends des chuchotements. Personne n'a allumé la lumière. Deux individus entrent dans le bureau de Starsky. Je devine le froid de leurs vêtements. Ils sentent l'hiver, la nuit et la clandestinité, comme moi.

Je me blottis pour disparaître, redevenir toute petite. C'est foutu, je suis foutue, je vais me faire arrêter. On va voir ma tête dans le journal. On va traîner le nom de *Neige* dans la boue. Pépé et mémé vont mourir de honte…

Une femme dit : *J'ai froid.*

L'homme qui l'accompagne lui répond qu'il va la réchauffer. L'homme c'est Hutch, je reconnais sa voix nasillarde. Je les entends s'embrasser et soupirer. Elle, elle glousse comme une pintade jusqu'à ce qu'ils gémissent à l'unisson.

Ils sont allongés à même le sol. Ils n'ont toujours

pas allumé la lumière. Ils sont juste à côté de moi. Si je tendais le bras, je pourrais les toucher.

J'ai envie de rire et de pleurer en même temps. S'ils me découvrent, non seulement ils me coffrent, mais en plus ils m'assassinent pour que je ne puisse pas parler. Je ferme les yeux et me bouche les oreilles. J'essaye même de ne plus respirer.

Ça ne dure pas très longtemps. Hutch est un éjaculateur précoce. Je les entends se rhabiller rapidement.

Elle dit :

— Faut que je rentre, il va s'impatienter.

— On se revoit quand, ma sauterelle ?

— Je t'appelle.

— La prochaine fois, je te passe les menottes.

— J'ai hâte.

— Et pourquoi pas maintenant ?

Merde de merde, ils vont remettre le couvert. Heureusement, elle répond qu'il faut vraiment qu'elle rentre. Ils ressortent presque aussitôt.

Dix minutes de silence dans le noir. J'ai jamais fumé de ma vie et là, maintenant, tout de suite, j'en grillerais bien tout un paquet. Je rallume ma lampe de poche. C'est alors que je les vois : des clés sont accrochées sous le bureau de Starsky. À une petite pointe. Impossible de les trouver si on ne se met pas à quatre pattes.

— Notre Père qui es aux cieux, que ton nom soit sanctifié, que ton règne vienne, que ta volonté soit faite sur la terre comme au ciel, ce sont les bonnes clés.

Le pôle Nord. Il fait moins froid dans le congélateur des *Hortensias* que dans cette pièce. Ma lampe de poche éclaire une cinquantaine de boîtes à archives, un uniforme poussiéreux, deux malles en ferraille, des bouteilles vides, des livres et des affiches entassés les uns sur les autres. Ça sent l'humidité. Sous mes pieds, on dirait de la terre, un peu comme dans une cave.

Les boîtes à archives ne sont pas rangées par ordre alphabétique mais par année. De 1953 à 2003. Tout est recensé : accidents de chasse, incendies, suicides, disparitions, noyades, tentatives d'homicides, cambriolages, vols de vélos, délits de fuite, inondations, sabotages, altercations, violations de domiciles, agressions verbales. Tout. Je ne pensais pas qu'il pouvait se passer autant de choses dans un petit village comme le nôtre.

Au fur et à mesure que les années passent, les boîtes changent de format : elles maigrissent. Elles ne contiennent presque plus rien. Preuve que le village s'est vidé peu à peu. Surtout après la fermeture de l'usine de textile en 2000.

Je prends la boîte 1996, l'année de l'accident. Je l'ouvre. Elle contient trois procès-verbaux pour vols de voitures. Et ceci :

Le 6 octobre 1996, à 9 h 40, la brigade est prévenue par monsieur Pierre Léger, demeurant à Milly, route de Clermain, qu'une voiture vient de percuter un arbre sur la route nationale 217.

Nous nous rendons immédiatement sur les lieux.

À notre arrivée, vers 10 heures, nous trouvons monsieur Pierre Léger, ainsi que la brigade des pompiers qui est déjà sur place depuis vingt minutes.

Nous constatons que le véhicule accidenté, une Clio noire de marque Renault immatriculée 2408 ZM 69, est en partie détruit par le choc.

À 10 h 30, les pompiers procèdent à la découpe du toit du véhicule afin de sortir quatre corps sans vie de l'habitacle.

Monsieur Pierre Léger, seul témoin oculaire de l'accident, était présent quand le véhicule a fait une sortie de route. Les faits nous sont relatés succinctement, à savoir : le véhicule est sorti de la route à une très grande vitesse après avoir fait plusieurs zigzags sur une ligne droite et a fini par percuter un arbre de plein fouet.

Monsieur Pierre Léger a immédiatement alerté les pompiers avec son téléphone portable, ils sont arrivés environ dix minutes plus tard.

Pendant que les pompiers procèdent à l'extraction des quatre corps, un message de recherche est adressé au Fichier central afin d'identifier le propriétaire du véhicule.

À 12 heures, nous sommes informés que le véhicule appartient à messieurs Alain et Christian Neige, domiciliés à Lyon (69).

À 12 h 30, des spécialistes de la brigade de recherche nous rejoignent sur les lieux. Le gendarme Claude Mougin prend des clichés de l'extérieur et de l'intérieur du véhicule.

À 12 h 45, les quatre corps – deux hommes et deux femmes – qui présentent des traumatismes mortels sont emmenés à la chambre funéraire de l'hôpital Poinçon à Mâcon (71), après que le médecin légiste, Bernard Delattre, a constaté le décès.

Empreintes de roues : monsieur Pierre Léger nous ayant signalé que le véhicule a quitté la route précipitamment, nous remarquons des traces de pneus. Ces traces ne sont pas nettes. Les pneumatiques, sous l'effet d'une accélération intense, semblent avoir patiné sur place. Les traces de pneus aux endroits les plus visibles ont été photographiées (photo nº 13).

Nous recherchons dans le voisinage d'autres personnes susceptibles d'avoir été réveillées par le choc de l'accident ou qui auraient pu être témoins d'un fait quelconque.

À 14 heures, de retour à notre brigade, nous rendons compte verbalement à notre commandant de compagnie et à notre commandant de brigade de l'état de l'enquête en cours.

En somme le point est fait, les dispositions sont prises pour la répartition entre le personnel des diverses vérifications à faire d'urgence sur l'identification des trois autres victimes «passagers transportés».

À 15 heures, notre commandant de compagnie et moi-même nous rendons au domicile de monsieur Armand Neige, le père du propriétaire du véhicule, Christian Neige, domicilié rue Pasteur à Milly (71). Celui-ci confirme à notre commandant que ses deux fils Christian et Alain Neige accompagnés de leurs deux épouses Sandrine Caroline Berri et Annette Strömblad ont quitté le domicile dudit Armand Neige où ils séjournaient pour le week-end vers 8 h 10 le dimanche 6 octobre.

À 17 heures, la reconnaissance des quatre corps est effectuée par monsieur Armand Neige à l'hôpital Poinçon de Mâcon (71). Il reconnaît ses deux fils, Alain et Christian Neige, ainsi que ses deux belles-filles Sandrine et Annette épouses Neige.

Le conducteur du véhicule – Renault – n'a pu être identifié entre Christian et Alain Neige, tous deux propriétaires du véhicule.

En sus, les analyses toxicologiques effectuées post mortem sur les quatre victimes se sont révélées négatives.

Le véhicule – Renault – a été transporté au garage Millet à Milly. Il a été constaté que le système de freinage pouvait paraître défaillant, mais il n'a pu être établi que cet état de fait était antérieur ou dû à la violence du choc de l'accident.

Par ailleurs, il semblerait que le conducteur ait freiné avant la sortie de route, mais les traces de roues ne sont pas suffisamment nettes pour le certifier dans la mesure où ce 6 octobre 1996, Météo France a fait état de présence de plaques de verglas dans la région. Le conducteur a pu faire un malaise ou manquer d'attention durant quelques secondes à l'intérieur du véhicule.

Lecture faite par moi de la déclaration ci-dessus, j'y persiste et n'ai rien à y changer, à y ajouter ou à en retrancher.

La 1re (avec la copie) à M. le Procureur de la République à Mâcon.

La 2e aux archives.

Fait et clos à Milly, le 9 octobre 1996
L'adjudant Bonneton (OPJ),
le gendarme Tribou (OPJ),
le gendarme Rialin (OPJ),
le gendarme Mougin (APJ).

À minuit à Milly un 20 novembre, même les cheminées dorment depuis longtemps. Plus aucune lumière à l'intérieur des maisons.

Je fais pipi derrière une poubelle. Il fait un froid de gueux.

45

Chaque matin, les veilleurs de nuit nous transmettent les informations. Madame Le Camus nous dit
qui va à quel étage.

On réveille les résidents. On les aide à se laver.
On les descend au réfectoire. On les installe. On leur
donne les médicaments préparés par les infirmières.
On leur sert leur petit déjeuner. On les remonte dans
leur chambre. On fait leurs lits. Puis, les shampooings
ou poses de vernis à ongles, si demande il y a. À midi,
on les redescend pour le déjeuner.

Ça, c'est si on fait les étages des résidents «indépendants». Jo, Maria et moi nous nous occupons souvent
de l'étage des «dépendants». On réveille les résidents.
On les lave. On les fait manger. Et, selon, on les descend avec les autres dans le jardin s'il fait beau ou ailleurs si c'est l'hiver comme en ce moment.

Si je ne faisais pas d'heures supplémentaires, je ne
pourrais pas écouter les histoires qu'ils racontent. Ce
qui veut dire que mes heures supplémentaires sont
des solstices d'été. À chaque fois que je travaille,

mes jours rallongent. Avec les femmes, je masse les mains, les pieds, ou je leur mets une crème de jour sur le visage tout en leur posant des questions. Avec les hommes (beaucoup moins nombreux que les femmes aux *Hortensias* comme dans toutes les maisons de «retraite» du monde), ça dépend. Je lave les cheveux, je coupe les poils du nez ou des oreilles tout en posant les mêmes questions qu'aux femmes.

Des cahiers bleus je pourrais en écrire des centaines. Parfois, je me dis que je pourrais transformer chaque résident en nouvelle. Mais il faudrait que j'aie une jumelle.

C'est fou ce que les filles s'occupent bien de leurs parents. Quand j'étais petite, je voulais avoir un garçon. Depuis que je travaille aux *Hortensias*, j'ai changé d'avis. À part quelques exceptions, les fils passent de temps en temps. Souvent accompagnés de leur femme. Les filles, elles, elles passent tout le temps. La plupart des oubliés du dimanche n'ont que des fils.

Je fais toujours la chambre d'Hélène en dernier pour avoir du temps. Ce matin, quand j'arrive avec mon chariot, Roman est là.

J'ai baisé toute la nuit avec Je-ne-me-rappelle-plus-comment. Quand je vais mal, ou je bois cul sec ou je baise.

Après avoir sauté du premier étage du service municipal et espace public, je suis allée directement chez lui. Il n'était pas là. Je l'ai attendu une heure sur le palier. Je ne pouvais pas rentrer chez moi. Pas après ce que je venais de lire. Les photos de l'accident étaient dans une pochette grise. Je l'ai volée. Je ne les ai pas regardées, sauf la première. Pendant que j'attendais Je-ne-me-rappelle-plus-comment sur le palier, j'ai soulevé le rabat. Je n'ai vu qu'un amas de tôles. J'ai imaginé que celles du dessous étaient terribles. Qu'on y voyait les corps ensanglantés de mes parents.

Dès que Je-ne-me-rappelle-plus-comment est arrivé, il m'a pris la pochette des mains et l'a brûlée dans sa douche avec de l'alcool ménager. Quand ça a fini de brûler, il ne restait plus rien qu'une sale odeur dans l'appartement.

On a aéré. Et j'avoue que j'ai pleuré.

Après, on a cherché un Pierre Léger dans l'annuaire du département. C'est le seul témoin de l'accident. Je n'avais jamais entendu parler de lui. Il n'était pas mentionné dans l'article du journal.

Je-ne-me-rappelle-plus-comment a trouvé sept Pierre Léger. Il les a appelés les uns après les autres. Jusqu'à ce qu'il trouve le bon. Il a dit :

— Ne quittez pas, je vous passe mademoiselle Neige.

Il m'a tendu son téléphone.

— Allô bonsoir... Je suis Justine Neige, la fille de Christian et Sandrine Neige qui se sont tués en voiture à Milly en 1996. C'est vous qui avez appelé la gendarmerie ?

Long silence. Pierre Léger a fini par répondre :

— À l'époque, j'ai demandé aux journalistes que mon nom n'apparaisse nulle part, comment vous m'avez retrouvé ?

Premier mensonge :

— C'est mon grand-père, Armand Neige, qui m'a donné votre nom.

— Comment il connaît mon nom ?

Deuxième mensonge :

— Je ne sais pas. Milly est un petit village, tout se sait.

Silence. Souffle dans le téléphone. La télé était allumée dans la pièce où il se trouvait. C'était sans doute le journal télévisé, j'entendais des tirs de roquettes.

— Qu'est-ce que vous voulez ?

— Je veux savoir ce que vous avez vu, ce matin-là.

— J'ai vu la voiture sortir de la route et percuter un chêne. Le choc a été tellement violent qu'elle a fait plier l'arbre.

— La voiture roulait vite ?

— Une fusée.

Silence. Gorge serrée. J'avais du mal à parler.

— Il y avait du verglas sur la route ?

— La voiture m'a doublé – le chauffeur roulait tellement vite que j'ai gueulé et je l'ai klaxonné. J'ai pas eu le temps de voir les gens à l'intérieur. C'est qu'après que j'ai su qu'ils étaient quatre. J'ai pas eu le temps de dire ouf de toute façon. La voiture a roulé 200 mètres devant moi, a fait des zigzags et s'est encastrée dans l'arbre.

Silence. Il a repris :

— Au début, j'ai pas osé descendre de ma voiture... Je me suis dit qu'ils devaient être en charpie là-dedans... Vous allez pas me croire, mademoiselle, mais on m'avait offert mon premier téléphone portable la veille, pour mon anniversaire... Le premier numéro que j'ai composé avec, c'est le numéro des pompiers... Après je l'ai jeté et j'ai plus jamais voulu en avoir un... Entre le moment où j'ai téléphoné et le moment où les pompiers sont arrivés, il s'est passé dix bonnes minutes... Je suis sorti de ma voiture, mes guiboles me portaient plus... Je me suis approché de la carcasse, c'était une compression de tôle... Toutes les vitres avaient explosé... On aurait dit qu'on avait mis une bombe là-dedans... Aucun son ne provenait de l'intérieur... J'ai tout de suite compris qu'ils étaient...

— Vous les avez vus ?

— Non. Et quand bien même j'aurais vu quelque chose, je vous le dirais pas. De parler des morts, ça ne les ramène pas.

— Si, monsieur Léger, je vous jure que ça les ramène un peu.

Je crois bien que j'ai une sale tronche. Roman aussi. Il est très pâle. Je croyais qu'il y avait du soleil au Pérou. Mais dans ses yeux, toujours ce bleu à perpétuité. Je donnerais ma vie pour me noyer en dedans de lui. Et je ne voudrais surtout pas qu'on repêche mon corps.

— Comment allez-vous, Justine ?

— Bien. Merci.

— Vous avez l'air fatiguée.

— J'ai eu une nuit difficile.

— Vous avez travaillé ?

— Oui. C'était bien votre voyage ?

— Comme tous les voyages. On apprend comme à l'école sauf que le prof est passionnant et inoubliable.

Je souris. Il tient la main gauche d'Hélène dans les siennes.

— Ma grand-mère n'a jamais porté de bijoux.

— Non. Elle a toujours eu horreur de ça.

— Vous savez tant de choses sur elle. Vous écrivez toujours pour moi ?

— Oui.

— J'ai hâte de lire… Ça me rassure de savoir que vous êtes près d'elle, tout le temps… Si j'étais vieux… j'aimerais qu'une jeune femme comme vous s'occupe de moi… Vous êtes douce. Ça s'entend et ça se voit.

J'ai envie de lui faire croire qu'il a cent ans. Je prie même pour que tout à coup, il ait cent ans. Mais…

— Je vais vous demander de quitter la chambre pendant dix minutes, il faut que je fasse sa toilette.

Il lâche la main d'Hélène.

— Je sais que je n'ai pas droit aux visites le matin, mais je ne peux pas faire autrement, à cause du train, puis la voiture après, c'est tellement loin, ici.

— Je sais, c'est ce que tout le monde dit.

— Je vais boire un café.

— Au deuxième étage il y a une nouvelle machine. Le café est presque aussi bon qu'un bon café.

Il quitte la chambre. Je prends la main gauche d'Hélène dans les miennes. Elle est chaude. Je l'embrasse. J'embrasse les empreintes de Roman. C'est déjà pas si mal.

Elle ouvre les yeux et me regarde.

— Hélène, je comprends pourquoi vous avez attendu Lucien. Je comprends tout maintenant.

Elle a toujours les yeux posés sur moi, mais elle ne dit rien. Cela fait trois semaines qu'elle n'a pas dit un mot. C'est moi qui parle à sa place dans le cahier bleu.

Je mets ma pancarte sur sa porte «Soins en cours, ne pas entrer».

— Hier soir, j'ai lu le rapport de l'accident de mes parents.

Je retire sa chemise délicatement pour ne pas lui faire mal.

— J'ai fait un truc de dingue. Je suis rentrée par effraction chez les flics. Enfin, les gendarmes. Je sais, vous n'aimez pas la police française.

J'enlève ses oreillers et rehausse la tête du lit. Je remplis la cuvette une première fois. Pour Hélène, je mets toujours une eau un peu plus chaude parce qu'elle est frileuse.

— J'ai fait comme vous dans la classe le soir de la mouette. Je me suis planquée dans un placard et j'ai attendu que tout le monde soit parti. Et j'ai réussi à trouver le dossier qui parle de l'accident de mes parents. Ils roulaient comme des fous. Les parents ne devraient pas rouler comme des fous. Au lieu de lire des livres du genre *Comment être une bonne mère*, ils devraient respecter les limitations de vitesse.

Je place une alèse sous son corps. Je commence toujours par lui nettoyer le siège. Puis le dos.

— Et apparemment, le système de freinage aurait merdé… mais c'est pas sûr.

Je lui savonne les bras, le thorax, l'abdomen. Je masse ses coudes au passage avec de l'huile d'amande douce.

— On est jeudi aujourd'hui. Votre fille va venir vous faire la lecture. Et puis, votre petit-fils est là.

Je la remets sur le dos et dégage la partie inférieure de son corps. Je savonne et je rince, précautionneusement. Je connais son corps par cœur. Ce corps qui a tant aimé Lucien. Nous, les aides-soignantes, nous sommes les gardiennes du temple des amours passées. Mais ça ne se voit pas sur notre fiche de paye.

Hélène articule quelques mots :

— Toutes ces années à l'attendre. Au café, les hommes me disaient, *Il est mort Lucien, faut vous faire une raison.*

C'est bon de réentendre sa voix et surtout, c'est bon signe. Dès qu'un résident cesse de parler, les médecins demandent des examens neurologiques.

Je masse ses talons. Et après avoir essuyé chaque centimètre carré de son corps, je lui passe une chemise propre. Hélène reprend son monologue :

— Il ne pouvait pas être mort.

Enfin, je lui lave le visage avec de l'eau claire et un peu de lait pour bébé. Je finis par lui brosser les dents et je la fais cracher dans le haricot.

Je jette tout : gant de toilette, alèse, couche.

Je note sur sa fiche de soins qu'elle a parlé.

J'enlève la pancarte. Roman attend derrière la porte. Il entre et jette un œil en direction de mon chariot. Puis vers moi. Il dit, *Merci.* Je réponds, *Je vous laisse avec elle.*

46

— T'étais où hier soir ?
— Chez un copain.
— Quel copain ?
— Je-ne-me-rappelle-plus-comment.

Jules se jette sur mon lit en riant et se cogne la tête. Je pense qu'il a décidé de pousser jusqu'à trois mètres.

— Y a eu des nouveaux appels aux *Hortensias* ?
— Aucun. De toute façon ça ne sert plus à rien.
— Comment ça ?
— On n'y croit plus. Il y a même des familles qu'il faut rappeler plusieurs fois quand un résident est VRAI-MENT mort. Mais depuis cette histoire de corbeau, nos résidents reçoivent beaucoup plus de visites les week-ends, même les anciens abandonnés. On devrait ins-taurer « le jour du corbeau » dans toutes les maisons de retraite du monde.

Jules sourit. Il ressemble à Annette quand il sourit, il a les mêmes fossettes qu'elle. Parfois, je me dis que si nos parents n'étaient pas morts, nous n'aurions pas grandi ensemble. Nous nous serions juste vus une fois de temps en temps. Nous sommes passés de cousins à frère et sœur un dimanche matin. À cause d'un arbre sur le bord d'une route et d'un de nos pères qui roulait trop vite. À quoi ça tient.

Quand nos parents se sont tués, les miens vivaient à Lyon et ceux de Jules projetaient de s'installer en Suède. Jules parle un peu le suédois. Quand il était petit, il est parti plusieurs fois là-bas chez ses grands-parents, Magnus et Ada. Et puis, après un été, je ne sais pas ce qui s'est passé mais il n'a jamais voulu y retourner. Il piquait des colères terribles quand mémé évoquait la Suède. Magnus et Ada sont même venus ici, à Milly, chez pépé et mémé. Mais il a refusé de les voir et de leur parler. Il s'est enfermé à double tour dans sa chambre. Je me souviens d'eux dans notre cuisine, désemparés. Je ne me rappelle pas trop leur visage. Et Jules a déchiré toutes les photos sur lesquelles ils apparaissaient.

Chaque année, ils lui envoient une lettre et un chèque pour son anniversaire et à Noël. Deux fois par an, dans notre petite boîte aux lettres qui ne reçoit que des factures et des prospectus, l'enveloppe jaune clair se remarque. Mémé la pose sur le bureau de Jules, dans sa chambre. Jules la déchire sans jamais l'ouvrir. Il refuse d'en parler. Quand j'essaie d'aborder le sujet, il se met en colère et claque la porte. Mais je ne sais pas pourquoi, ce soir, la question sort toute seule. Comme un hoquet que je ne peux pas retenir et qui résonne dans toute la pièce :

— Pourquoi est-ce que tu détestes tes grands-parents suédois ?

Il ne rougit pas et ne quitte pas ma chambre en claquant la porte. Il me répond juste, glacial :

— Pourquoi est-ce que tu passes tout le temps du coq à l'âne ?

— Parce que je pense à toute vitesse.

— Eh ben, ralentis.

Il ouvre la fenêtre et allume une cigarette. Je n'ose pas bouger. Je le regarde. Et, après un silence long de sept ans, il me dit :

— Ils ont fait des sous-entendus.

— Des sous-entendus ?

— Ils m'ont dit, enfin, ils ne m'ont pas vraiment dit, disons qu'ils ont essayé de me faire comprendre que mon père n'était peut-être pas mon père.

Comme à son habitude, il balance son mégot dans le jardin pour donner à manger à l'arrosoir de pépé, non sans avoir au préalable tiré tellement fort dessus que je m'étonne qu'il ne se brûle pas les lèvres. Il se tourne à nouveau vers moi et ajoute :

— J'avais dix ans. J'ai eu envie de les tuer. Je te jure. Je me souviens qu'à cet instant précis, j'ai su ce qu'est une pulsion meurtrière. D'ailleurs, si j'avais eu vingt ans, je pense que je les aurais butés. C'est mes dix ans qui leur ont sauvé la peau.

Des images se précipitent dans ma tête. Il paraît qu'au moment de mourir on revoit toute sa vie en une fraction de seconde. C'est exactement ce que je ressens. Le vide-ordures, Je-ne-me-rappelle-plus-comment, le cimetière, les cotons-tiges, le feu d'octobre, la mouette, le dossier Neige, *Les Hortensias*,

Hélène, Lucien, Roman, monsieur Paul, le corbeau, mon frère à trois ans, mon frère à quatre ans, mon frère à cinq ans, mon frère à six ans, mon frère à sept ans, mon frère à huit ans, mon frère à neuf ans, mon frère à dix ans, mon frère à onze ans, mon frère à douze ans, mon frère à treize ans, mon frère à quatorze ans, mon frère à quinze ans, mon frère à seize ans, mon frère à dix-sept ans.

— Pourtant, ils ont l'air de s'aimer.

Jo me tend la photo d'Alain et Annette prise quelques mois après la naissance de Jules. Je la range dans mon sac.

Ce soir, je dîne chez elle. J'aime bien son mari. Patrick est un grand type qui a la peau du visage ravagée par les cicatrices d'une ancienne acné. Pour la cacher, il fait des UV toutes les semaines. Il a trois tatouages sur le corps, dont une immense sirène qui lui remonte le long du bras. Jo dit que parfois, la nuit, elle l'entend chanter. Et Patrick dit à Jo qu'elle ne devrait pas avaler les médocs qu'elle est censée donner à ses petits vieux. Patrick est un vrai gentil qui a l'air d'un vrai méchant. Du genre à rouler en Harley-Davidson et à s'arrêter aux passages piétons.

J'aime bien manger chez eux parce qu'ils se touchent tout le temps sans se toucher. Comme les gens qui s'aiment. Exactement le contraire de mes grands-parents.

Ils ont deux filles qui ont mon âge. Je ne les connais

pas. Elles sont comme tout le monde, après le bac elles ont quitté Milly. Jo leur a prédit un bel avenir dans les lignes de la main.

— Peut-être que la mère de Jules s'est fait violer…, dit Patrick de sa voix rocailleuse en cherchant quelque chose dans le frigidaire.

Jo et moi en restons bouche bée.

— Y a plein de femmes qui se font violer et qui n'osent pas le dire. Peut-être que la Suédoise en avait parlé à ses parents et pas à son mari.

Jules le fruit d'un viol, on nage en plein délire.

— Tu sais, Jules était petit quand ses grands-parents ont fait ces allusions, peut-être qu'il n'a pas bien saisi le sens de leurs propos, me dit Jo en faisant des tartines de tarama.

Malgré le rose que Jo étale sur le pain, je vois les choses en noir. Ce sont dans ces moments-là que Jo me dit : *Viens manger avec nous ce soir.* Et elle met de la couleur dans ses plats.

— Jules a toujours tout compris. C'est comme s'il parlait même les langues qui n'existent pas.

— Il est où ce soir ?

— À la maison, il fait semblant de réviser.

— Qu'est-ce que tu vas faire ?

— Aller au cimetière et demander à Annette avec qui elle a trompé l'oncle Alain.

— *Les oiseaux ne meurent pas. Ou alors par accident.*

Lucien regarde le ciel. Edna le regarde regarder le ciel. Elle demande :

— *Qui t'a dit cela, Simon ?*

— *Les oiseaux se transmettent de génération en génération. Chaque homme est rattaché à un oiseau.*

— *Tu l'as lu dans un roman ?*

— *Non, regarde.*

Il pointe le ciel du doigt. Edna a du mal à garder les yeux ouverts, aveuglée par la lumière d'un dimanche d'août.

— *Que veux-tu me montrer ?*

— *Tu ne le vois pas ?*

— *Voir quoi ?*

— *Mon oiseau. Elle me suit partout.*

— *Elle ? Qui te suit partout ?*

— *Mon oiseau. C'est une fille... J'ai perdu la mémoire mais pas l'oiseau.*

Edna ne voit rien dans le ciel. Pas même un nuage.

— Et d'où vient cet oiseau ?

— Je ne sais pas.

— S'il se transmet de génération en génération, il te vient sans doute de ton père ou de ta mère.

— Peut-être.

Il observe le ventre rond d'Edna. Il le touche du bout des doigts.

C'est Edna qui a fait le premier pas. C'est elle qui la première est entrée dans la chambre et s'est allongée près de lui. Tout s'est passé joliment, poliment, en silence, sans passion démesurée mais avec beaucoup de douceur. Lucien semblait heureux de bander, d'avoir du désir, de baiser une femme. Et il a souri pour la première fois depuis la gare de l'Est quand Edna lui a annoncé qu'elle était enceinte.

— C'est une fille.

— Comme ton oiseau ?

— Oui.

Edna l'embrasse.

— J'espère qu'elle aura tes yeux.

— Elle aura les yeux de mon oiseau.

— Ils sont de quelle couleur ?

— Je ne sais pas. Elle est trop loin.

Il repart dans ses pensées. Edna le regarde chercher dans sa mémoire. Mais c'est comme s'il fouillait à l'intérieur d'une pièce plongée dans l'obscurité.

Cela fait deux ans qu'il est descendu du train gare de l'Est et qu'il est entré dans sa vie. Deux ans qu'elle l'aime. Sans la guerre, elle sait que jamais un homme aussi beau n'aurait partagé son lit. Mais le partage-t-il

*vraiment ? Il semble toujours ailleurs. Là-bas peut-être,
au café du père Louis.*

*L'hiver dernier, Edna est allée à l'adresse indiquée sur
la lettre qui accompagnait le portrait de Lucien/Simon.
Café du père Louis, place de l'Église à Milly. Elle n'y
est pas allée pour parler de Lucien à l'expéditrice de la
lettre. Surtout pas. D'ailleurs, cela fait bien longtemps
qu'elle a brûlé le portrait et la lettre. Elle y est allée pour
que le lieu lui parle de Lucien/Simon.*

*Elle est entrée dans le café à 10 heures du matin.
Dehors, il faisait froid. À l'intérieur, un poêle à bois.
Une pendule aux aiguilles cassées marquait 5 heures.
Elle s'est assise dans un coin. Seuls deux hommes
buvaient en silence, accoudés au comptoir. Les autres
étaient sans doute au travail à cette heure-là. L'un des
deux répétait toujours la même phrase, à propos d'un
albatros, on aurait dit un poème.*

*Derrière le bar, le serveur lui a demandé ce qu'elle
voulait boire. Edna n'a pas su quoi répondre tout de
suite. Puis elle a dit : Quelque chose de chaud, s'il vous
plaît. Quand elle a dit cela, les deux hommes accoudés
au comptoir se sont tournés vers elle en même temps.*

*Une grosse chienne est apparue et s'est approchée
d'elle, mais pas trop. Il lui a semblé qu'elle la flairait
de loin. Edna a eu peur qu'elle reconnaisse l'odeur de
Lucien/ Simon sur elle. Dans la panique, elle a demandé
à propos de la chienne : Elle a quel âge ?*

*Le serveur a eu l'air surpris par cette question. Puis
il a répondu qu'il ne savait pas exactement, que la*

patronne l'avait trouvée vers la fin de la guerre au bord d'une route.

La fin de la guerre. L'animal n'avait pas croisé Lucien/Simon. Edna s'est sentie soulagée. Au même instant, la chienne a disparu derrière le bar.

Le jeune serveur lui a apporté un bouillon de légumes brûlant en boitant. Sans doute une blessure de guerre.

Elle l'a bu à petites gorgées, en soufflant dessus de temps en temps. C'était bon.

«La patronne», avait dit le jeune serveur, et pas «le patron». Hélène Hel était sans doute la propriétaire du lieu.

Vers 10 h 30, une femme est entrée, un pantalon à la main. Elle a salué les deux hommes qui buvaient, accoudés au bar, puis s'est dirigée derrière le comptoir, à côté du serveur. Le serveur lui a cédé la place.

Le cœur d'Edna s'est mis à battre, ses mains à trembler, heureusement qu'elle était assise.

Alors c'était elle Hélène Hel, une femme qui parlait fort avec les deux hommes accoudés au comptoir. Une petite femme corpulente et sans grâce. Une comme on en croise partout. Une que l'on ne remarque pas, comme elle. Lucien était passé d'une femme banale à une femme banale.

Le serveur est réapparu. Suivi par quelqu'un. *Et par la chienne.*

Quelqu'un *qui a ouvert une porte située derrière le bar, une porte recouverte de miroirs entre deux étagères soutenant des verres et des bouteilles.*

En voyant ce quelqu'un, *les mains d'Edna se sont*

remises à trembler. Elle s'est violemment pincé les bras pour reprendre ses esprits. Mais rien n'y a fait. Pourtant, Edna en avait vu d'autres. Son cœur était bien accroché. Des mains d'hommes amputés, gangrenés, agonisants, elle en avait tenu. Et elle n'avait jamais tremblé.

Jusqu'à ce qu'elle rencontre Lucien/Simon.

Depuis la gare de l'Est tout en elle avait déserté : l'assurance, l'orgueil, la froideur, l'autorité, le calme, l'intégrité, la foi. Depuis «lui», Edna était devenue vicieuse, menteuse, tricheuse, voleuse, sensible. Elle pouvait passer du rire aux larmes en quelques secondes, volait de la morphine à l'infirmerie pour se faire des injections, oubliait, rêvait, rougissait, transpirait, aimait, ne pensait plus qu'au lit où elle le retrouverait le soir. Et ce matin-là, au café du père Louis, lorsqu'elle avait découvert la silhouette de quelqu'un, *elle avait appris la jalousie. Cette pieuvre dont les tentacules acides pouvaient aller très loin dans les entrailles et réapparaître sous forme de cauchemars où Lucien/Simon chevauchait toutes sortes de femmes jusqu'à ce qu'il se retrouve dans les bras de* quelqu'un.

Le serveur, quelqu'un *et le chien se sont dirigés vers la femme qui se tenait derrière le comptoir. Quelqu'un a ramené ses cheveux en arrière, Edna n'a remarqué que ses mains, fines. Puis ses cheveux longs ramenés en chignon, sa nuque, sa peau, sa grande bouche, son profil parfait.*

Quelqu'un a regardé le pantalon que l'autre femme lui tendait, puis elle l'a pris dans ses mains. Ensuite, elle a levé la tête et a posé ses yeux clairs dans ceux d'Edna.

Un regard bleu. Comme une caresse qui ne dure pas. Son regard ne faisait qu'effleurer les choses sans jamais les pénétrer. Comme le regard de Lucien.

À cet instant, beaucoup d'hommes sont entrés en même temps dans le café. C'était la pause à l'usine. D'un coup, ça s'est mis à sentir le tabac. La femme qui n'était pas Hélène Hel est sortie du café.

La femme qui était Hélène Hel est repartie dans la pièce dissimulée derrière le bar, suivie par le gros chien, pour déposer le pantalon. Puis elle est revenue tout de suite pour aider le jeune boiteux à servir les clients.

Pendant quinze minutes, Edna a entendu, Comment allez-vous, Hélène ? Et elle de répondre : Bien.

Personne n'a fait allusion à Lucien/Simon. Pourtant, derrière chacun des « Bien » d'Hélène, Edna a entendu l'absence de Lucien. Et cette façon qu'avaient les hommes de la regarder remplir les verres. Aucun d'eux n'avait jamais regardé leur propre femme de cette façon. Edna l'aurait juré. Avant Lucien/Simon, elle ne remarquait jamais ces choses-là.

Une heure plus tard, Edna a pris un train. En gare de Vernon, elle est tombée. Elle n'a pas trébuché, elle a perdu connaissance. Trop émotive.

Des voyageurs se sont précipités vers elle. Parmi eux, un médecin. Edna lui a dit de ne pas s'inquiéter, qu'elle était infirmière. Le médecin lui a dit qu'elle était infirmière et enceinte.

Dieu lui avait donc pardonné d'être devenue cette femme-là.

Un enfant.

Il fallait oublier. Il fallait faire le vide. Ne jamais avoir bu ce bouillon de légumes, ne pas avoir entendu un homme réciter des poèmes, ne pas avoir eu peur d'un chien, ne pas avoir vu une femme aux yeux clairs qui se vidaient tandis qu'ils fixaient les verres qui se remplissaient.

49

Le tiroir de la table de nuit est entrouvert. Il n'y a plus d'eau dans la carafe. Je la remplis. Hélène boit beaucoup. Je ne sais pas si c'est la chaleur de sa plage qui l'assoiffe ou le fait d'être une ancienne patronne de bistrot. D'habitude, on doit forcer les résidents à boire pour qu'ils ne se déshydratent pas. Avec Hélène, aucun risque.

Avec ses mains de fille, Roman retire l'élastique à cheveux qui entoure des morceaux de papier déchirés et tachés. Ce sont d'anciennes feuilles arrachées à des journaux ou à des livres. Roman les touche du bout des doigts et me dit :

— C'est incroyable.

Je réponds à mes pieds que pendant toute sa déportation à Dora, Lucien a caché un caillou pointu à l'intérieur de sa bouche et qu'à chaque fois qu'il voulait écrire quelque chose à Hélène, il le recrachait.

Roman me tend un morceau de papier journal jauni que le temps passé à l'intérieur d'une poche a presque rendu transparent.

— Sur celui-là, qu'est-ce qu'il y a d'écrit ?

— *« Hélène Hel non épousée le 19 janvier 1934. Milly. »*

— Vous savez lire le braille ?

— Non, c'est Hélène qui me les a lus.

— Et sur celui-là ?

— *« On ne devrait prier que pour le présent. Pour lui dire merci quand il a ton visage. »*

— C'est très beau. Mon grand-père écrivait bien. Mais je crois qu'on écrit toujours bien quand on est amoureux.

Cette fois, je ne peux pas m'empêcher de le regarder. Il me dit ça en m'enfonçant son bleu dans les yeux, comme un enfant qui remplit deux trous avec de la pâte à modeler.

Sans qu'il me le demande, je déroule la page 7 d'un journal polonais. On y voit la photo d'une forêt de bouleaux en noir et blanc. En transparence, je montre à Roman que la page est criblée de minuscules trous.

— C'est une sorte de lettre. Une lettre décousue. Les derniers mots qu'il a écrits en braille. Ensuite, je ne sais pas ce qui s'est passé. Le train dans lequel il est arrivé gare de l'Est provenait d'Allemagne.

— Pouvez-vous me la lire ?

Je commence à réciter les mots que je connais par cœur :

— *« Pourquoi ils tirent sur les morts ? Pourquoi ? Pour que jamais personne ne raconte ? Qu'on garde tous le silence même en dehors de ce monde ? Quand ça a été mon tour de recevoir une balle en pleine tête, quand j'ai* senti le froid du canon sur ma tempe, il y a eu des cris à l'extérieur. Plus de canon sur ma tempe. Les hommes ont tiré en direction du ciel. Ils m'ont oublié, ils ont oublié ma vie à prendre. Elle vient de toi. C'est l'enfant avant notre enfant. »

— De quoi parle-t-il ?

— De Buchenwald, de l'exécution, de la mouette.

— Quelle mouette ?

— Hélène a toujours pensé qu'une mouette la protégeait depuis son enfance. Et qu'elle a protégé Lucien pendant sa déportation.

— Continuez à lire, je vous en prie.

Je reprends :

— « Que reste-t-il de l'homme qui portait des costumes en flanelle. Me reconnaîtras-tu ?

» J'ai peur.

» Bouger d'abord un doigt. Tout doucement. Puis la main comme sur un piano.

» C'est pour faire du bruit dans ma tête.

» J'écris pour me souvenir d'un souvenir. Celui où l'on avait accroché "Fermé pour congés" sur la porte du café. Mais nous ne sommes jamais partis. Nos vacances inventées dans la chambre du dessus, les volets fermés. Toi, tu avais fait le nécessaire pour les provisions et moi, la valise bleue. Je l'ai posée sur le sol de notre chambre. La Méditerranée sur le parquet. Une flaque bleue remplie de romans que je t'ai lus. Je me souviens surtout de ceux d'Irène Némirovsky. Parfois tu te penchais par la fenêtre comme par le hublot d'un bateau, pour me parler du village et des gens qui s'ennuyaient sans nous.

Et moi, je te parlais de ton ventre salé comme celui des oursins. »

Je lève les yeux. Pour la première fois, je m'accroche à son bleu quelques secondes. Au fur et à mesure que je récite les mots de Lucien, je sens que j'ai moins peur du regard de Roman :

— *« Tu ne m'as jamais dit je t'aime mais moi je t'aime pour nous.*

» Mon amour, la première fois que je t'ai embrassée j'ai senti un battement d'ailes contre ma bouche. J'ai d'abord cru qu'un oiseau se débattait sous tes lèvres, que ton baiser ne voulait pas du mien. Mais quand ta langue est venue chercher la mienne, l'oiseau s'est mis à jouer avec nos souffles, c'était comme si on se le renvoyait de l'un à l'autre. »

Je n'arrive plus à prononcer un mot. J'enroule à nouveau les papiers dans l'élastique à cheveux. Il me demande si c'est fini, je réponds que oui. Je range les papiers dans le tiroir de la table de nuit.

— C'est une légende, cette histoire de mouette ?

— La légende d'Hélène. Elle dit que chaque être humain est rattaché à un oiseau pendant son passage sur terre. Qu'il nous protège.

Il se penche vers sa grand-mère et l'embrasse.

— Pourquoi est-ce que vous ne portez pas votre blouse aujourd'hui ? me demande-t-il dans un souffle, sans me regarder.

— Je suis en vacances.

— Et vous venez quand même ici ?

— Je suis venue dire au revoir à Hélène avant de partir.

— Vous allez où ?

— En Suède.

— Il ne fait presque pas jour en cette saison… Enfin, ce que je veux dire, c'est qu'il fait presque tout le temps nuit.

Il sourit parce qu'il mélange les mots.

Je le regarde à mon tour, je ne peux pas lui dire que seule la Suède pourra m'éclairer, même en plein mois de décembre.

*

— Allô.

— Tu peux m'emmener à l'aéroport ?

— Bien sûr. Quel jour ?

— Maintenant.

— Tu vas où ?

— À Stockholm.

— Tu vas voir les grands-parents de Jules ?

— Oui. Comment tu sais ?

— Comment je sais quoi ?

— Comment tu sais que les grands-parents de Jules sont suédois ?

— Tu me l'as dit.

— Tu te souviens de tout ce que je te dis ?

— Oui. Enfin, je crois.

— Et je te dis beaucoup de choses ?

— Les jours où je ne t'agace pas, oui.

Devant le terminal 2 de l'aéroport Saint-Exupéry, Je-ne-me-rappelle-plus-comment m'embrasse dans les cheveux avant de partir.

On n'embrasse jamais un plan cul dans les cheveux. Il me touche et me regarde comme si nous étions «ensemble». En fait, je ne sais plus trop ce que nous sommes l'un pour l'autre.

Je n'ai pas de valise, juste un petit sac contenant des affaires pour deux jours. Dans le hall, mon vol pour Stockholm est affiché, embarquement porte 2. Terminal 2, porte 2. Jules est né un 22. Pour moi, c'est un signe positif.

Entre Milly et l'aéroport, Je-ne-me-rappelle-plus-comment ne m'a pas posé de questions.

Il a mis la radio, a cherché des chansons au hasard, en me disant que c'était son tirage au sort préféré. Il portait un pull-over moutarde qui n'allait pas du tout avec son pantalon. De toute façon, la couleur moutarde devrait être interdite par la loi.

Je-ne-me-rappelle-plus-comment n'est jamais bien coordonné, mais il a deux belles fossettes qui creusent ses joues quand il sourit comme pour rattraper ses fautes de goût.

50

Magnus et Ada habitent tout près de mon hôtel, au 27, Spergattan à Stockholm. Je ne les ai pas prévenus de ma visite. Il est 9 heures du matin. Il fait encore nuit. Le jour va se lever à 11 heures et repartir à 15. J'ai très froid.

Emmitouflée dans la doudoune de Jules, je marche rapidement. D'après mes calculs, les parents d'Annette, Magnus et Ada, ont environ soixante-dix ans. Je sais aussi qu'ils ne parlent pas du tout français. J'ai donc donné rendez-vous à une traductrice au 1, Spergattan avant d'aller frapper à la porte du 27. La seule chose que je sais d'elle, c'est qu'elle s'appelle Cristelle, qu'elle est française, qu'elle a vingt-six ans et qu'elle vit ici depuis longtemps. Je sais aussi qu'elle coûte 400 couronnes suédoises de l'heure, ce qui correspond à peu près à 50 euros. Ça rapporte plus d'argent de parler deux langues que de s'occuper des petits vieux.

Elle m'attend.

Je la vois souffler dans ses gants. Ses cheveux blonds sont cachés sous un gros bonnet vert bouteille.

Quand je m'approche, elle me dit : *Hé, Justine !* Elle m'a reconnue à cause de ma photo de profil sur Facebook qui me montre telle que je suis. Ni plus mince ni plus grosse, ni plus brune ni plus blonde, ni plus jeune ni plus vieille. Nous nous serrons le gant.

En marchant du 1 au 27, je lui réexplique que je suis venue ici pour rencontrer les grands-parents de mon cousin Jules, dix-huit ans, que je considère comme mon frère, que nous avons perdu tous deux nos parents dans un accident de voiture, qui n'était peut-être pas un accident, et que je viens d'apprendre que mon oncle Alain, le père de Jules, n'était peut-être pas son père. Alors que je lui raconte cette histoire qu'on croirait tout droit sortie d'un des romans de mémé, je vois son souffle chaud jaillir de sa bouche tandis qu'elle ne s'exprime plus que par onomatopées.

Le 27 est une porte en bois rouge, une couronne de Noël y est suspendue. Est-ce qu'ils sont seuls ? Est-ce qu'ils sont là ?

Annette avait un frère un peu plus jeune qu'elle. Jules a deux cousins. Et si c'étaient eux qui m'ouvraient la porte ?

J'enlève mon gant droit et je frappe trois coups brefs. Rien. Je frappe à nouveau.

Et si, à trois jours de Noël, Magnus et Ada étaient partis dans un fjord ou quelque chose comme ça ? Mais vu que je n'ai aucune idée de ce qu'est un fjord je n'arrive pas à me projeter d'images mentales de Magnus et Ada. Et s'ils étaient morts et qu'on n'en ait rien su ? Mais non, puisque j'ai intercepté la carte de

Noël et le chèque qu'ils ont envoyés à Jules la semaine dernière. Ils n'ont pas pu mourir en une semaine. Quoique… Il suffit d'un matin pour mourir.

Un homme ouvre : Magnus en pyjama. Jules avec cinquante ans de plus. Mêmes sourcils, même regard, même bouche, même visage émacié, même taille. J'observe ses mains, ses doigts plus longs que des cigarettes russes. S'il tirait une taffe, je pourrais m'évanouir sur le trottoir tant il ressemble à mon frère. Même ses cheveux blancs ressemblent à ceux de Jules : la même touffe indomptée.

— Bonjour, je suis Justine, la cousine de Jules.

Cristelle répète après moi, en suédois : *Bonjour, je suis Justine, la cousine de Jules.*

51

14 juillet 1984

Les jumeaux l'attendent sous la tonnelle, avec leurs nouvelles fiancées. Armand rentre de l'usine à pied. Il est midi cinq. Il a commencé à 4 heures du matin. Les après-midi d'été, après sa sieste, il s'occupe du jardin. Puis, à 21 heures, il se couche.

Aujourd'hui, c'est le 14 Juillet. Ça vaut le coup de travailler les jours fériés, ça compte double. Encore dix ans à tirer, et ce sera la retraite. Il en profitera peut-être pour voyager. Il n'a jamais vu la mer.

Lorsqu'il est à cinquante mètres de la maison, il entend les voix de Christian et Alain résonner dans le jardin. Il entend les rires des nouvelles fiancées. Il pousse le portail qui ne grince plus. Pourtant, il aurait juré que ce matin encore, il grinçait. Qui a graissé les gonds ?

Avant d'aller embrasser ses fils, il a pénétré dans la fraîcheur de la maison. Il se savonne les mains dans l'évier de la cuisine. Il frotte ses doigts contre le gros savon de Marseille, enfonce ses ongles dedans.

Il croise son reflet dans le miroir. Ses tempes grisonnent. Depuis son enfance, on l'appelle « l'Américain » à cause de sa belle gueule. Longtemps, il a eu horreur de ce surnom. Comme s'il sous-entendait que sa mère avait fricoté avec un soldat à la Libération. Et puis il s'y est fait. Au boulot, quand un collègue lui demande, *Comment ça va l'Américain ?* il n'y prête plus attention. C'est comme ça par ici, les gens ne savent pas s'appeler par leur prénom. Ils réinventent l'état civil avec des sobriquets.

Il a faim.

Eugénie a fait un couscous de la mer. C'est le plat préféré d'Alain. Le bouillon mijote au ralenti sur le gaz de la cuisinière. Il soulève le couvercle, respire et ferme les yeux. Il fait durer le plaisir. Le plaisir qui le sépare de ses deux garçons. Il les serrera dans ses bras dans quelques minutes.

Depuis qu'ils sont partis vivre à Lyon, le temps lui semble long et la maison démesurément grande. Avoir deux garçons pendant dix-huit ans, deux garnements qui cassent de la vaisselle à l'unisson, puis du vide. Des pièces que l'on n'allume plus que pour faire la poussière. Mais ce qui lui manque le plus, ce sont les balades à vélo du dimanche matin. La fierté de monter des cols, la transpiration qui mouille le tee-shirt de ses fils, leurs nuques, leurs sourires, semblables. Avoir deux garçons pour le prix d'un. Même si Alain est plus téméraire que Christian, plus bavard, aussi.

Il passe à travers le rideau à franges et ressort de la maison. Il ne les a pas vus depuis Noël. Sept mois, c'est long. Depuis qu'ils travaillent «dans la musique», ils ne prennent plus le temps de rentrer à Milly. Il avance vers eux. Longe son potager, remarque que les feuilles des tomates jaunissent prématurément pour la saison.

Il ne la voit pas tout de suite. Elle lui tourne le dos. Seuls ses cheveux d'or font l'effet des miroirs qu'il utilise pour éblouir les oiseaux dans les arbres fruitiers.

À sa vue, Christian déploie son 1,88 mètre pour le serrer dans ses bras. Il ferme les yeux pour mieux respirer l'odeur sucrée de son fils aîné de treize minutes. Puis c'est au tour d'Alain de lui taper dans le dos et de prononcer le mot papa.

Elle s'est levée à son tour. Sa frange est trop longue. D'un geste de la main, elle ramène ses cheveux de chaque côté du visage pour dégager son front. Sa peau est claire, presque blanche. Sa bouche cerise découvre des dents parfaitement alignées, aussi blanches que sa peau. On dirait qu'elles font un concours. Il lui serre la main et lui dit bêtement qu'elle a un accent à couper au couteau. Elle ne comprend pas ce que cela veut dire, il n'insiste pas. Lui tourne le dos, même. C'est au tour de Sandrine de se présenter. Enchantée.

Il se sert un verre de porto. Ne met pas de glaçons. Il a horreur de ça. Il repense à la mer. À la retraite. Au visage d'Annette. Qu'est-ce qui lui arrive ? D'habitude, il ne pense jamais comme ça. D'habitude, il ne pense pas. En tout cas, pas comme ça.

Quoi de neuf ? À la boutique, ça marche fort. Les jumeaux se lancent dans l'import-export. La mode est au single de trente minutes. La musique anglaise cartonne. De toute façon c'est la meilleure. Alain compose entre deux clients pendant que Christian s'occupe de la compta. Annette a quitté la Suède et va vivre en France pour restaurer des vitraux. Des quoi ? Tu sais, ces fenêtres bariolées de Jésus dans les églises. Ah, des vitlaux. Ils ont besoin d'une jolie fille pour vendre les disques, ça attire la clientèle, ça tombe bien, Sandrine les a rejoints. Le week-end, Annette est avec nous. Ah oui papa, on a une grande nouvelle. On va se marier. Comme mon frère a fait sa demande à Sandrine, j'ai fait la mienne à Annette, enfin, c'est d'abord moi qui ai fait ma demande à Annette, je ne veux pas qu'on me la vole, tu comprends ? On se mariera le même jour, ça vous fera l'économie d'une tenue pour le mariage, on se mariera à Milly, pas question que ce soit à Lyon, maman tu nous prépareras ton couscous de la mer, mais non, il n'y aura pas trop de monde, non, juste les parents d'Annette et la mère de Sandrine, pas de tralala. Vous restez longtemps ? Une quinzaine de jours. Il est bon ton couscous maman. Tes petits plats me manquent. C'est quoi la spécialité, là-bas, chez vous en Suède ? C'est quoi spécialité ? Ce que vous mangez, le plat du jour. L'été, des écrevisses. Le reste de l'année, du hareng, du saumon. Est-ce que le saumon est un poisson de mer ou d'eau douce ? Les deux, il croit. Le saumon passe de l'une à l'autre.

Armand pense que même si Annette lui parlait en suédois, il la comprendrait.

Des filles, Armand n'en a pas rencontré beaucoup. Avant Eugénie, il en a fréquenté une. Elle n'était pas très jolie, mais elle avait un beau sourire. Ça n'a pas duré. Et puis, il y a eu Eugénie, il a très vite demandé sa main à son père. Il lui a fait la cour rapidement comme s'il fallait se débarrasser d'un fardeau. Comme s'il fallait qu'une femme lui dise oui pour qu'ensuite il soit tranquille. Qu'il puisse s'asseoir sur n'importe quel banc et respirer. Même s'il ne s'est jamais assis sur le moindre banc. Son truc, c'est la selle du vélo. Comme si se marier était le passage obligé pour entrer dans la vraie vie, celle des adultes, un couloir à prendre pour sortir de l'enfance.

À la maison, il n'y avait qu'un frère. À l'école, il n'y avait que des garçons. Au travail, il n'y a que des hommes. Quant à Eugénie, elle a toujours été une femme. Jamais une fille.

Sa nuit a été agitée, blanche. Pourquoi dit-on « nuit blanche » ? La sienne a été noire. Hier soir, il s'est couché plus tôt que d'habitude, pour éviter d'être à nouveau assis près d'« elle » au dîner.

Ce matin, déjà, son parfum avait envahi la maison. Les murs s'étaient imprégnés d'elle. Ils avaient avalé son odeur. Pourtant, il jurerait que ce parfum n'est pas en bouteille mais qu'elle est née avec.

Mais qu'est-ce qui lui arrive ? Il repense aux anciennes fiancées d'Alain. Il en a fréquenté une un peu plus d'un an, elle est venue dormir à la maison quelques fois. Une dénommée Isabelle. Un jour, il l'a quittée pour une autre. Une Catherine, il croit. Puis il y a eu une Juliette. Non, il confond. Celle-là, c'était celle de Christian. Des filles qui passaient un week-end ou un soir à la maison, qui venaient chercher les jumeaux. Des filles un peu trop parfumées. Il se souvient d'une qui avait filé ses collants noirs. Il avait trouvé ça vulgaire. Contrairement à Eugénie, il n'en a jamais rien eu à faire des petites copines de ses fils. En fait, il n'en avait jamais rien eu à faire des filles en général. Il avait bien aimé Eugénie mais pas aimé.

Chaque fin d'année, elle repérait les épouses de ses collègues qui le reluquaient au repas organisé par le comité d'entreprise. D'après elle, il y en avait une tripotée. La jalousie de sa femme le faisait sourire intérieurement, mais il se contentait de hausser les épaules sans desserrer les lèvres.

Il n'a jamais été aussi heureux de quitter la maison. Non, pas heureux, soulagé. Il se sauve, presque. Il n'est que 3 heures. Il est en avance. Ce n'est pas grave. Plus rien n'est grave, à part « elle ». La future femme de son fils. La fille venue de Suède. Ce matin, il a le sentiment qu'une tumeur s'est nichée en dedans de lui. Et, tandis qu'il marche vers son usine, il sait que plus rien ne sera jamais pareil. Tiens, il n'avait jamais remarqué ce mur de briques qui précède l'usine.

Au travail, sur les métiers à tisser, il ne voit qu'elle. Ce ne sont plus des imprimés qui se profilent, mais son visage, son sourire et sa voix. D'ailleurs, il se demande pourquoi son fils Alain compose pendant des heures. Quand on a une fiancée avec une telle voix, il suffit de l'écouter. Chacune de ses syllabes ressemble à un air d'opéra. Même s'il n'y connaît pas grand-chose en opéra. Il n'en a vu qu'un seul dans sa vie, à la télé, *Madame Butterfly*.

Hier soir, quand il a embrassé ses fils avant de monter se coucher, il a vu sa nuque. Elle était penchée en avant. Elle avait posé un livre sur la table du petit salon et, tandis qu'elle lisait, sa main gauche caressait son bras droit dans un geste machinal. Il est resté prostré. Regardant sa nuque dégagée, ses cheveux ramenés dans un élastique rose assez sophistiqué. Et sa main qui remontait et descendait le long de son bras. Et maintenant, maintenant qu'il est là, face aux métiers à tisser qui font presque le même mouvement qu'elle en accéléré, il ne revoit que sa main, son bras, sa peau blanche comme de la craie.

Il soliloque en silence. Mais qu'est-ce qui m'arrive ? Qu'est-ce qui m'arrive ? Je suis complètement cinglé. Un vieil engin qu'une jeunesse chamboule. Que la tête tourneboule. Mon pauvre vieux tu es pathétique. Reprends tes esprits.

Pourtant, à midi, il ne rentre pas chez lui. Parce qu'il n'a plus de chez lui. Sa baraque, son potager, son buffet, sa clôture, tout ça, plus rien ne lui appartient.

Le contremaître lui dit : *Ça va, Armand ? Il est 13 heures, faut rentrer chez vous mon vieux*. Il a raison, je suis vieux. J'ai mille ans. Cinquante printemps le mois prochain, mais où sont-ils passés ? Qu'est-ce que j'en ai fait ?

Quand il finit par arriver à la maison, Eugénie lui annonce que les garçons et leurs fiancées sont partis pour la journée. Pour un peu, il la prendrait dans ses bras et la ferait tournoyer. Comme dans un bal où ils ne sont jamais allés danser parce que, à peine mariés, Eugénie était enceinte et qu'il a fallu mettre les bouchées doubles.

Leurs fils en ont profité pour eux. Eux, ils sont sortis, ont fait la bringue. Des filles, ils en ont connu beaucoup. Une nouvelle fille par semaine. Et Armand les a toujours regardées comme on regarde une jolie photo de paysage sur un magazine avant de tourner la page.

— Pourquoi tu rentres si tard du boulot ? lui demande Eugénie. Attends, je vais réchauffer les restes du couscous. T'as pas l'air dans ton assiette depuis hier.

Après manger, il pénètre dans la chambre d'Alain. Eugénie est passée par là, rien ne traîne. Le lit est parfaitement bordé. Le lino brille. Aux murs, des posters qu'Alain n'a jamais dépunaisés. Téléphone, ACDC et Trust. Une tirelire en forme de coffre-fort et un globe terrestre sont abandonnés sur son bureau d'étudiant. Quelques portraits de lui et de son jumeau.

Armand ne les a jamais confondus, contrairement au reste du monde. Une question de regard. L'un frondeur, l'autre réservé, et ce depuis l'enfance. On a beau sourire et se moucher de la même manière, tout est dans le regard.

La petite valise d'Annette est posée dans un coin. Entre l'armoire et la table de nuit. Elle est rose. Armand n'avait jamais vu de valise rose. Décidément, ces Suédois ne font rien comme les autres. Ils fabriquent des filles extraordinairement belles, des élastiques sophistiqués et des valises roses. Il ouvre la fermeture Éclair. Depuis hier, il est devenu un étranger, une nouvelle personne, quelqu'un qu'il ne connaît pas. Quelqu'un qui ouvre une valise en cachette. Quelqu'un qui cherche un parfum.

Ses vêtements clairs sont parfaitement pliés. D'ailleurs, ce ne sont pas des vêtements mais de toutes petites choses légères et douces. Rien de comparable avec les robes qu'Eugénie range dans son placard.

Il referme la valise d'un geste brusque, comme une gifle. Dans treize jours ils repartiront à Lyon. Il ne la reverra plus avant Noël. Et, connaissant Alain, d'ici là, il l'aura remplacée par une autre. Une qui ne lui fera plus aucun effet, comme avant.

Pendant les treize jours qu'il reste à tuer, Armand fait des heures supplémentaires. Quand il rentre en milieu d'après-midi, il se couche, épuisé. Évite les repas du soir, prétextant des maux de tête.

Eugénie appelle le médecin derrière son dos le septième jour. Armand accepte de se faire ausculter de mauvaise grâce. Le toubib décèle une légère déprime, quelque chose comme du surmenage. Armand refuse l'arrêt maladie qu'il lui propose. Rester chez lui est impensable. Il la croise suffisamment comme ça. Dans l'escalier, dans le jardin, devant la maison. L'autre jour, elle lui a même emprunté son vélo pour aller faire un tour. Elle a posé son cul sur sa selle. Il a sciemment laissé le vélo sous la pluie pendant deux jours jusqu'à ce qu'Eugénie le rentre dans l'abri de jardin en râlant.

Elle porte à chaque fois des tenues différentes qu'Armand pourrait réciter par cœur. Même s'il n'ose pas trop la scruter. Mais un seul coup d'œil suffit pour qu'il l'imprime. Pour qu'elle se grave dans son cerveau. Et ensuite, il a beau poser les yeux ailleurs, essayer de s'enfoncer d'autres images dans le crâne, c'est elle qui prend toute la place. En un seul regard, il parvient à retenir chaque pore de sa peau. C'est comme un don qu'il s'ignorait. Sa mémoire ne lui sert plus qu'à retenir Annette.

Et puis, c'est ridicule de penser que d'ici Noël Alain l'aura remplacée. Elle est irremplaçable.

*

Le vide. Entre la fin de l'été et ce jour de Noël 1984, il n'y a eu que du vide. L'absence.

Pour lui changer les idées, cet après-midi, Eugénie lui a fait emballer les cadeaux. Des cadeaux pour les jumeaux, pour Sandrine et pour «elle».

Il a commencé par ceux des jumeaux. Deux pullovers qu'Eugénie a tricotés et qu'ils ne porteront jamais et deux chapeaux hauts de forme, au cas où ils en auraient besoin pour leur mariage. Oui, parce que ça y est, ils ont retenu une date, ce sera pour février prochain.

Et Alain ne « l' » a pas remplacée.

Le papier qu'il utilise pour emballer le cadeau des jumeaux représente des branches de houx. On ne voit pas les épines à l'extrémité des feuilles. Pourtant, elles lui piquent les doigts. Il a ce sentiment que plus rien n'est doux, sans aspérité. Que même l'air qu'il respire lui fait mal. Il ne sait pas pourquoi cela lui arrive, à lui.

Tomber amoureux de la petite amie de son fils est abject. Pour l'instant, il ne pense pas au suicide. Dans sa famille, on ne se suicide pas. On se réfugie dans le passé ou on allume la télé. Il ressasse son enfance, son adolescence, ses jeunes années avec Eugénie, les côtes à vélo avec les garçons quand ils se foutaient encore des filles et qu'ils passaient leurs après-midi à gonfler des chambres à air, à dégraisser et rincer les chaînes, à lubrifier les pédales et les plaquettes de freins, à polir les cadres avec un chiffon découpé dans un vieux pull.

Dès qu'il arrive au présent, il retourne dans le passé ou il allume la télé. C'est sa façon à lui de se foutre en l'air, de se jeter dans un précipice qu'il revisite en boucle.

Les enfants arrivent demain. Avant, c'était sa phrase préférée. Aujourd'hui, c'est la pire qu'il lui est donné d'entendre.

Avant, quand le téléphone sonnait, il se précipitait pour répondre, rien que pour entendre un de ses fils prononcer le mot « papa ». Maintenant, il s'enferme quelque part jusqu'à ce qu'Eugénie ait raccroché.

Pendant la période de Noël, l'usine ferme. Il ne pourra pas se sauver dans la nuit à 3 heures du matin et laisser traîner la journée. Il sera obligé de la croiser dans l'escalier, la cuisine, le salon, sur le palier. De toute façon, avec un peu de chance, ils repartiront aussitôt pour s'occuper de la boutique. En période de fêtes, les gens s'offrent beaucoup de musique.

À présent, il emballe le cadeau des fiancées. Des camées en pendentifs. Il les met dans de petites boîtes et les enveloppe dans le papier-cadeau du houx sans épines. Il trouve que pour des jeunes femmes, un camée fait vieillot. Mais il ne dira rien à Eugénie, il y a suffisamment d'agitation comme ça dans la maison, bien qu'elle soit silencieuse.

Le soir du réveillon, quand il la voit descendre de la voiture d'Alain, caché derrière les volets de sa chambre, il la trouve encore plus belle dans ses habits d'hiver.

Eugénie leur ouvre la porte en chemise de nuit. Ils arrivent de Lyon. Il est presque minuit. Ils vont se coucher sans rien avaler. On fêtera Noël demain midi. Il entend leurs pas et leurs voix résonner dans l'escalier. La porte des chambres se fermer. Puis plus rien. À part Eugénie qui débarque dans le lit où il fait semblant de dormir, les pieds glacés. Elle les colle contre son pyjama rayé.

243

Il est 11 heures quand Annette débarque dans la cuisine le lendemain matin. Seule. Ils sont seuls. Eugénie est partie acheter la bûche et le pain tranché. Les jumeaux et Sandrine dorment encore.

— Bonjour Armand.

Il est en train d'ouvrir les huîtres : il les ouvre machinalement, verse le jus de mer dans l'évier et pose l'huître ouverte dans un plat. D'ici midi, elle aura refait son eau et sera délicieuse. C'est le secret. La laisser refaire son eau après l'avoir ouverte.

— Bonjoul Annette.

Elle se met sur la pointe des pieds pour l'embrasser. Il tient son couteau dans la main droite. Il respire son front, puis le haut de sa tête. Il ferme les yeux pour ne pas perdre l'équilibre.

— Comment ça va depuis l'été ? demande-t-elle en se servant un bol de lait chaud qu'Eugénie a laissé sur le feu.

Son accent suédois claque comme un fouet. Il ne parvient pas à lui répondre. Il la regarde enlever la peau qui recouvre la casserole de lait brûlant. À l'aide d'une cuillère en bois, elle la retire en se mordant les lèvres. Puis, sans prévenir, elle lève la tête et le fixe en lui faisant un de ses sourires adorables.

— C'est drôle, Armand, vous mettez des ailes dans vos phrases.

— Oui.

— Ça va, Armand ? Vous êtes très pâle.

— Ça me letourne d'ouvlir ces huîtres… Il palaît qu'elles sont encole vivantes quand on les avale.

— Oh. Faut pas faire si ça vous fait ça.

Elle trempe les lèvres dans son bol, souffle, retrempe.

— Faut jamais faire quelque chose si vous avez pas envie, Armand.

Elle a reposé son bol et le dévisage presque.

Il la dévisage à son tour.

— Vous êtes marié depuis longtemps avec Eugénie ?

— Je ne sais plus.

Elle se met à rire.

— Comment, vous savez plus ? Vous êtes toujours dans la dune comme Christian.

— Dans la lune.

Il quitte la cuisine où l'air est devenu irrespirable. En sortant, il croise Eugénie qui rentre de courses.

— T'as fini d'ouvrir les huîtres ?

— Pas tout à fait.

On passe au salon.

Cette année, Eugénie a acheté une guirlande clignotante. Du coup, elle a baissé les lumières pour que ça fasse de l'effet.

Ils prennent l'apéritif dans la pénombre : du champagne dans les coupes qui datent de leur mariage. Armand croque des cacahuètes salées pendant qu'Alain leur parle du chiffre d'affaires de la boutique qui a explosé. Mettre Sandrine derrière la caisse a été une idée lumineuse. Du coup, ça lui laisse du temps pour composer. Il a envoyé ses enregistrements à une maison de disques à Paris.

Armand ne voit plus que le visage d'Annette disparaître et apparaître. Pas une bonne idée cette guirlande clignotante.

On passe à table.

Armand rallume le plafonnier, il se fait houspiller par Eugénie. Annette monte les escaliers quatre à quatre puis redescend avec une ribambelle de bougies qu'elle dispose sur la table et allume en grattant des allumettes. Puis elle éteint le plafonnier.

— C'est magnifique mon amour, lui murmure Alain.

Et c'est vrai que c'est magnifique. Armand découvre la salle à manger qu'il connaît depuis vingt ans sous un autre angle. Comme sa vie.

Annette ne touche ni aux huîtres ni au foie gras, tandis que les garçons dévorent et qu'Armand en est déjà à son troisième verre de vin. Eugénie le regarde bizarrement. Il se sert un quatrième verre. Les enfants parlent de leur mariage. Ce sera donc en février.

C'est l'heure des cadeaux.

Sandrine tend un paquet doré à Eugénie.

— De la part d'Annette et moi.

Eugénie a du mal à détacher le ruban qui l'entoure et articule des mots inaudibles quand elle découvre un foulard Hermès. Elle ne sait pas quoi en faire. Elle le regarde comme si on venait de lui tendre un nouveau-né. Au lieu de le mettre sur ses épaules, elle le range précautionneusement dans sa boîte. Puis Annette se tourne vers Armand et lui souffle :

— *Ça, c'est de ma part.*

— Melci.

Il sent qu'il rougit comme une fillette. Annette lui a offert un coffret contenant des films de David Lean. *Brève rencontre, Les Grandes Espérances, Vacances à Venise, Le Docteur Jivago, La Fille de Ryan, Lawrence d'Arabie, Les Amants passionnés, Heureux mortels.*

Quand il l'embrasse pour la remercier, il frissonne comme à la veille d'une mauvaise grippe.

Les garçons se promènent avec leur chapeau haut de forme dans la maison. Alain imite Jean-Paul Belmondo dans *Le Magnifique.* Sandrine et Annette, leur camée autour du cou, rient de bon cœur. Annette ne sait pas qui est Jean-Paul Belmondo.

Le 26 au matin, Annette doit repartir. Seule. Elle rentre en Suède pour fêter le nouvel an avec sa famille. Pour qu'Alain profite encore de ses parents, elle ne lui a pas demandé de l'accompagner à l'aéroport de Lyon. Elle a réservé un taxi qui l'attend déjà. Alain et Annette s'embrassent devant la maison.

En la regardant disparaître à l'intérieur du taxi, caché comme le voleur qu'il est devenu, Armand se dit qu'il ne la reverra plus jamais. À cet instant, il en a la certitude. Elle ne reviendra pas en France. La France n'a pas le monopole de l'Enfant Jésus. Elle n'a fait que passer. Elle n'épousera jamais Alain. Elle fera ses vitraux dans un autre pays. Des vitraux, il y en a partout. Elle va rencontrer quelqu'un d'autre, là-bas. Ça se voit à son regard. Pas comme celui de Sandrine quand il se pose sur Christian. Elle ne reviendra jamais.

Le 2 janvier prochain, à 4 heures du matin, il reprendra le chemin de l'usine et, avec le temps, il oubliera.

Patrick et Jo sont venus me chercher à l'aéroport Saint-Exupéry. Étrangement, j'étais presque déçue que ce ne soit pas Je-ne-me-rappelle-plus-comment, enfermé dans une veste à carreaux improbable.

Je ne peux rien leur dire. Ce que j'ai appris de la bouche de Magnus, je n'en parlerai jamais à personne. Pendant qu'il déversait des flots de mots à Cristelle, il me semblait entendre les mots d'Annette. Ceux qu'elle avait confiés un soir à son père sous le sceau du secret quand elle était revenue en Suède.

Il y a deux choses que j'ai apprises au contact des anciens. Deux choses immuables qu'ils me répètent d'année en année, de chambre en chambre, de service en service :

«Profite de la vie, elle passe vite.»

«Ne dis jamais un secret. Même à ton frère, ton enfant, ton père, ta meilleure amie, un inconnu. Jamais.»

Je leur tends une boîte de Daims au chocolat en improvisant une histoire à dormir debout : les grands-parents de Jules n'étaient pas là. J'ai rencon-tré leurs voisins de palier qui parlaient français et qui m'ont dit que Magnus et Ada avaient quitté la Suède depuis deux ans pour vivre au Canada.

Jo me dit que c'est bien, que de toute façon je me prends trop la tête avec cette histoire. Mes parents sont morts dans un accident de la route, c'est malheu-reux mais c'est comme ça, et quand on a vingt et un ans, on pense à l'avenir, rien qu'à l'avenir.

Pendant qu'elle parle, Patrick hoche la tête comme les faux chiens qu'on pose sur les plages arrière des voitures. Ce que j'aime le plus chez ces deux-là, c'est leur amour.

J'ai honte de leur avoir menti, mais qu'est-ce que j'aurais pu faire d'autre ? Je ne peux pas trahir Annette. Et comme je ne suis pas sûre qu'elle repose en paix, je ne veux plus faire de bruit.

Mes paupières sont lourdes, j'ai envie de dormir. Je revois les rues de Stockholm, les canaux glacés, Noël dans les vitrines, les buveurs de bière, la neige. Le par-fum des bullars trempés dans le thé servi par Magnus et Ada. Leurs beaux visages, leurs larmes aussi, me suppliant de persuader Jules de leur écrire, de les voir, de leur pardonner. Et Cristelle, son bonnet vert bou-teille vissé sur la tête, traduisant les mots, me répétant, *Vous êtes notre seul espoir de réconciliation avec Jules.*

— Juju, Juju, réveille-toi !

J'étais en train de rêver. Jules se mariait, je tenais la traîne de la mariée dont je ne voyais pas le visage, et quand enfin elle se retournait, c'était Janet Gaynor.

Nous sommes arrivés. Patrick a garé sa voiture devant chez pépé et mémé. Il fait déjà nuit. Il doit être 17 h 30. Il y a de la lumière dans la cuisine et dans la chambre de Jules. Demain, il faudra que je fasse leurs cadeaux. Nous sommes à deux jours de Noël.

Je n'ai pas envie de rentrer dans cette maison toute seule. Encore endormie, je propose à Jo et Patrick de venir boire un verre. Ils ne peuvent pas, Jo est de garde cette nuit, elle prend son service dans une heure.

— Justine, il faut que je te dise quelque chose.

Tout à coup, Jo a l'air grave. Elle ne m'appelle jamais Justine, toujours Juju. Du coup, Patrick aussi a l'air grave. Ces deux-là ne peuvent pas avoir l'air grave séparément.

— Qu'est-ce qu'il y a ?

— Hélène Hel a été transférée aux urgences la nuit dernière.

Edna accouche d'une petite fille le 30 mars 1947 à une heure du matin. La petite fille se présente par le siège, l'accouchement dure soixante-douze heures. Simon/Lucien ne lui lâche pas la main, il la laisse mordre, insulter, crier, pleurer, supplier. Dès que le nouveau-né pousse son premier cri, Edna perd connaissance. Elle abandonne.

Lorsqu'elle rouvre les yeux, Edna voit Simon/Lucien près de son lit, leur bébé dans les bras. Il observe l'enfant comme s'il cherchait une trace, une empreinte, quelque chose de familier sur son visage. Lucien ne sourit pas à sa fille, il la questionne du regard.

— Simon, comment veux-tu l'appeler ? lui demande Edna.

Il répond sans réfléchir :

— Rose.

— Pourquoi, Rose ?

— C'est l'odeur que je préfère. Je m'en souviens. C'est l'odeur que je préfère, répète-t-il.

Quelques mois après la naissance de Rose, ils déménagent dans le Finistère à L'Aber-Wrac'h, route des Anges. Là où la mer est folle à lier et lave tout, plusieurs fois par jour, entre le soleil et la pluie, les esprits se perdent, courent se mettre à l'abri.

C'est ce qu'Edna veut. Se mettre à l'abri. Ne jamais croiser de visages familiers. Ou une personne qui aurait reçu le même courrier qu'elle, accompagné du portrait de Lucien Perrin crayonné.

Simon/Lucien a trouvé du travail dans une conserverie. Edna est infirmière dans un établissement scolaire. Elle s'est sciemment éloignée de toute institution médicalisée. À cause du portrait.

Vis-à-vis de sa fille, Edna ressent la même violence de sentiment qu'envers son mari, celui de l'avoir volée à une autre. La nuit, quand elle se lève pour la bercer, elle culpabilise. Elle pense que Rose pleure parce qu'elle appelle sa véritable mère. Et quand ses bras ne la calment pas, que ses mots doux et ses caresses ne parviennent pas à étouffer son chagrin, elle a envie de la jeter par la fenêtre, de la mettre dans un train ou dans une enveloppe sur laquelle elle écrirait : Café du père Louis, place de l'Église, Milly.

Edna préférait avant. Quand elle n'avait que deux hommes à aimer : Simon et le fantôme de Lucien. Depuis la naissance de Rose, elle a l'impression qu'Hélène se rapproche de jour en jour.

Edna voudrait les éloigner davantage. Partir à l'étranger. Tant qu'ils resteront en France, ils seront en danger. Elle pense de plus en plus à l'Amérique. Là où tout est possible, là où il y a des clandestins, des étrangers, des usurpateurs, comme elle. Une nouvelle langue à apprendre, à parler, à écrire, c'est peut-être en ça que réside la guérison de l'homme qu'elle aime. Car il s'enfonce peu à peu dans une dépression silencieuse. Il passe des heures à fouiller dans sa tête vide de passé en lisant et relisant des romans qu'il pense avoir déjà lus, avant sa blessure. Il pose des questions aux murs du salon — où et quand ? Mais il n'obtient que du silence, autour de lui rien ne fait plus jamais écho. Alors il monte se coucher, la tête pleine de trous. Seule Rose parvient à le faire rire vraiment. Un rire vrai, un rire qui fait du bruit, qui vient du corps, là où il lui reste une infime réserve de joie.

Parfois, Edna se demande s'il est possible qu'un homme amoureux reproduise celle qu'il aime trait pour trait avec une autre. Il lui semble qu'en grandissant, Rose ressemble parfois à Hélène. Une folie qu'Edna porte en elle comme un nouveau rhésus sanguin. Depuis la naissance de sa fille, elle paye le mensonge comptant. Alors qu'avant, il y avait des heures de paix. Des heures brèves, mais sereines. En cauchemar, elle revoit Hélène derrière son comptoir, elle revoit son regard qui se pose sans jamais s'attarder.

Quand elle se réveille, Edna ne sait pas. Edna ne veut pas savoir. Ne veut pas se souvenir. Elle ouvre les fenêtres et laisse le vent du large emporter les mauvaises pensées qui s'accrochent aux rideaux de la chambre où elle et Simon ne font plus l'amour.

54

Hélène est dans le coma. Sa bouche et son nez sont dissimulés sous un harnachement complexe de tuyaux reliés à un respirateur artificiel. Sa main et son bras gauches sont perfusés et diverses solutions coulent dans ses veines au goutte-à-goutte. À cet instant, je voudrais avoir fait médecine pour lui sauver la vie.

Rose lui caresse la main. Une femme se tient près d'elle. Elle ne fait pas partie du personnel hospitalier, elle ne porte pas de blouse. Roman est assis à l'autre bout de la chambre, le regard perdu. Quand j'ai frappé à la porte, c'est lui qui a dit : *Entrez.*

Rose prononce mon prénom, *Justine.*

La femme me regarde et me sourit. Roman se lève et s'approche de moi pour m'embrasser. C'est la première fois qu'il m'embrasse. Ses joues sont froides. Comme si c'était lui qui arrivait de l'extérieur, et non moi.

La femme que je ne connais pas s'approche de Roman. Rose m'embrasse à son tour et me dit :

— C'est si gentil d'être venue, je croyais que vous étiez en vacances.

Roman ne me laisse pas le temps de répondre :

— Justine, je vous présente ma femme, Clotilde. Clotilde, je te présente Justine. C'est la jeune femme dont je t'ai souvent parlé, celle qui s'occupe d'Hélène dans sa maison de retraite.

Clotilde me sourit à nouveau. Je la salue poliment. Pourtant, je rêve de hurler : Mais comment peut-on porter un prénom aussi moche ! ? Elle est exactement comme je l'imaginais : parfaite de partout. On dirait une publicité pour Grace Kelly.

Je m'approche d'Hélène. Je ne la reconnais pas. Si Rose et Roman n'étaient pas là, je me dirais que je me suis trompée de chambre. Ça y est, Hélène est vieille. Elle ressemble aux autres. La vie l'a lâchée.

J'approche ma joue de ses cheveux. Je la respire. Pour la première fois, il fait nuit sur sa plage. Il n'y a personne. Ni femme, ni enfant, ni homme, ni serviette. Il ne fait pas froid. L'air est même doux. La mer est calme. Hélène n'attend pas Lucien et la petite, les yeux fixés sur l'horizon ou sur un roman d'amour. Elle s'est endormie. La lune est haute. Et pleine.

Quand je me retourne, Rose, Roman et Clotilde ne sont plus là. Ils ont quitté la chambre. Comme tous les habitants de la plage d'Hélène. Nous sommes toutes les deux hors saison.

Pour la première fois de ma vie, je me sens seule au monde. Je voudrais mourir à sa place. Je voudrais partir. Voir Lucien la première.

Je sors le cahier bleu de ma poche. Je peux com-

mencer à lire les derniers chapitres à Hélène. Ou peut-
être, les premiers.

— *T'as quel âge mon papa ?*

*Rose lui pose la question en lui tordant le nez. Ça
la fait rire. Elle est légère comme une plume. Lucien la
serre dans ses bras. Il vient de pleuvoir. Le chemin qui
mène à la maison est une immense flaque.*

— *Je ne sais pas.*

*Elle met sa petite tête dans son cou. Il sent son souffle
sur sa peau. Il lève la tête et observe la valse des oiseaux.
Les goélands guettent le retour des chalutiers.*

*Lucien et Rose ont du vent dans les cheveux, Lucien,
des trous dans la tête. Des nuages qui peuvent ressembler à des monstres.*

— *T'es triste, papa ?*

Lucien tire sur ses yeux en forçant son sourire.

— *Non, j'ai les yeux qui tombent.*

*Il la hisse sur ses épaules, elle tend ses deux petits
bras pour imiter les ailes d'un avion, il se met à courir
jusqu'à la porte de leur maison.*

*Courir, sa fille sur les épaules, le vent dans les
narines, l'odeur de la terre qui se mélange aux embruns,
la pluie qui pique la peau comme des aiguilles à coudre,
c'est bon.*

*Ils n'ont pas pu partir pour l'Amérique. L'administra-
tion française ne leur a pas fourni de papiers. L'amnésie
ne rentre dans aucune case et Lucien/Simon n'existe pas
assez pour obtenir un passeport.*

Les rires de Rose le délestent. Il fait le bruit d'un

moteur d'avion avec ses lèvres, pour un peu, ils s'envo-
leraient.

Quand il pousse la porte, il a un mouvement de recul.
À l'intérieur, les matelas des chambres sont retournés et
éventrés, les armoires vidées, les casseroles et assiettes
renversées. Les sacs de farine et de sucre ont été éparpillés sur le sol de la cuisine.

Rose est trop petite pour comprendre ce qu'il s'est
passé, elle répète juste les mots qu'elle a entendus dans
la bouche de sa mère : C'est le désordre.

Edna se comporte de plus en plus bizarrement. Ses
crises de larmes peuvent durer des heures, il lui arrive
de plus en plus souvent de disparaître plusieurs jours de
suite. Mais de là à tout saccager dans la maison, ce n'est
pas possible. Même les plinthes ont été arrachées.

Une heure plus tard, deux gendarmes relèvent des
traces de pas, expliquent à Lucien que beaucoup de maisons ont été visitées ces derniers temps. Lucien est mal
à l'aise, il ne saurait dire pourquoi, mais il n'aime pas la
présence de ces hommes en uniforme sous son toit.

Après leur départ, Rose s'amuse à ramasser les
objets sur le sol pour aider son père. Parmi le linge, les
conserves et les bouteilles, elle rassemble de vieux journaux pour les mettre dans le poêle. Elle les place sur
le tas de bois car elle n'a pas le droit d'ouvrir la porte
du poêle toute seule. Lucien fait le ménage, il essuie et
balaye. Il aime faire ce geste. Enlever la poussière. Il
voudrait tant pouvoir faire la poussière de sa tête.

Rose monte jouer dans sa chambre.

Lucien ouvre la porte du poêle et place quelques

bûchettes à l'intérieur. Il prend des feuilles de papier journal, les froisse et s'apprête à gratter une allumette lorsqu'il voit la photographie. Celle d'une forêt de bouleaux. Il défroisse la feuille. Il reconnaît cette photographie. Il la tenait dans sa main quand il est arrivé à la gare.

Tout lui revient brusquement. Le dispensaire, la main d'Edna, des feuilles dans une boîte en carton, sa main blessée de les avoir trop serrées, la salle de soins, des pansements, une odeur nauséabonde, le coma.

Il les avait oubliées. Où étaient-elles ? Pourquoi les retrouve-t-il en Bretagne, chez lui, le jour d'un cambriolage ?

On frappe à la porte.

Il remarque que toutes les feuilles de papier qu'il serrait dans sa main gare de l'Est sont posées sur le tas de bois. Ensemble. Réunies. Il les observe, les renifle. Ce sont des journaux étrangers.

On refrappe avec insistance.

Lucien va ouvrir. Les deux gendarmes encadrent un jeune homme qui porte une casquette et une barbe de quelques jours.

Lucien est pris d'un vertige. Il se retient à la porte. Pourquoi est-il si mal face à ces hommes en uniforme ?

L'un des gendarmes dit :

— Nous tenons notre voleur.

Mais Lucien ne l'entend pas. Il n'entend plus rien. Il oriente une feuille de journal en direction du jeune homme.

— Où l'avez-vous trouvée ?

Un des officiers répond :

— À proximité de la gare, il tentait de prendre la fuite.

— Ce n'est pas à vous que je parle, dit Lucien sèchement. C'est à lui.

Lucien tend toujours la feuille de journal en direction du jeune homme, qui paraît de plus en plus penaud. Lucien est terriblement impressionnant avec sa gueule balafrée et ses yeux pénétrants.

— Où avez-vous trouvé ces feuilles ? insiste-t-il.

— C'est pas moi, m'sieur. J'suis innocent.

Le deuxième gendarme sort une chaîne en or de sa poche. Lucien reconnaît immédiatement le bijou. La médaille de baptême d'Edna. Le pendentif – une Vierge Marie – fait un mouvement de balancier dans les doigts de l'officier de police.

— Reconnaissez-vous cet objet, monsieur ? Nous l'avons trouvé sur cet individu.

— Je l'ai pas volée ! C'est ma mère qui me l'a donnée !

Lucien fixe le voleur. Embarrassé, ce dernier se dandine d'un pied sur l'autre, reniflant bruyamment.

— Cet objet ne m'appartient pas.

La réponse de Lucien surprend plus le type à la casquette que les deux brigadiers. Ils insistent tour à tour, mais Lucien maintient sa déclaration : il n'a jamais vu ce bijou. Il ne lui appartient pas. Ni à lui, ni à sa compagne.

— Justine, on s'en va ?

260

Pépé est derrière moi. C'est lui qui m'a emmenée aux urgences. Il n'a pas voulu que je conduise, j'étais trop paniquée. Je n'arrêtais pas de crier : *Pourquoi est-ce que son cœur lâche juste au moment où je pars deux jours ! Deux jours seulement !* Pourtant, je sais bien que souvent les résidents se rendent malades quand un proche s'absente.

Est-ce à cause de moi qu'Hélène est tombée dans le coma ? Est-ce que je suis punie d'être allée en Suède fouiller dans le passé d'Annette ? d'avoir forcé Magnus à parler ?

Jules m'a demandé si c'était bien mon petit week-end à Lyon, j'ai dit, *Oui, trop bien.* S'il connaissait la vérité, il me tuerait probablement.

Pépé est debout derrière moi, il a enlevé sa casquette. En le voyant ici, dans cette chambre d'hôpital, je pense que cela fait des années que je ne l'ai pas vu ailleurs que dans sa maison ou son jardin. Il a l'air gêné, gauche.

Entre nous le silence. Entrecoupé par le bruit des machines.

— Comment va madame Hel ? me demande-t-il.

— Elle est dans le coma.

Il ne dit plus rien, il fixe Hélène.

— Pépé, tu la connais ?

— Qui ?

— Hélène, tu la connais ?

— De vue, peut-être. J'étais petit quand ils tenaient le bistlot.

C'est la première fois qu'il répond à une de mes

questions avec autant de mots : 11. Sans compter le trait d'union et l'apostrophe.

J'ouvre mon cahier bleu et reprends ma lecture comme si pépé n'était plus là. De toute façon, a-t-il jamais été là ?

Lucien retrouve le jeune voleur quelques heures plus tard, devant le comptoir d'un bistrot près du port. Il a l'air perdu dans ses pensées. Quand il relève la tête et qu'il voit Lucien se diriger vers lui, il pense que ce dernier est venu pour lui filer une rouste. Par réflexe, il pose les mains sur la tête pour se protéger des coups que Lucien pourrait lui mettre.

— J'ai rien fait, m'sieur.

— Où avez-vous trouvé ces feuilles de journaux ? lui demande Lucien.

Le jeune homme recommence à se dandiner d'un pied sur l'autre. Mais pourquoi est-ce que ce type s'intéresse tant à ces feuilles de chou alors qu'il a mis la maison à sac ?

Lucien le fixe. Jamais il ne le lâchera avant de savoir. Il a l'air cinglé avec ses yeux anormalement bleus. On dirait deux ampoules de couleur comme sur les manèges des fêtes foraines.

— Derrière une plinthe... dans votre cuisine... J'ai cru que c'étaient des billets de banque, une vraie déception.

Lucien marque un temps.

— Comment vous appelez-vous ?

Décidément, ce type est bizarre.

— *Charles, m'sieur.*

Lucien le fixe toujours.

Le jeune homme fouille alors dans sa poche et en retire la chaîne d'Edna. Il la lui tend, à regret.

— *Gardez-la, Charles, lui dit Lucien. Pour votre fiancée.*

— *J'ai rien du tout, m'sieur. Alors une fiancée, vous imaginez.*

Charles remet tout de même la chaîne dans sa poche.

— *Enfin, on sait jamais.*

Quand Edna rentre du travail, elle étouffe un cri. Simon n'est plus le même homme. On dirait qu'il a grandi tant il s'est redressé. Il est encore plus beau ce soir. Plus beau que ce matin quand ils se sont dit au revoir, bonne journée.

— *J'ai trouvé des mots, lui dit Lucien en la regardant droit dans les yeux.*

— *Des mots ?*

Edna est surprise par le propre son de sa voix, blanche.

— *Des mots que j'ai écrits sur ces journaux. Pourquoi tu les avais cachés ? Pourquoi ?*

Edna va s'asseoir et répond comme pour elle-même :

— *Je ne sais pas. Je ne me rappelle pas.*

Il lui tend les feuilles qu'elle n'a pas brûlées. Qu'elle aurait dû brûler.

— *Le braille, tu connais ?*

— *Oui, répond Edna. C'est l'alphabet des non-voyants.*

— Je ne sais pas pourquoi, mais je sais le lire. Et je pense que j'ai écrit à quelqu'un.

— Quelqu'un ?

— Une femme avec un oiseau dans la bouche. Et puis, il y a un endroit aussi. Un café avec une pancarte, «Fermé pour congés».

— Tu veux bien me...

Elle trébuche sur les mots. Tente de prendre une voix naturelle, mais son cœur bat trop fort.

— Tu veux bien me lire ces phrases ? finit-elle par lâcher dans un souffle.

Lucien déplie les feuilles avec soin. Il touche le papier en fermant les yeux et se met à lire à haute voix :

— «Mon amour, la première fois que je t'ai embrassée j'ai senti un battement d'ailes contre ma bouche. J'ai d'abord cru qu'un oiseau se débattait sous tes lèvres, que ton baiser ne voulait pas du mien. Mais quand ta langue est venue chercher la mienne, l'oiseau s'est mis à jouer avec nos souffles, c'était comme si on se le renvoyait de l'un à l'autre.»

Edna ne l'écoute plus. Il l'aimait. Il était amoureux d'elle. Continuer ? Le ramener là-bas ? Rester ici avec la petite ? Sans lui ? Attendre demain matin et lui dire la vérité : en 1946, j'ai reçu un courrier, «quelqu'un» te cherche... ?

Le séparer de sa fille ? Retourner à Milly ? Parler à Hélène ? Voir ce qu'elle est devenue ? Vivante ? Morte ? Remariée ? Mère et amoureuse d'un autre homme ? La tuer et s'enfuir pour vivre à nouveau ?

Est-ce qu'on vole un homme comme un billet de

banque ? Est-ce qu'on va en prison quand on enlève la vie d'un homme à une femme ?

Se suicider. Et dans la lettre qu'elle laisserait, elle écrirait : Hélène Hel, Café du père Louis, place de l'Église, Milly.

Et ma vie à moi, à quelle adresse se trouve-t-elle ? Est-ce que je vis ? Non. Le laisser vieillir sans jamais rien dire. De toute façon, il est trop tard.

La voix de Lucien la sort de sa torpeur. C'est la troisième fois qu'il pose la même question, accroupi devant elle pour être à sa hauteur :

— Est-ce que tu sais quelque chose de moi que je ne sais pas ?

— Non.

Une infirmière entre dans la chambre.

Pépé n'a pas bougé. Je vois à la tête qu'il fait qu'il est déçu que j'interrompe ma lecture. D'un geste qui se veut affectueux, il me presse l'épaule. Sa maladresse me fait mal. Au sens propre comme au figuré.

L'infirmière remplace la poche vide d'une perfusion. Elle nous sourit et jette un coup d'œil au cahier bleu qui est grand ouvert sur mes genoux.

— Vous avez raison de lui faire la lecture, elle entend tout.

Elle quitte la chambre. Pépé s'est assis dans un coin, les bras croisés, il semble perdu dans ses pensées. En le regardant, je me demande pourquoi on tombe amoureux. Moi qui passe mes journées à écouter des histoires, je suis bien placée pour savoir que l'amour ne supporte aucune explication.

— Continue ta lecture, me dit-il.

Juin 1951. Entre la gare de Milly et le café du père Louis, Edna ne croise personne. Dans le village, un soleil de plomb fait taire la brûlure des rues. Tout est silence : les arbres, les trottoirs, les murs. Les volets des façades sont fermés. La réverbération du soleil sur les pavés est aveuglante. Edna traverse la place de l'Église en observant son ombre, s'étonnant presque d'être faite de chair et d'os. Personne en terrasse.

La salle du café est vide. Il est 15 heures. Rien n'a changé depuis la dernière fois. La porte principale et les fenêtres sont grandes ouvertes. Personne. À croire que la sieste a touché toutes les âmes. Seul le bruit d'une machine à coudre, un ronronnement de chat. «Elle» est là, retranchée dans sa remise, dirigeant un morceau de tissu sous l'aiguille. Edna reste sur le pas de la porte. Il suffirait de faire quatre pas pour «lui» parler ou quatre en arrière pour retourner d'où elle vient, sans rien dire.

Une mouche lui frôle l'oreille. De la sueur coule entre ses narines et sa lèvre supérieure, dans l'empreinte de l'ange. Elle s'essuie du revers de la main en pensant à cette légende qui raconte que l'on saurait tout de sa vie avant de naître et qu'un ange poserait son doigt sur la bouche du bébé pour qu'il se taise, le marquant dans sa pulpe au-dessus de la lèvre. Si elle avait tout su, elle n'aurait pas laissé l'ange poser son doigt, elle aurait tout simplement renoncé à cette vie.

La machine à coudre s'est arrêtée. La chienne qu'elle a vue la dernière fois débarque comme un mirage. Elle halète, la tête baissée et les yeux mi-clos, vaincue par la chaleur. L'animal renifle vaguement Edna de loin, puis s'allonge sur le sol de tout son long sans la lâcher du regard. Hélène apparaît. Elle porte une robe noire. Derrière le bar, elle fait couler de l'eau et s'asperge le visage. Quand elle aperçoit cette cliente debout, près de la porte, elle attache un tablier autour de ses hanches en la saluant. Ses yeux se sont-ils agrandis depuis la dernière fois ? Son visage semble dévoré par le bleu de ses yeux. Comme celui de Lucien.

— Qu'est-ce que je vous sers ?

Edna est toujours debout à l'entrée.

— Je sais où est Lucien, répond Edna. Maintenant, il s'appelle Simon.

Edna n'avait pas prévu de dire ces deux phrases. Elle voulait s'asseoir, prendre le temps, le jeune serveur boiteux devait être là, elle aurait pu observer, se fondre parmi les clients, attendre la fermeture, peut-être même la tombée de la nuit. Mais non. La chaleur qui s'est abattue sur le pays a fait qu'elles se retrouvent face à face, sans témoin.

Hélène dévisage Edna, dont les paroles résonnent encore dans la pièce vide. Les bouteilles, les verres, les tasses, les tables, les chaises, le comptoir, les miroirs, la photo de Janet, le flipper se renvoient les mots comme une balle : je-sais-où-est-Lucien-maintenant-il-s'appelle-Simon.

Hélène, muette, scrute les lèvres fines et rouges d'Edna.

— *Voilà son adresse.*

Elle lui tend un morceau de papier. Elle n'a pas bougé. Elle est toujours debout, immobile, à l'entrée du café, elle ne parvient pas à franchir une barrière invisible.

Hélène s'approche d'Edna. Elle observe l'infirmière comme si elle allait disparaître d'une minute à l'autre. Elle prend le papier, le déplie et le regarde en faisant semblant de lire pendant quelques secondes. Jamais, au grand jamais, elle n'avouerait à cette inconnue qu'elle ne sait pas lire. Elle relève la tête et demande :

— *Comment savez-vous que c'est lui ?*

— *J'ai reçu votre avis de recherche, accompagné du portrait.*

— *Mais... c'était il y a longtemps.*

Edna baisse les yeux et la voix.

— *Il a été grièvement blessé. Mais il va mieux à présent.*

— *Vous êtes sa femme ? demande Hélène.*

— *Oui.*

Choquée, Hélène prend une chaise pour s'asseoir.

— *Où est-il ?*

— *Chez nous. Avec notre fille.*

— *Pourquoi êtes-vous venue ?*

Edna ne répond pas. Elle quitte le bistrot et disparaît aussi vite qu'elle est apparue. Avalée par la lumière crue du jour.

Il se passe au moins une heure entre son départ et l'arrivée du petit Claude. Hélène, assise sur sa chaise, plantée au milieu du bistrot, serre le papier dans ses mains. La salle du café est toujours vide. À croire que dans le monde, plus personne n'a soif alors qu'il fait une chaleur à crever.

Claude a du mal à comprendre ce qu'Hélène lui raconte, une grande femme, très maigre, celle de Lucien, les cheveux noirs, qui s'appelle Simon, grièvement blessé, une petite fille, me dire qu'il n'est pas mort. La chaleur empêche Claude de penser, de comprendre les mots hachurés que sa patronne et amie débite. Hélène finit par lui tendre un papier qu'il lit à voix haute : «Route des Anges, L'Aber-Wrac'h. »

*

Lucien ouvre la porte. Hélène ne se rappelait pas qu'il était aussi grand. Il a beaucoup changé. Il ressemble à un homme maintenant. Ils avaient presque le même âge tous les deux et à présent, elle réalise qu'elle a l'air beaucoup plus jeune que lui. Ses cheveux ont foncé. Une profonde cicatrice lui barre le visage, de la tempe gauche à son lobe droit en déformant son nez. Ses immenses yeux bleus la fixent. Il recule légèrement pour la laisser entrer comme s'il l'attendait.

Ses jambes ont du mal à la porter. Elle s'est bêtement faite belle, par vanité. Elle n'aurait jamais dû. Elle aurait dû savoir qu'il avait changé, elle aurait dû savoir qu'il ne fallait pas se maquiller. Que ce n'est pas une fête qu'ils s'apprêtent à vivre mais l'enterrement de leur jeunesse. En pénétrant dans cette maison inconnue, où les portraits de Rose semblent se multiplier à l'infini, elle se

269

demande s'ils n'auraient pas mieux fait de mourir tous les deux le jour de l'arrestation. Partir avec Simon sous les balles des Boches pour ne jamais vivre cet instant. On peut tout imaginer des cruautés de la guerre. Que son homme revienne mort, blessé, amputé, paralysé, fou, méchant, violent, alcoolique, jaloux, invivable, trauma-tisé, défiguré, mais jamais on ne peut imaginer qu'on va le retrouver dans une autre maison, dans une autre vie, avec une autre femme.

— On se connaît.

Lucien vient de prononcer ces trois mots. Elle ne sau-rait dire si c'est une question ou une affirmation. Sa voix s'est un peu voilée. Elle a du mal à croire que cette scène est réelle, qu'elle est face à Lucien, qu'il n'est jamais revenu parce qu'il a fait le choix d'une autre maison, d'une autre vie, d'une autre femme.

Autour d'elle, il n'y a que les objets qu'il doit frôler ou utiliser chaque jour. Elle se fait l'effet d'une étrangère qui a trop longtemps attendu un inconnu.

— Oui, on se connaît.

— La mouette, c'est vous ?

— Elle est à moi.

Il la dévore des yeux. Elle a le sentiment qu'il la caresse. Elle est en train de revivre l'été 36 sans qu'ils se touchent. Un été à l'envers, comme dans un cauchemar.

— Comment tu m'as retrouvé ? demande-t-il.

— Je ne voulais pas venir, c'est un ami qui m'a obli-gée.

Il la regarde de haut en bas. Elle se force à sourire alors que chaque parcelle de son corps sanglote, même la robe qu'elle porte, même ses chaussures neuves qui lui compriment les chevilles. Il fixe ses mains tremblantes qui s'accrochent à une petite valise bleue qu'elle finit par lui tendre.

— Voilà quelques affaires. Des livres, des chaussures et les chemises que tu aimais porter. Ce sera peut-être démodé.

Lucien prend la valise sans la lâcher du regard. Lucien est incapable de lui demander pardon, incapable de lui avouer qu'il ne se souvient pas d'elle. Comment a-t-il pu oublier cette femme ? Il avait le droit de perdre la mémoire mais pas cette femme.

*

D'habitude, quand Edna rentre chez elle, la radio est toujours allumée, mais pas ce soir. Rose essaie d'ouvrir une valise bleue qui est posée sur le sol de la cuisine, mais ses petites mains ne parviennent pas à soulever les deux languettes de l'attache. Dès qu'elle l'aperçoit, Edna comprend qu'Hélène est venue. Elle se rappelle les lettres que Simon/Lucien a écrites : « Toi, tu avais fait le nécessaire pour les provisions et moi, la valise bleue. Je l'ai posée sur le sol de notre chambre. La Méditerranée sur le parquet. Une flaque bleue remplie de romans que je t'ai lus. »

Cela faisait longtemps qu'Edna attendait cette visite, elle pensait qu'elle aurait lieu plus tôt. Déjà six mois qu'elle est allée au café donner leur adresse à Hélène Hel, six longs mois, plus de 180 jours et nuits à appré-

hender. Repartirait-il avec elle ? La reconnaîtrait-il ?
Cela faisait six mois qu'elle se préparait à retrouver la
maison vide.

Rose semble déçue par le contenu de la valise,
quelques livres, de vieilles paires de chaussures datant
d'avant-guerre et trois chemises blanches. Pas de quoi
s'amuser.

Simon apparaît en haut de l'escalier.

— Tu n'écoutes pas la radio ? lui demande bêtement
Edna, ne trouvant rien d'autre à lui dire.

— Non, je n'ai pas le cœur.

Il descend l'escalier pour embrasser sa fille. Edna est
en train d'observer les chemises blanches.

— C'est quoi cette valise ? demande-t-elle.

— Je l'ai trouvée.

— C'est drôle, on dirait que les chemises sont à ta
taille.

Lucien prend une des vieilles godasses encore dans la
valise et l'enfile.

— Oui, et regarde, dit-il, cette chaussure me va aussi
bien que la pantoufle de vair à Cendrillon. Comme dans
un conte de fées sans fée.

— Pourquoi dis-tu ça ?

— Y a des turbots pour le dîner, je vais les vider,
répond-il.

Il déteste le poisson. Il déteste le manger mais aussi
le vider, le cuisiner, toucher les écailles, couper la tête.
L'odeur du poisson mort lui donne la nausée.

Rose imite son père, elle enfile l'autre chaussure en
riant aux éclats.

Claude attendait Hélène devant l'abbaye de Notre-Dame-des-Landes. Il était assis sur un banc de pierre, observant une grappe de gosses jouer au foot. Quand elle s'est approchée, le vent a défait ses cheveux et le ruban qui les maintenait s'est envolé vers l'océan. En la regardant s'approcher de lui, il a pensé qu'il n'était jamais tombé amoureux d'elle. Au café, les clients le charriaient depuis des années, Allez le ch't'i Claude, avoue que t'en pinces pour ta patronne ! Non, il l'aimait comme on aime une grande dame, une femme qui récure les sols, coud et lit Le Silence de la mer *sans faire de différence.*

Il n'était tombé amoureux qu'une seule fois, d'une cliente qui avait fréquenté le café chaque jeudi matin pendant deux ans.

Le jeudi matin, c'était jour de marché à Milly, après avoir fait ses courses, elle venait boire un verre au café du père Louis. Son père buvait toujours un café et elle, une grenadine à l'eau. Claude mettait tout son cœur quand il lui versait sa grenadine et gardait son verre caché dans un tiroir, sous le bar. Il le lavait séparément des autres et l'essuyait avec un chiffon doux pour y faire entrer le plus de lumière possible. Quand elle buvait, l'espace de quelques secondes, il ne respirait plus, trop occupé à l'observer avaler le liquide rouge. Il bénissait les jours de marché où il faisait chaud : il la resservait jusqu'à ce qu'elle étanche sa soif sans aucun supplément. Elle s'installait sur la terrasse et il lui faisait de l'ombre avec un parasol qui lui était destiné. Elle ne lui souriait pas comme elle souriait aux autres, Claude en était sûr, elle aussi était amoureuse de lui. Ça se voyait à la manière dont elle le cherchait du regard depuis la place de l'Église avant d'arriver au bistrot. Elle apparaissait toujours vers 11 heures, accompagnée de son père. Leurs minutes étaient comptées. Ils arrivaient par l'autobus de 9 h 45, remplissaient leurs paniers, buvaient un verre et repartaient par celui de 11 h 40. Chaque jeudi, Claude vivait vingt minutes de grâce, et cela valait des années de bonheur conjugal, pensait-il. Surtout en cette période d'après-guerre où l'on se réveillait en s'étonnant d'être encore vivant. Quand elle repartait, il ne vivait plus que pour le jeudi suivant.

Un jeudi matin, elle n'était pas venue, son père était seul. Claude avait pensé qu'elle était souffrante. Le jeudi suivant non plus. Le troisième jeudi, Claude osa demander au père s'il fallait préparer le verre de grenadine pour la demoiselle, ce à quoi le père répondit, Non, Marthe est partie travailler à Paris chez un notaire. Claude faillit s'évanouir : il la perdait le jour où il apprenait son prénom, cela le bouleversa doublement. Marthe ne revint jamais au café et les jeudis de Claude se mirent à ressembler aux autres jours de la semaine. Qu'il fasse beau ou qu'il pleuve n'avait plus aucune importance pour lui. Le verre resta longtemps dans un tiroir, puis, un jour de grand ménage, il rejoignit les autres verres sur les étagères.

Quand il a remarqué qu'Hélène ne portait plus la valise bleue, Claude a compris que c'était bien Lucien qui vivait dans la maison qu'on leur avait indiquée. Il avait insisté pour venir et pour qu'elle sache, mais en la voyant approcher, sa paire de chaussures neuves à la main, avec un air terriblement malheureux qui déformait les traits de son visage, il avait regretté.

Tous deux ont repris l'autobus, et Claude n'a posé aucune question à Hélène. Elle finirait par tout lui raconter quand ils rentreraient.

Sur le chemin du retour qui a duré plus de quatorze heures, Hélène a regardé le ciel à maintes reprises en lui répétant : Je ne comprends pas pourquoi la mouette ne revient pas avec moi. Elle n'a plus rien à faire là-bas.

*

Le jour de son retour de Bretagne, c'est le regard de Louve qui a le plus attristé Hélène. Comme si la chienne avait compris qu'elle ne verrait jamais son maître. Hélène redoutait le moment où elle se retrouverait face à son lit. Depuis l'arrestation, elle y avait toujours dormi avec l'espoir de Lucien, un espoir qui la tenait au chaud. Désormais, ses nuits seraient froides, même si Louve dormait à ses pieds.

Hélène n'a pas eu le cœur de vider la partie gauche de l'armoire où toutes les affaires de Lucien étaient suspendues dans le temps, pantalons, caleçons, gilets, eau de Cologne. Elle verrait plus tard. Pour l'instant, elle n'ouvrirait plus que la partie de droite, celle de ses robes.

*

Le soir même, Lucien a rangé la valise bleue derrière la commode de leur chambre. Edna lui en a voulu. LEUR chambre plutôt qu'une pièce annexe comme la cave, le grenier ou la remise. Il voulait garder près de lui cette Méditerranée qui avait été le témoin privilégié de l'autre amour. Au milieu de la nuit, Edna l'entendait se déchaîner. Comme un animal tapi dans un coin, un animal maléfique et cruel qui finirait par la noyer.

Pour se rassurer, elle avalait des comprimés de morphine et se racontait des histoires… Il n'est pas reparti avec elle, il a décidé de rester avec moi, c'est son choix, il m'a regardée tendrement avant-hier soir à 21 h 05, quand il m'a embrassée la semaine dernière avant de partir travailler, sa bouche a presque touché la mienne, il m'a souri au dîner, il y a dix jours, il m'a demandé si je n'avais pas froid et a posé un châle sur mes épaules avant même que je réponde. Edna consignait tous les signes de cet amour probable dans son carnet émotionnel.

Un dimanche matin, quelques semaines après la visite d'Hélène, Lucien a ouvert la valise bleue sur le lit. Il en a longuement observé le contenu sans le toucher. Edna l'épiait, cachée derrière la porte. Elle se disait que quand il en aurait terminé, elle changerait les draps. Puis il a sorti tous les livres de la valise, l'a refermée et l'a à nouveau rangée derrière la commode. Il a posé les livres par terre près d'un fauteuil, en a ouvert un premier au hasard, puis un deuxième et s'est mis à les lire tour à tour et à les relire chaque jour. Il devait y en avoir une vingtaine. Dont une dizaine de Georges Simenon.

À partir de ce jour-là, à peine était-il rentré du travail

qu'il retrouvait son fauteuil et ses livres. Il avait la tête d'un explorateur qui découvre une planète inconnue et qui cherche coûte que coûte les preuves d'une vie anté-rieure.

À partir de ce dimanche-là, Edna a cessé de se racon-ter des histoires.

*

Lucien revoyait Hélène dans l'embrasure de la porte. Il sentait son parfum de rose quand elle était entrée dans la maison. Petite femme gracieuse avec sa peau blanche, ses grands yeux et son ruban dans les cheveux. Il la revoyait, les lèvres tremblantes, s'accrochant à sa valise bleue comme au bastingage d'un bateau pour ne pas être emportée. Il ne revoyait qu'elle. Cela faisait six ans qu'il vivait aux côtés d'Edna dont il ne savait rien, dont l'abandon de soi semblait proscrit. Tout était retenu chez Edna, jusqu'à ses cheveux qu'elle tirait en un chignon impeccable. Alors qu'en quelques minutes, il lui avait semblé tout savoir de la Mouette. C'est ainsi qu'il la nommait en pensée puisqu'il ne connaissait pas son nom.

Tout. Il avait tout su d'elle dès qu'elle était entrée. Que le mot «délicatesse» était celui qu'elle préférait, qu'elle chantait en lavant la vaisselle parce qu'elle avait horreur de cela, qu'elle n'essuyait jamais les verres, qu'elle les faisait sécher sur le rebord de l'évier, qu'elle aimait faire l'amour au réveil, qu'elle était frileuse, qu'elle mangeait des pommes rouges, qu'elle portait des bas de laine, qu'elle aimait le vent, le soleil mais à l'ombre, les fêtes foraines, pisser dans l'herbe, rouler à bicyclette dans les flaques d'eau, jouer aux osselets, natter ses cheveux, la Suze, la couleur bleue, la pleine lune, nager, coudre, rire, marcher, rêver, le silence, les parquets qui craquent, l'eau chaude, la poudre de riz, les draps blancs, les robes noires, le parfum des roses, les bouquets de lavande dans les armoires, les grains de beauté, toucher les choses, qu'elle avait la gorge fragile, qu'au moindre coup de froid elle s'enrhumait, qu'elle avait de violents maux de tête et des règles douloureuses.

Tout. Pourtant, il ne se rappelait rien. Pas même d'où elle venait, ni même où ils vivaient. Car il avait vécu avec cette femme-là et, il en était certain, Edna le savait, pourquoi, il n'en avait aucune idée, mais elle savait, elle connaissait l'existence de la Mouette. Son regard sans cesse dérobé la trahissait.

La mouette du ciel était toujours là, comme une vieille amie, une ombre en plus les jours de soleil. Elle se posait souvent sur le toit de la maison et le suivait quand il partait travailler à la conserverie. Il n'aimait pas son travail, il puait trop le poisson. Il n'aimait pas sa vie. Il n'aimait pas sa sale gueule barrée par une cicatrice, qu'il rasait tous les matins dans le miroir de la salle de bains.

Seule Rose lui donnait le moyen de tenir. Rose, et les cigarettes dont il adorait avaler la fumée, le soir, en regardant un point fixe dans le ciel.

Un mardi après-midi où il avait quitté plus tôt le tra-

278

vail, sachant qu'Edna ne rentrerait pas avant le soir, il a ressorti la valise. Il a essayé les chemises blanches les unes après les autres en se regardant dans le miroir de la bonnetière. Dans le reflet de la glace, il n'a pas reconnu l'homme à qui elles avaient appartenu, mais il l'a envié.

*

Hélène a demandé à Claude d'écrire «À vendre» en noir sur un écriteau blanc. Avec du fil, des ciseaux et du ruban, elle a fabriqué une attache. Elle a accroché l'écriteau sur la porte du café. Claude lui a demandé si elle était sûre. Que deviendrait-elle après? Elle lui a répondu qu'elle repartirait à Clermain avec Louve, chez ses parents. Ils n'étaient plus tailleurs et avaient vendu leur boutique, mais elle trouverait toujours des travaux de couture. Claude s'en était encore plus voulu de l'avoir emmenée à l'Aber-Wrac'h. Il avait fini par croire au retour de Lucien encore plus fort qu'elle. Depuis des années, lui aussi pensait qu'un jour il rentrerait dans le bar et s'installerait derrière le comptoir comme si de rien n'était. Il avait fini par croire à la croyance d'Hélène comme si c'était la sienne. Ce voyage avait anéanti tout espoir de retour.

À Milly, la nouvelle de la vente du café du père Louis fit l'effet d'une bombe. La plupart des hommes s'étaient rassemblés devant la porte pour s'assurer que ce n'était pas une fausse rumeur: Hélène Hel, LEUR Hélène Hel, vendait LEUR café! Ils étaient tous là, les vieux, les jeunes, les retraités, les alcoolos, les actifs, les paysans, les courageux, les fainéants, les vétérans, les artisans, le curé, les ouvriers, les contremaîtres. Ce n'était pas possible. Comment pouvait-elle partir, les abandonner comme de vieilles chaussettes ? Qu'allaient-ils devenir sans elle, qui raccommoderait leurs pantalons et, les jours de la semaine, qui leur servirait à boire et à manger, qui les écouterait rabâcher, qui leur vendrait leur tabac, qui s'occuperait de Baudelaire, qui leur donnerait le tiercé dans l'ordre, qui leur sourirait comme elle souriait ? Ils avaient tous le sentiment de perdre le suc de leur matin, de leur midi, de leur fin du jour. Car rien n'était plus salutaire que ce jardin de bouteilles au milieu des tracas quotidiens, des soucis d'argent, des gosses, des femmes, du salaire qu'il fallait ramener, que de pousser la porte du café et de retrouver un vieux pote à qui raconter deux ou trois conneries. Le café du père Louis était le carrefour où ils se croisaient, se serraient la main, échangeaient sur l'usine, les livraisons, les bêtes, le patronat, les récoltes, les dernières nouvelles. L'hiver, il y faisait toujours chaud, Hélène elle-même veillait aux bûches. Et puis, ça sentait bon là-dedans : ou le fumet d'un plat unique servi à midi, ou une odeur de rose. Ce n'est pas parce qu'on se soûle un peu, que l'on n'aime pas le parfum des roses. La radio rythmait les secondes, les actualités, les chansons d'amour, une tasse ou un verre où tremper ses lèvres et la vie suivait son cours, plus légère, aussi légère qu'Hélène Hel, la femme idéalisée, qu'on aurait pu soulever du bout du doigt tant elle était menue.

Très vite, une terrible crainte traversa le village : qui

280

serait le futur repreneur ? Jamais il n'aurait les yeux clairs, jamais il ne les raccompagnerait chez eux les soirs de cuite, jamais il ne leur raccommoderait quoi que ce soit, jamais il ne veillerait au feu, jamais. Qu'on en sorte vainqueur ou vaincu, on perd toutes les guerres, mais ils ne perdraient pas Hélène. Et si ce « repreneur » transformait leur café en garage ou en mercerie ? Très vite, les consommateurs firent courir le bruit dans toute la région que quiconque mettrait les pieds au café du père Louis à Milly pour faire une offre d'achat à sa propriétaire le regretterait amèrement (et l'on ne retrouverait sans doute jamais son corps).

Personne ne s'y risqua. Et Hélène ne sut jamais pourquoi personne ne racheta son bistrot. Comme si son écriteau était invisible. Écriteau qu'elle avait dû changer trois fois à cause des intempéries et des malveillants qui l'avaient arraché.

Début 53, Hélène finit par demander à Claude d'écrire « À vendre » sur la vitre de la porte mais cela ne changea rien, elle ne reçut aucune proposition.

Dans un premier temps, Claude avait écrit « À vendredi », sachant qu'Hélène ne s'en apercevrait jamais. Puis, pris de remords, il avait passé de l'essence de térébenthine sur le « di ».

*

— Justine, il est minuit. Il faut rentrer.
La voix de pépé me ramène au présent.

Je referme le cahier bleu juste après avoir embrassé Hélène. Je ne sais pas si elle m'entend lire sa vie.

Dans le couloir, Roman, Clotilde et Rose sont là. Je leur présente pépé. Roman me dit :

— Janet Gaynor a eu un oscar pour trois films, *L'Heure suprême*, *L'Ange de la rue* et *L'Aurore*. À l'époque, on pouvait récompenser la même actrice pour plusieurs rôles.

J'aurais préféré qu'il me dise, Justine, je vous aime et Clotilde n'a jamais existé. C'était une mauvaise blague. Et ce n'est pas Hélène qui est dans cette chambre, c'est un sosie. Hélène est partie faire un trekking au Népal.

Pour l'oscar de Janet Gaynor, je le savais déjà. Je sais même que les animateurs de Walt Disney se sont inspirés de son visage pour créer le personnage de Blanche-Neige. Je lui dis juste :

— Au revoir.

Il est une heure du matin. Et comme si le ciel rendait hommage à Janet, il neige un peu. Les essuie-glaces grincent. Pépé conduit à deux à l'heure.

— C'est toi qu'as éclit ce que tu lisais à madame Hel ?

— Oui.

— C'est bien.

— Merci.

J'ai envie de dire à pépé que je l'ai écrit pour le petit-fils de madame Hel dont je suis raide dingue, j'ai envie de lui dire que je suis allée en Suède et que

Magnus m'a tout raconté, j'ai envie de lui dire que sur le toit des *Hortensias* il y a une mouette, j'ai envie de lui dire que je couche avec Je-ne-me-rappelle-plus-comment, j'ai envie de lui dire qu'un jour je suis rentrée trop tôt à la maison et que j'ai trouvé mémé habillée en plombier, j'ai envie de lui dire que Patrick et Jo s'aiment d'amour, mais au lieu de ça, je fais semblant de dormir.

Derrière mes paupières closes, les visages de Clotilde et d'Hélène se confondent. De temps en temps, j'ouvre les yeux pour observer le profil de pépé qui s'éclaire quand on traverse un village ou qu'on passe près d'un réverbère. Je ne pense qu'à Roman qui est marié et à Hélène qui s'approche de la fin. Je pense au désert qui m'attend au tout prochain virage. Et lui ? À quoi pense-t-il, mon pépé ? Ce pépé qui ne dit jamais rien. Qu'elle est revenue ?

Annette est revenue pour se marier avec Alain Neige le samedi 13 février 1985 à 15 heures à l'église de Milly. Il y avait des fleurs blanches dans ses cheveux blonds. Armand n'a vu que cela : une couronne de fleurs blanches. Il n'a pas vu la beauté de Sandrine accrochée au bras de Christian, il n'a pas vu Magnus emmener Annette, tremblante, vers l'autel, il n'a pas entendu les consentements mutuels, il n'a pas vu Eugénie essuyer une larme, il n'a pas entendu *Imagine* de John Lennon, après l'échange des alliances. Il a passé la journée dans un champ de fleurs blanches accroché à des cheveux.

Il ne saurait dire si, en quittant l'église, ils ont

rejoint la maison à pied ou en voiture. S'il faisait froid ou très froid pour un mois de février. S'ils ont fait chanter les voitures en klaxonnant. Les mariés portaient la même tenue. Armand détestait qu'Eugénie les habille de la même façon quand ils étaient petits. Mais ce 13 février 1985, il n'a pas prêté attention à ce détail.

Ils étaient quinze autour de la table de la salle à manger : Armand, Eugénie, Christian, Sandrine, sa mère, Alain, Annette, ses parents Magnus et Ada, le frère d'Annette et quelques amis des mariés.

Eugénie avait demandé à Armand de pousser les meubles. Pour l'occasion, elle avait mis une nappe blanche. Armand disait oui, Armand disait non, Armand souriait, Armand servait des verres de champagne, ou peut-être était-ce autre chose.

Ils ont mangé le fameux couscous de la mer. Eugénie avait commencé à le préparer la veille. Elle avait passé une partie de la nuit à égrainer la semoule comme le lui avait appris son amie Fatiha.

Magnus a fait quelques photos avec l'Instamatic de Christian. Puis ils ont dansé. D'abord les vieux, qui n'étaient pas tellement vieux, ensuite les jeunes, qui n'étaient plus tout à fait jeunes. Christian et Alain avaient enregistré des cassettes pour leur mariage. Des cassettes que Jules a toujours dans un des tiroirs de son bureau.

Quand les vieux se sont rassis, Alain a passé l'album de Prince *Sign o' the Times*.

Ensuite, ils ont mangé une pièce montée qu'Annette et Sandrine ont découpée ensemble. Sur le sommet, quatre figurines en plastique représentant les jeunes mariés s'enlaçaient.

Annette a décroché un des couples en plastique et a léché la crème et le caramel sous leurs pieds.

En fin d'après-midi, les mariés un peu éméchés sont montés faire une sieste sans leurs femmes qui sont restées en bas avec les invités. Eugénie est retournée en cuisine pour préparer une grande soupe à l'oignon. Ada et Magnus l'ont aidée. Pendant ce temps, Annette a mis *Angie*, des Rolling Stones, puis elle a invité Armand à danser.

Pendant *Angie*, contre son corps, il a pensé, Je disparais. Il y a des gens qui partent, qui disparaissent du jour au lendemain. J'ai déjà vu ça dans une émission. Pendant *Angie*, il a senti sa petite main s'agiter comme un oiseau dans ses doigts. Il a ouvert la main, elle s'est échappée. La chanson était terminée.

La couronne de fleurs est tombée par terre. Armand l'a ramassée.

Annette s'est mise à pleurer et à rire en même temps, la morve coulait sur ses lèvres, elle reniflait en parlant suédois, et jamais Armand n'avait vu quelque chose d'aussi beau que cette morve qu'elle essuyait du revers de la main. Magnus est sorti de la cuisine, il a pris sa fille dans ses bras et l'a cajolée. Ensuite, elle est allée s'enfermer un long moment dans les toilettes. Personne ne s'en est aperçu, sauf Armand. Tout le monde a cru qu'elle était montée rejoindre son mari.

Pendant qu'ils mangeaient la soupe à l'oignon et qu'Alain racontait des blagues qui faisaient rire tout le monde, surtout son frère, Armand est allé dans les toilettes à son tour. Annette venait juste d'en sortir. Elle avait trituré des magazines de vente par correspondance et jeté des kleenex dans la petite poubelle liberty. Ils étaient encore tout imprégnés de larmes. Armand les a tous mis dans sa poche pour enfermer le chagrin d'Annette.

Il est resté debout devant les chiottes un long moment. Il aurait voulu rester là jusqu'à sa mort. Les deux mètres où elle venait de passer une heure lui feraient un caveau inespéré.

Il a baissé son pantalon et s'est assis sur la cuvette encore chaude. Il ne s'attendait pas à cette chaleur. Celle qu'elle avait laissée derrière elle. Il a fermé les yeux et s'est mis à pleurer.

55

1953

Il pleut ce matin. Hélène a les yeux gonflés par le chagrin. Il fait froid. Elle couvre ses épaules avec son châle. Met du bois dans le poêle.

Elle ouvre la porte du café à 6 h 30. Elle regarde l'inscription «À vendre». La peinture s'abîme et toujours personne pour acheter. Elle jette un coup d'œil machinal en direction du ciel. Elle n'attend plus Lucien mais sa mouette.

Comme chaque matin, Baudelaire est le premier client. Avec les années, il s'est voûté. Il avance en regardant le sol, récitant inlassablement ses poèmes comme s'il les lisait par terre.

À 7 heures, les ouvriers de l'usine de textile viennent boire un café. Ils sont silencieux. Les mêmes reviennent à la pause, bavards, à midi pile.

À 8 heures, ils sont tous rentrés.

Vers 9 heures, arrivent les retraités, ceux qui jouent aux cartes près du poêle et qui repartent vers 11 h 30,

*juste avant que la première équipe d'hommes – celle qui
fait 4 heures-midi – ne débarque.*

*Hélène allume le grand transistor qui se trouve près
du percolateur sur lequel sourit Janet Gaynor. Elle
cherche Louve machinalement, se rappelle qu'elle est
morte hier soir, juste après la fermeture, comme si elle
avait attendu pour ne pas déranger. Hélène se cogne
contre sa gamelle d'eau, la jette. Elle a le sentiment
d'avoir perdu une petite sœur silencieuse. Elle a mal.*

*Elle entend le train de 10 heures entrer en gare. La
gare n'est qu'à cinq minutes à pied en marchant doucement. Les voyageurs sont les seuls clients qui ne soient
pas des habitués. Il leur arrive d'entrer au café pour se
réchauffer en attendant une correspondance. Ce matin,
ils sont cinq.*

*Ils entrent en même temps que Claude. Claude s'ap-
proche d'Hélène et lui demande si ça va. Elle lui fait
signe que oui, que ça ira. C'est lui qui a enterré Louve la
nuit dernière. Maintenant que le petit Claude est arrivé,
elle va pouvoir reprendre sa place derrière la machine à
coudre dans la remise.*

*À midi, elle revient l'aider. C'est l'heure où il y a le
plus d'hommes. Ils se croisent comme sur les quais d'une
gare. Il y a ceux qui s'apprêtent à pointer et ceux qui
rentrent chez eux. Les retraités qui partent déjeuner, les
agriculteurs, les maçons et les livreurs qui font une pause.*

*Après leur départ, Hélène a l'habitude d'ouvrir
grandes les portes pour aérer. L'odeur du tabac froid
lui rappelle le jour où les Allemands ont tué Simon et
emmené Lucien.*

Simon, le doux parrain de Lucien. Celui derrière lequel se cache Lucien. Pourquoi Lucien se fait-il appeler Simon ?

Hélène a gardé son violon, son chapeau et ses partitions au cas où quelqu'un viendrait les lui demander. Ils sont rangés sur une étagère dans ce qui lui sert d'atelier. Parfois, elle essaie de jouer quelques notes, de faire grincer l'archet sur les cordes. Les sons qu'elle en tire ressemblent à des cris de bête prise au piège.

Elle repense souvent au sourire de Simon. Et aux inscriptions sur son front, aussi, mais moins. Ce qu'elle veut garder de lui est son sourire. Elle n'a jamais su où Simon avait été enterré le jour de son exécution. On lui a tout dit et n'importe quoi : derrière l'église, dans un pré où de nombreux ossements humains ont été découverts en 1949, vers le QG allemand de l'époque, là où elle s'est rendue à vélo, dans un fossé sur une route en contrebas de Milly où, paraît-il, les officiers allemands recouvraient les cadavres de chaux aérienne avant de les enterrer. Elle aurait voulu le ramener en Pologne, parmi les siens.

Le train de 13 h 07 entre en gare. Il ne pleut plus et le soleil caresse la façade du café.

Alors qu'elle s'apprête à repartir dans la remise pour terminer la confection d'un veston compliqué, une cliente la retient dans le café – une histoire d'ourlet de pantalon, un mari qui a une jambe plus longue que l'autre. Grâce à sa couture, des femmes entrent de plus en plus souvent au café. Et pas que le dimanche. Et pas que des jeunes femmes. Les premières années, les femmes venaient le dimanche matin porter leurs retouches au café en sortant de la messe. Mais maintenant, elles viennent à toute heure et prennent le temps de s'asseoir pour boire un verre quand elles se retrouvent entre amies.

Claude installe les chaises sur la terrasse, il fait bon pour un mois d'octobre.

Hélène traverse la place pour raccompagner Baudelaire chez lui, il a mal à la tête. Elle n'aime pas qu'il rentre seul. Elle ouvre les volets, aère, nettoie sa cuisine, refait son lit, prépare du café.

Quand elle revient, elle la voit. D'abord, une ombre blanche. Elle sent son cœur s'emballer : sa mouette est posée sur le toit.

Hélène ne bouge plus.

Sur la place de l'Église, à quelques mètres de la porte du café, une petite fille lance un palet et sautille sur un pied dans une marelle imaginaire. Elle fredonne une chanson de Dalida, Bambino. « Je sais bien que tu l'adores, bambino, bambino, et qu'elle a de jolis yeux, bambino, bambino. »

L'enfant est trop jeune pour se rappeler les paroles mais elle connaît l'air. Elle invente.

Le soleil qui se reflète dans les vitres du bar empêche Hélène de voir les clients qui se trouvent à l'intérieur.

Elle tremble. Ses yeux vont de l'enfant à la tache blanche posée sur le toit.

« Il » est là. Il est revenu.

Hélène pose un pied devant l'autre jusqu'à ce qu'elle

arrive sur le perron. Il lui semble qu'elle marche pour la première fois.

Est-il de passage ? A-t-il fait 800 kilomètres pour boire un verre ? Est-il venu lui demander des comptes ? Est-il revenu pour une heure, une semaine, pour toujours ?

Comme elle regrette de ne pas s'être faite belle ce matin et de porter cette robe un peu usée. Comme elle regrette d'avoir pleuré la mort de Louve toute la nuit et d'avoir les yeux cernés. Comme elle regrette d'avoir des idées aussi idiotes.

Elle enlève son tablier.

Cet instant, elle l'a imaginé de mille façons, le jour, la nuit, le soir, l'hiver, le midi, le dimanche ou l'été, mais jamais elle n'a imaginé qu'elle serait à l'extérieur du café, et lui à l'intérieur. Que ce serait elle qui pousserait la porte, et non pas lui. Elle a imaginé qu'elle courrait, qu'elle se jetterait dans ses bras, qu'il la ferait tournoyer dans les airs, que tout éclaterait : la splendeur et la joie. Pourquoi les choses arrivent-elles toujours quand on ne les attend plus ? Pourquoi tout est-il une question de moment ?

Elle entre dans le café. Le cherche du regard. Il est assis près de la fenêtre, les jambes croisées, comme un client dans son propre bistrot. Il porte un pull à col roulé noir et un pantalon noir. Il est habillé comme un veuf, alors qu'elle est là, bel et bien vivante. Il incline légèrement la tête pour regarder la petite fille qui joue à la marelle, Hélène remarque la valise bleue posée à ses pieds. Il fume. Lucien n'a jamais fumé. La lumière du soleil et les volutes de cigarette l'enveloppent d'un halo qui intensifie l'irréalité du moment. Il pose ses yeux bleus sur elle.

*

Edna n'a plus peur du portrait de Lucien Perrin depuis qu'elle a dit la vérité à Hélène Hel. Elle a quitté l'établissement scolaire pour réintégrer un hôpital. Retrouver ceux qui ont vraiment besoin d'elle.

Dans la chambre 1, un patient est en train de mourir, il ne passera sans doute pas la nuit. Il s'appelle Adrien Moulin, il est jeune, vingt-cinq ans le mois prochain. Edna appuie sur une pompe qui réinjecte de la morphine dans ses veines. Elle voit ses traits se détendre, imperceptiblement, ou peut-être n'est-ce que le fruit de son imagination. Elle trace un signe de croix sur son front.

Edna observe la mort s'installer en Adrien Moulin sans aucune pudeur, un peu comme ces touristes qui envahissent les plages du Finistère au mois d'août. Sa peau blanche et cireuse ne renvoie déjà plus la moindre étincelle de vie et ses clavicules sont tellement saillantes qu'on pourrait se couper rien qu'en les frôlant.

Edna en a vu, des hommes mourir. Et même ressusciter, comme le sien.

Tard dans la nuit, en rentrant chez elle, Edna prend place dans un fauteuil près du poêle. Elle n'a pas le courage de monter dormir dans sa chambre, près de cet homme et de la valise bleue rangée derrière la commode.

Elle attend qu'il soit 6 heures du matin avant de le

rejoindre. Elle le regarde dormir, puis elle pose sa main sur son épaule. Il ouvre les yeux, ne la reconnaît pas tout de suite, trop occupé qu'il était avec Hélène dans son sommeil.

Edna lui dit, Suis-moi. Suis-moi comme tu m'as toujours suivie depuis la gare de l'Est.

*

Ce jour-là, au fur et à mesure que les clients sont entrés dans le café, ils ont dit, C'est lui, non ce n'est pas possible, je vous dis que c'est lui, non, et ceux qui ne l'avaient pas connu avant la guerre, questionnaient les anciens, C'est qui, lui? Et ceux qui en avaient entendu parler disaient que son nom était gravé sur le monument aux morts, que c'était sans doute un imposteur.

Baudelaire est revenu au café, l'a observé, s'est assis à sa table et lui a récité «L'étranger»:

— Qui aimes-tu le mieux, homme énigmatique, dis? ton père, ta mère, ta sœur ou ton frère?

— Je n'ai ni père, ni mère, ni sœur, ni frère.

— Tes amis?

— Vous vous servez là d'une parole dont le sens m'est resté jusqu'à ce jour inconnu.

— Ta patrie?

— J'ignore sous quelle latitude elle est située.

— La beauté?

— Je l'aimerais volontiers, déesse et immortelle.

— L'or?

— Je le hais comme vous haïssez Dieu.

— Eh ! Qu'aimes-tu donc, extraordinaire étranger ?

— J'aime les nuages... les nuages qui passent... là-bas... là-bas... les merveilleux nuages !

56

— Pépé ?
— Hum.
— C'est quoi le plus beau Noël de ta vie ?

Nous ne sommes plus qu'à 3 kilomètres de Milly. Nous avons mis trois heures pour rentrer de l'hôpital.

Son profil est plongé dans l'obscurité. Il regarde la route, fixement. Ce n'est plus de la neige qui tombe sur le pare-brise mais quelque chose comme du verglas.

Je sens qu'il se raidit à cause de la question que je viens de lui poser. Puis il laisse venir. Je ne sais pas ce qu'il laisse venir mais je vois ses épaules se relâcher.

J'ai posé cette question pour lui faire du mal. Pour me venger. Pour venger ma famille. Pour le bruit qu'il n'a jamais fait en gardant son silence de merde. Son amour sous cloche. Je suis une petite-fille qui lui pourrira toujours la vie avec ses questions à la con. Et lui la mienne parce qu'il ne me répondra jamais.

— Tu peux me ramener à l'hôpital demain ?
— Si tu veux.

Pépé rentre la voiture au garage. Jules débarque dans les phares.

— Alors ?

— Commotion cérébrale.

Jules marque un temps d'arrêt.

— Elle va mourir ?

— Je ne sais pas... sûrement.

Je regarde pépé regarder Jules.

— Qu'est-ce que tu fais encole debout à cette heule-là ? demande pépé à Jules.

— Je vous attendais.

— T'as école demain.

— Armand, on est en pleines vacances scolaires, là, je te rappelle que demain c'est Noël.

Pépé grimace à l'évocation du mot «Noël». Puis il se referme comme une huître.

Jules me serre dans ses bras. Il fait au moins trois têtes de plus que moi.

— T'es triste ?

— Non. Lucien l'attend là-bas.

Il me lâche aussitôt.

— Tu parles, personne n'attend personne nulle part. C'est des conneries tout ça. Quand t'es mort, t'es mort. Ces histoires, c'est fait pour rassurer ceux qui ratent leur vie... Y a pas de seconde chance, Justine... C'est tout de suite ou jamais. C'est pour ça qu'il faut que tu bouges ! Que tu te tires de ce bled.

Je n'ai pas envie de répondre à Jules. Je n'ai plus envie de répondre à personne.

Lucien attend Hélène quelque part et Roman est

marié avec un prénom très moche. Mais il n'y a que le prénom de moche, le reste est sublime. J'ai même plus envie d'écrire pour Roman parce que je suis sûre qu'il va faire lire le cahier bleu à sa femme. Et ce cahier, je ne l'écris pour personne d'autre que lui.

— Tu dors avec moi ? me demande Jules.

— Si tu veux… mais il faut que je finisse d'écrire un truc, faudra pas m'embêter.

— Tu m'as acheté quoi pour Noël ?

— Je ne te le dirai pas, même sous la torture.

— Je ne te donne pas une heure pour tout m'avouer.

Le 24 décembre 1989 à 18 heures, un bonnet sur la tête, Annette a dit à Eugénie qu'elle partait faire une petite course en vitesse au supermarché.

Eugénie, les mains dans la farce, a insisté pour qu'Armand l'accompagne, d'ailleurs elle avait préparé une liste pour lui : *Dépêchez-vous, avant que la supérette ne ferme !*

Pour une fois, Armand n'a pas cherché de prétexte pour éviter Annette, peut-être parce que les cheveux blonds de la jeune femme étaient cachés sous ce bonnet, ça lui a fait l'effet d'un paratonnerre.

Et puis il faisait nuit, il faisait froid, c'était la fin d'une année, une année à essayer de ne pas penser à elle, une année à redouter ses visites, une année à l'éviter, à faire des heures supplémentaires à l'usine, une année de plus. Il était fatigué.

Annette a voulu y aller à pied. Armand a dit

que non, ils allaient prendre la voiture. Armand a démarré, il a mis le chauffage sur «maximum». Annette a allumé la radio. A changé de station. Il y a eu une chanson d'Étienne Daho, *Tombé pour la France.*

Annette a demandé à Armand ce que voulait dire «tombé pour la France». Armand a répondu que c'était en rapport avec un acte civil, quelque chose d'héroïque, de militaire. Annette a dit que le garçon qui chantait n'avait pourtant pas une voix de militaire. Cette remarque a fait sourire Armand.

En l'espace de quelques secondes, il a pensé, Je l'enlève, je ne demande surtout pas de rançon et je ne la rends jamais à personne. Mais il a dit : *Tu as besoin de quoi au magasin ?*

Elle a répondu, *D'un truc de fille.*

Il s'est senti vieux. Elle, c'est une fille, et moi, je suis vieux. Et c'est la femme de mon fils.

Il s'est garé.

Il n'a pas pu s'empêcher de regarder la buée qui sortait de sa belle bouche quand ils se sont retrouvés sur le trottoir. L'empreinte de son souffle dans le froid.

Dans la vitrine, ils ont vu leurs silhouettes côte à côte se refléter sur la liste des articles de Noël en promotion. Il a pensé que son ombre avait l'air plus jeune que lui. Il a pensé qu'il se sentait vieux, mais qu'il ne l'était pas.

Ils sont entrés dans la supérette qui est fermée depuis. Maintenant, c'est un garage. Pas un garage où on vend des voitures, non, juste un garage où on fait des vidanges, change des pièces, vérifie la pression des pneus.

Ils sont donc entrés, ils étaient les derniers clients. Après eux, la supérette allait fermer. Chacun avait son réveillon à préparer.

Armand a lu la liste qu'Eugénie avait écrite sur une chute de papier-cadeau : gros sel, champignons de Paris entiers, cotons-tiges. Qu'est-ce qu'elle avait besoin d'acheter des cotons-tiges le soir du réveillon ?

Dans un rayon, Armand a croisé Annette qui avait l'air de se poser beaucoup de questions devant les boîtes de tampons hygiéniques.

Armand a rougi. Les serviettes et autres trucs de sa femme étaient rangés au fond d'un tiroir dans la salle de bains et au fond du caddie quand ils faisaient les courses.

Eugénie avait dit à Armand qu'Alain et Annette essayaient désespérément de faire un bébé. Il a eu le temps de penser qu'Annette devait être triste. Embarrassé, il est retourné fissa vers le rayon des condiments. Il a fini par trouver le gros sel et a payé.

En quittant la supérette, Armand a dit : «Joyeux Noël» à la caissière. Il n'avait jamais dit ce genre de chose. Il n'avait jamais été un type sympa.

Annette l'attendait déjà dans la voiture. Elle s'était dépêchée de payer ses tampons pour qu'il n'ait pas à rougir comme un bêta à la caisse, une fois de plus. Elle avait enlevé son bonnet. Quand elle l'a vu arriver, elle lui a souri. Il n'a pas eu envie de monter dans la voiture. Il s'est entendu se dire, Tire-toi et cours très vite. Devant lui, la grand-rue et l'église étaient plongées dans l'obscurité.

Armand est remonté dans sa voiture. A mis le contact, a tourné le bouton du chauffage sur «maximum», a jeté le sac de courses sur le siège arrière. Il a desserré le frein à main, a soufflé sur ses doigts et l'a embrassée au lieu de démarrer. En l'embrassant, il a caressé ses cheveux avec les deux mains et a glissé sa langue dans sa bouche. Le palais d'Annette, un champ de fraises. Il a fermé les yeux pour mieux la voir. Elle s'est penchée vers lui. Le baiser d'Annette lui a rappelé les bonbons acidulés qui éclatent entre la langue et le palais et laissent un parfum de fruit dans la bouche. Il en piquait aux jumeaux quand ils étaient petits.

57

Edna ne ressent rien. Elle n'a ni chaud ni froid.

Elle a repris le train de 14 h 03 pour Paris. Elle vient d'abandonner Rose, Lucien et son sac au café du père Louis.

Tout est rentré dans l'ordre.

D'une heure à l'autre, voilà Edna veuve et sans enfant.

Veuve d'un homme qui n'a jamais existé.

Un enfant sans mère est un orphelin. Mais comment appelle-t-on une mère sans enfant ? Mère d'un enfant qui n'est pas le sien.

Edna a aimé un homme qu'elle a emprunté à la vie. Pendant quelques années, elle a passé le chiffon sur les empreintes d'une autre, sans jamais réussir à les effacer. À présent, elle va purger sa peine.

Étrangement, Edna n'est ni triste ni heureuse. Elle est remplie d'air. Comme ce ballon que Rose tenait par une ficelle il n'y a pas longtemps à la fête foraine. Vide de sentiments.

En pensant aux yeux clairs de sa fille, il lui semble

qu'une larme coule sur sa joue et qu'elle finit sa course sur l'ourlet de sa lèvre supérieure. Edna l'avale. Un ballon à l'intérieur duquel coule une larme.

Quand elle arrivera à Paris, et qu'elle descendra du train, elle coupera la ficelle qui la retient ici-bas et s'envolera très loin. Non sans avoir au préalable remercié le ciel de lui avoir fait un si beau cadeau, un jour, gare de l'Est.

58

En arrivant sur le parking de l'hôpital, je la cherche du regard, comme hier. Cette fois, je la repère très vite. Elle est posée sur le toit de l'aile droite entre une verrière et un Velux. Près d'elle, il y a d'autres oiseaux. Des oiseaux de toutes les espèces, éparpillés entre les arbres, le ciel, les chêneaux et le faîtage.

Les visites sont autorisées à partir de 14 heures. Rose est à l'accueil. J'espère que Roman et sa femme, non. Mon Dieu, faites que je ne croise plus jamais Clotilde de ma vie.

Rose est plantée devant une machine à café qui a plutôt l'air de faire du thé à en juger par l'aspect du liquide contenu dans son gobelet. Elle sourit quand elle nous voit arriver pépé et moi. Pépé, comme à son habitude, prétexte un passage aux toilettes pour se débarrasser des salutations. Rose me tend une enveloppe.

— Tenez, c'est pour vous.
— Qu'est-ce que c'est ?
— Une lettre.

— Quelle lettre ?

— Vous verrez… Roman m'a dit que vous étiez en train d'écrire l'histoire de mes parents. Cette lettre vous intéressera.

Je glisse l'enveloppe dans mon sac.

— Comment va-t-elle ?

— Elle est toujours dans le coma.

Je me mets à espérer. Alors que tout porte à croire que c'est fini. Hélène va revenir aux *Hortensias* et regarder le paysage depuis son fauteuil. Roman reviendra me prendre en photo et pour une fois je serai bien coiffée. Rose me regarde rêver. Elle finit par me dire :

— Je m'en vais. J'ai mon train à prendre.

Elle jette son gobelet à moitié plein dans une poubelle. Je n'ose pas lui demander si Roman et sa femme sont là.

Je prends l'ascenseur. À l'intérieur, il y a un couple de petits vieux. Ils se tiennent par la main. Je ne sais pas pourquoi, mais je me mets à penser que les gens pleurent moins quand c'est un vieux qui meurt. Ils disent que c'est comme ça, que c'est la vie. Alors, pourquoi suis-je en train de pleurer ?

Tout comme hier, je me trompe d'étage. Je cherche un couloir que je ne trouve pas. Je passe des portes battantes en espérant qu'il n'y aura pas Roman derrière, des couloirs qui n'en finissent pas. Il y a des guirlandes partout. Avec la lumière des néons, c'est étrange. Ça me rappelle ces caissières affublées d'un bonnet de Père Noël en décembre dans les grands magasins. Bref, y a des mariages qui ne collent pas.

Je prends un autre ascenseur et quand, enfin, la porte s'ouvre sur le bon cinquième étage, je tombe nez à nez avec Je-ne-me-rappelle-plus-comment. Il porte une blouse blanche. C'est la première fois que je le vois bien habillé.

Les stylos glissés dans sa poche extérieure m'empêchent de lire son nom inscrit sur l'étiquette « Hôpital public ». Au début, j'ai tellement de mal à recoller les morceaux que je reste sans voix.

— Justine ?

— Qu'est-ce que tu fais là ?

— Je suis interne ici.

— Ah…

— Et toi ?

— Je viens voir… une amie.

— Tu pleures ?

— Un peu.

— Tu vas bien ?

— Oui.

— Tu es sûre ?

— …

— Je t'ai laissé à peu près (il réfléchit) quarante messages.

— Je suis désolée…

— C'était bien Stockholm ?

— Très froid.

— Si tu as besoin d'être réchauffée.

Il m'embrasse sur la bouche et disparaît dans l'ascenseur. Il vient de m'embrasser sur la bouche et je ne sais même pas comment il s'appelle… D'abord les cheveux, ensuite la bouche. Si ça se trouve, je vais finir par découvrir que nous sommes mariés.

Je n'ai pas eu ses messages. Je ne sais même pas où se cache mon portable. La dernière fois que je l'ai vu, je crois que c'était dans le tiroir du buffet sur lequel les frères Neige sourient à l'objectif, leurs femmes respectives collées à l'épaule.

La femme de la chambre 588 ne ressemble en rien à celle dont je tiens la main chambre 19 aux *Hortensias* depuis trois ans. D'elle, il ne reste plus rien. On ne distingue même plus son corps sous le drap. Depuis hier, elle a encore rétréci.

J'ouvre le cahier bleu. Et recommence à lui lire sa vie :

Ils vivaient comme frère et sœur. Hélène dormait dans ce qui avait été leur chambre et Lucien dans une autre.

Hélène avait trouvé Lucien changé. La jeunesse de son regard s'était évaporée. La guerre avait opéré en lui une sorte de soustraction générale. Elle ne regrettait pas de l'avoir attendu, mais il l'avait déçue. Elle lui en voulait de ne plus être superbe et d'avoir tout oublié. Même la cicatrice qu'il portait sur le visage comme un mot d'excuse ne l'excusait pas. Mais cette façon qu'il avait de ramener sa lèvre inférieure sur la supérieure quand il lisait son journal, cette vieille habitude, elle l'adorait. La guerre n'avait pas abîmé ses gestes, ni sa démarche. Et puis, Lucien serait toujours celui qui lui avait appris à lire.

Et aujourd'hui, il lui offrait une fille. L'enfant qu'elle avait tant espéré avant la guerre. Cet enfant qu'elle n'attendait plus. Hélène n'avait pas eu à aimer Rose le jour de son arrivée, parce qu'elle l'aimait déjà. Quand elle l'avait prise dans ses bras, elle avait reconnu son odeur, sa peau, son haleine, ses cheveux, sa voix, ses ongles. Elle avait le sentiment de la connaître depuis toujours. Comme une continuité, une suite, une même entité, un organe ou un membre rattaché à soi. Hélène n'avait rien forcé, Rose avait été son évidence.

Le matin, ils ouvraient toujours le café à 6 h 30.

À 8 heures, Hélène emmenait Rose à l'école en lui faisant promettre que si elle avait le moindre chagrin, elle le lui dirait. Rose promettait.

Ensuite, Hélène rentrait et se mettait derrière sa machine à coudre, tandis que Lucien servait les clients. Il y en avait toujours un pour lui raconter comment étaient les choses avant son arrestation. Et Lucien écoutait des hommes au nez grêlé évoquer sa jeunesse bien qu'il soit toujours jeune.

Hélène n'étant plus veuve, certains clients désertèrent le café après le retour de Lucien. Venir boire un coup n'était qu'un prétexte pour la regarder et espérer. D'autres se mirent aussi à les toiser. À éviter de passer sur le trottoir de ce bistrot malfamé, où vivait un couple aux mœurs légères. Rose devint « la pauvre gosse », Hélène « la putain », le petit Claude « l'amant » et Lucien « le déserteur ».

Quand Claude avait proposé à Hélène de partir maintenant que Lucien était de retour, elle lui avait répondu,

Reste, il n'est pas vraiment rentré. Hélène n'aurait pas pu se séparer de Claude, il faisait partie intégrante du café. Donc de sa vie. À ses yeux, il était aussi important que le soleil qui éclairait les bouteilles et les verres à travers les baies vitrées, le parquet, les visages, de mars à octobre.

Claude arrivait chaque jour à 10 heures pour aider Lucien à préparer le coup de feu de midi, quand les ouvriers de l'équipe du matin débarquaient tous en même temps. Claude était l'oncle d'adoption de Rose. Il était celui qui savait où était rangé chaque objet, dans la maison, sous le bar, dans les tiroirs, les chambres, les rayonnages, à la cave, sur l'établi. Il était celui qui savait quelle latte de parquet grinçait, où se trouvaient les compteurs, les bidons d'huile, les ampoules, les arrivées d'eau, les clés, la trappe pour accéder au grenier, le charbon, la cuve à fioul, le désherbant, les clés à molette, les réserves de bière, la robe bleue de la poupée de Rose, comment fonctionnait chaque appareil, où donner le petit coup de pied magique pour relancer une machine. Celui qui connaissait les forces et les faiblesses de chaque mur, sol, tuyauterie, client, joueur de l'équipe de foot locale.

En fin d'après-midi, Lucien allait chercher Rose à l'école. Ils rentraient, main dans la main, au bistrot. Hélène lui donnait son goûter. Plus tard dans la soirée, Lucien surveillait ses devoirs. Hélène était très malheureuse de ne pouvoir participer à ce rituel, Lucien le voyait, mais il faisait comme s'il ne s'en apercevait pas pour ne pas la blesser plus.

Ils dînaient tous les trois. Rose racontait l'école, Hélène, sa couture, et Lucien, les clients. Parfois, leurs histoires se mélangeaient.

*

Hélène avait commencé par raconter des généralités à Lucien. Un peu comme on lit les nouvelles à quelqu'un dans un journal. Son père non voyant, sa mère qui les avait quittés, le braille, Bach, les mariages, le père Louis, l'arrestation, Simon, le baptême, le tirage au sort, les gens du village, l'après-guerre, le monument aux morts, la couture, Louve, les années, les fêtes, l'attente, l'été en terrasse, le petit Claude, la mode qui avait changé, Royallieu, Buchenwald, les mines de Dora, la gare de l'Est, la lettre, le portrait, la visite d'Edna au café.

Lucien la croyait sur parole, mais il ne se rappelait pas. Il l'écoutait lui parler de sa vie, aimait le timbre de sa voix, son regard, la façon dont elle s'essuyait tout le temps les mains sur sa robe sans qu'elles soient mouillées. Il voyait sa beauté, mais ne la ressentait plus. Rien ne lui donnait le chemin à prendre pour la retrouver. Parfois, il avait envie de toucher ses cheveux, son visage, pour savoir. Mais jamais il n'aurait osé. Il voulait redécouvrir la femme à qui il avait écrit en braille sur des morceaux de papier à Buchenwald.

Les gestes d'autrefois, il les avait retrouvés derrière le bar. Les gestes se souvenaient de lui mais sans lui.

De l'intimité, il ne lui restait plus rien.

Il ne parvenait plus à ressentir la moindre joie. Mais

une profonde paix intérieure l'envahissait. C'est d'ail-
leurs en cela qu'il s'aperçut qu'Edna ne lui manquait
pas.

Au contraire. Il fut soulagé. Soulagé de ne plus être
sous surveillance. D'échapper à son regard scrutateur.
Cette façon qu'Edna avait de guetter les traces d'avant
l'avait emmuré dans ses peurs. Vivre au café du père
Louis l'avait libéré.

Hélène ne le guettait jamais, Hélène ne se cachait
pas derrière les portes, Hélène ne fouillait pas dans ses
affaires, Hélène ne cherchait pas dans chacun de ses
gestes un mouvement qui l'aurait trahi. Hélène n'avait
pas peur de lui, ni de sa vérité, ni de son passé.

Avec le temps, Lucien avait réalisé à quel point Edna
avait dû être malheureuse et terrifiée de savoir qu'il ne
s'appelait pas Simon mais Lucien. Jusqu'à abandonner
leur enfant.

*

Le fil qui les reliait ne s'était pas rompu, mais Hélène
ne savait pas comment le retisser. Alors, elle a resserré
ses histoires, les a fait tenir dans un sac de plus en plus
petit. Jusqu'à lui parler de leur intimité. Celle qu'ils
s'étaient construite dans leur chambre, avant la mort de
Simon.

Elle lui a raconté leur rencontre à l'église, l'essayage
du costume en flanelle bleue, la mouette et leur mariage.

Un soir elle n'a pas dit bonne nuit à Lucien. Elle a
avalé un grand verre de Suze pour se donner du courage

et l'a pris par la main. Elle l'a emmené dans la salle du café qui était fermée depuis longtemps.

Avant d'allumer une bougie et de la poser sur le comptoir, elle a dit à Lucien qu'elle avait couché avec d'autres hommes pendant son absence. Des Gitans, des forains, des commis voyageurs. Pour qu'ils ne laissent aucune trace de leur passage. Elle a raconté cela sans honte ni regret. Ce n'était pas un aveu. Elle n'attendait aucun pardon de sa part.

Il n'a ressenti aucune jalousie, aucune haine, aucun amour-propre blessé. Il s'est dit que lui aussi, il était devenu le commis voyageur d'Hélène. Un homme de passage parmi d'autres. Un inconnu qui était rentré dans sa maison.

Elle a détaché ses cheveux et s'est entièrement déshabillée. Seule la bougie l'éclairait. Ses seins et son ventre duveteux dansaient sous la flamme. Ses hanches étaient larges et ses cuisses, musclées. Elle avait la chair de poule et la peau laiteuse. Lucien voyait le bleu de ses veines à travers sa peau.

Il n'était pas de passage parmi d'autres hommes. Il avait été son homme. Le premier.

Dans la salle de café, le souffle de Lucien s'est mis à couvrir le bruit du générateur électrique.

Quand il a voulu la toucher, elle a fait un geste de la main pour l'en empêcher. Alors, il a continué à la regarder, longtemps.

Comme s'il la réapprenait.

Lucien l'a désirée. Il a eu envie de la lécher, partout, de la laver des autres types, la laver du temps qui avait

311

passé, la laver du silence, de l'absence, de l'abandon, de l'oubli.

Plus il admirait sa beauté, plus les yeux d'Hélène brillaient.

Elle a tourné sur elle-même, il a vu sa nuque, son dos, ses reins, son cul, et il s'est mis à espérer. Pour la première fois depuis le jour de son arrestation.

Hélène a vu le ciel revenir dans le regard de Lucien, une brève éclaircie. Pendant qu'elle tournait sur elle-même, elle lui a raconté comment il la caressait, la serrait dans ses bras, ce qu'il aimait toucher sur son corps, comment elle se cambrait, le branlait, lui faisait la lecture et l'amour. L'été 36. Puis elle s'est rhabillée et lui a dit à demain soir. Même heure.

Une infirmière entre dans la chambre, je referme le cahier bleu. Après m'avoir saluée, elle vérifie la tension et la température d'Hélène, change sa poche de perfusion et me sourit.

J'aimerais lui poser des questions sur Je-ne-me-rappelle-plus-comment... mais que lui dire ? Comment demander des choses sur quelqu'un dont on ne connaît pas le nom ?

L'infirmière me rappelle que ce soir, c'est le réveillon. Que nous sommes le 24 décembre.

Pépé !

Je me penche vers Hélène pour l'embrasser avant de partir. Je ne veux pas que ce soit la dernière fois. Lucien peut bien attendre encore un peu.

Au même instant, Roman arrive, seul. Il est magnifique. La tristesse ne l'abîme pas.

— Je suis venu lui faire la lecture, me dit-il en posant son manteau sur une chaise.

— Merci.

C'est tout ce que je trouve à lui dire. Merci. J'ai toujours le cahier bleu ouvert dans mes mains. Je le referme.

— C'est l'histoire de mes grands-parents ?

— Oui.

Je m'approche de lui et je l'embrasse sur la bouche. Il fait tomber le roman qu'il tient dans ses mains et me serre dans ses bras. Ses mains posées sur ma nuque sont glacées. Il caresse mes cheveux. Je ferme les yeux. J'ai trop peur de me réveiller en les ouvrant. Jamais personne ne m'a caressé les cheveux avec une telle douceur, je les sens pousser sous ses doigts. Je ne suis plus Justine, je rencontre une autre forme de moi. Ce baiser a le goût amer de l'éphémère, de la fin d'une histoire d'amour. Je ressens une immense tristesse. Presque comme un sentiment de mort, de fin de vie.

Je murmure *Joyeux Noël*, et je quitte la chambre, chancelante, sans le regarder. Je ne veux pas savoir si ce baiser a vraiment existé. Je me perds dans les couloirs et ma tête tourne encore longtemps avant que je franchisse la sortie.

59

Le juke-box avait été livré le matin même. Douze disques 78 tours. Vingt-quatre boutons rouges à côté desquels on pouvait lire les titres des chansons.

Il y avait eu foule ce jour-là. Tous les clients étaient fascinés par le mécanisme de la machine. Une guirlande de lumières clignotait de part et d'autre quand on l'actionnait. C'était donc cela le progrès ! Il suffisait d'appuyer sur un numéro de 1 à 24 pour choisir une chanson. Même Claude et Lucien avaient déserté le bar pour rejoindre les clients et admirer la chorégraphie des disques.

C'est Lucien qui avait commandé le juke-box. Pour faire une surprise à Hélène. Elle n'avait pas pu lire les titres des chansons dactylographiés sur les étiquettes. Mais elle s'était fait un repère discret sur le bouton de la chanson 8, Petite fleur de Sydney Bechet.

Claude y avait englouti tous ses pourboires du mois en une journée. Le juke-box avait mis un joyeux bordel au café parce qu'il n'avait plus servi personne. Dès que le silence se faisait, il courait remettre une pièce dans la fente de la machine et fixait, hypnotisé, le disque qui tournait dans la vitrine.

En fin d'après-midi, Baudelaire et Claude en étaient presque venus aux mains, parce que Baudelaire ne voulait écouter que la chanson de Tino Rossi, Maman, la plus belle du monde, et Claude, C'est magnifique de Luis Mariano. Hélène avait tranché en appuyant sur le bouton 8.

Lucien, lui, avait hâte que tout le monde s'en aille pour rester seul avec Hélène et son juke-box. Depuis le premier soir où elle s'était dévêtue, il n'attendait plus qu'une seule chose dès son réveil : retourner dans la salle de café fermée et la voir se déshabiller à la lumière d'une bougie. Car elle avait recommencé, chaque soir. Et Lucien l'avait regardée se dévêtir, sans jamais la toucher. Ils ne franchissaient pas la ligne invisible qui les séparait encore.

Ce soir, il mettrait la face 2 du disque de Georges Brassens Les Sabots d'Hélène et l'inviterait à danser. C'était la première fois qu'il faisait un projet d'avenir depuis la gare de l'Est. D'abord, il avait espéré, et maintenant, il projetait.

C'était étrange de vivre sous le même toit qu'une femme sans jamais la toucher. D'entendre les clients et les commerçants l'appeler «votre femme» ou «votre dame» quand ils lui parlaient d'elle. C'était étrange de ne pas avoir de souvenirs à partager avec elle, de ne rien avoir en commun que le présent et cependant de ressentir ce qu'elle ressentait, de savoir ce qu'elle aimait, d'anticiper ses réactions, de la deviner. C'était comme si une sous-couche émotionnelle de son cerveau l'avait gardée en mémoire. Comme le jour où elle était venue lui rapporter la valise bleue en Bretagne. Il ne l'avait pas reconnue mais il avait su la réciter par cœur. Oui. Hélène c'était cela. Une récitation apprise par cœur et dont il ne se souvenait que des rimes.

Il avait presque fallu mettre les clients à la porte ce soir-là. Même Claude, qui ne voulait plus quitter l'appareil et le nettoyait comme s'il s'agissait d'un pur-sang à la veille du Grand Prix de l'Arc de triomphe.

À présent que le café était fermé, qu'ils avaient dîné et que Rose dormait, Lucien appuyait sur le bouton 19 en boucle. Il chantait. C'était la première fois qu'Hélène l'entendait chanter. Il chantait faux, mais il chantait. Elle a allumé la bougie, elle s'est déshabillée mais Lucien l'a arrêtée. Ce soir, c'est lui qui la déshabillerait. Mais d'abord, ils allaient danser.

Il a remis une pièce dans le juke-box :

Les sabots d'Hélène
Étaient tout crottés,
Les trois capitaines
L'auraient appelée vilaine,
Et la pauvre Hélène
Était comme une âme en peine
Ne cherche plus longtemps de fontaine,
Toi qui as besoin d'eau,
Ne cherche plus : aux larmes d'Hélène,
Va-t'en remplir ton seau.

C'est le jour du juke-box qu'ils ont retrouvé le fil.

Le parking de l'hôpital était désert. La nuit et le froid étaient tombés depuis longtemps. Pépé s'était endormi dans la voiture. Je l'ai observé à travers le pare-brise. Je l'ai trouvé très beau. Ses traits étaient détendus. Rêvait-il ? J'ai frappé à la fenêtre tout doucement, il a ouvert les yeux et m'a souri à sa façon, en fronçant légèrement les sourcils et la bouche en même temps. Son masque de chagrin a repris sa place. Il a démarré la voiture, sans un mot.

J'ai cherché un mouchoir en papier dans mon sac pour essuyer mes yeux et ma bouche. Je voulais garder une trace de ce baiser. Je cherche souvent des choses que je n'ai jamais dans mon sac. Je suis tombée sur la lettre que Rose m'avait donnée devant la machine à café. Je l'ai lue à voix haute :

5 octobre 1978

Edna,

Le jour où tu es partie du café du père Louis en lais-

sant ton sac sur la table, je ne m'en souviens plus. J'étais beaucoup trop petite. De toute façon, c'est de famille de perdre la mémoire. Au fond, c'est bien pratique. Ce jour-là, j'ai dû croire que tu nous laissais en vacances, mon père, ton sac et moi.

Mes premiers souvenirs remontent aux dimanches après-midi où Hélène fermait le café. C'est le seul jour où elle se maquillait et mettait sa robe du dimanche. On allait se baigner dans une rivière. On emportait dans un panier du pain et des œufs durs qu'on dévorait toutes les deux en regardant papa reprendre vie dans le courant. Il me semble que je n'avais jamais vu le corps de mon père autrement que voûté et habillé de noir. Peu à peu, je découvrais un homme très grand à la peau foncée et au sourire naissant.

Les clients du café étaient gentils et me faisaient des petits cadeaux. Des bulles de savon, des billes, des crayons de couleur. Ils m'apportaient des bonbons, aussi. Parfois, je surprenais des conversations murmurées à propos de « l'absence » de mon père, et puis, c'est Hélène que les clients appelaient « la patronne ». Mais je n'y prêtais guère attention. J'étais la belle-fille d'une couturière et je portais des robes aussi belles que celles des héroïnes des contes. Je marchais dans le village dans mes robes de princesse et m'inventais mille et une vies. Est-ce que tu étais dans une de ces vies ?

Jusqu'à mes dix ans, personne ne m'a parlé de toi. Tu étais silencieuse. Mais je me souviens du jour où papa a commencé à m'aménager le grenier en chambre. Je lui ai dit, Mais on va rester dans cette maison, papa ? Il a souri et m'a répondu, *Où veux-tu qu'on aille ?* Il m'a demandé de choisir le papier peint. Je l'ai choisi avec des bateaux dessus, des voiliers. À Milly, il n'y a pas la mer. Pourtant, j'étais sûre de la connaître comme une sœur aînée perdue de vue.

Je n'ai aucune photo de toi. Tu es un fantôme dont aucune image n'a été gravée nulle part. Il m'est arrivé de me demander si tu avais jamais existé.

Je suppose que j'ai d'abord aimé Hélène comme on aime une parente par alliance. Mais la seule fois où j'ai vu papa l'embrasser sur la bouche, je l'ai détestée. Je me suis sauvée de la maison.

À partir de ce jour, ils ne se sont plus embrassés devant moi. Je les ai toujours vus s'aimer sans qu'ils le sachent. Bien que je l'aie toujours appelée Hélène et jamais maman, elle m'a élevée comme son enfant, d'ailleurs, je pense que, comme toi, elle m'a toujours considérée comme sa fille, et non comme la tienne. Celle qu'elle aurait dû avoir avec papa s'il n'avait pas été déporté.

C'est le petit Claude qui m'a parlé de toi en premier. Le petit Claude est le serveur du café. Il boite de naissance mais c'est le garçon le plus droit que je connaisse. Je l'ai toujours considéré comme un frère qui ne me mentirait jamais. J'ai compris que papa avait eu deux vies séparées par la guerre. La seconde dans laquelle tu as caché papa. Loin de la première.

Je ne t'ai jamais attendue. Ni espérée. Mes parents ont tout fait pour que mon enfance soit heureuse. Une enfance pleine de lumière pour ne laisser aucun recoin sombre où m'asseoir pour t'attendre. Je suis devenue dessinatrice et dans mes dessins, il y a souvent une femme en arrière-plan. Cette femme, c'est sans doute toi.

Le petit Claude t'a retrouvée vendredi dernier. Cela fait des années qu'il te cherche sans jamais me l'avoir dit. Il paraît que tu vis à Londres, que tu es toujours infirmière. Combien d'enfants as-tu soignés en pensant à moi ? Combien de cœurs as-tu entendus battre en pensant à celui de Lucien ? Je t'écris cette lettre pour te dire qu'il a cessé de battre vendredi dernier. Le jour où le petit Claude t'a retrouvée, papa est passé dans une troisième vie qui ne sera ni celle d'Hélène ni la tienne.

J'étais là quand il a tiré sa révérence. J'étais venue passer quelques jours avec eux. Je les aidais, un car entier de touristes avait pris le café d'assaut. Papa était en train de servir une menthe à l'eau. Il est tombé et ne s'est pas relevé. Au début, j'ai cru qu'il avait trébuché. Hélène a immédiatement compris que cette fois-ci son grand amour était parti et que tu ne lui ramènerais pas. Pour la seconde fois, elle a embrassé papa devant moi.

Le jour où je perds mon père, quelqu'un te retrouve. La vie prend et rend en même temps. Mais j'ignore ce qu'elle me rend. Il paraît que les choses de la vie se passent souvent ainsi.

Sache que tu ne liras jamais cette lettre. Je la mets dans ton sac qui est accroché à la porte de ma chambre. Papa l'a gardé et me l'a donné quand j'ai eu dix-huit ans. Je n'ai jamais osé l'ouvrir, cela aurait été comme fouiller dans le sac d'une inconnue. Papa et Hélène m'ont trop bien élevée. Mais je l'ai laissé dans ma chambre de petite fille parce que les voiliers sont toujours sur les murs et

*qu'un jour, peut-être, j'en prendrai un pour te rendre
visite.*

*Enfin, je voulais te dire que tu as bien fait de ramener
papa à Hélène. Il est mort heureux.*

Rose.

J'ai lu la lettre de Rose jusqu'au bout.

Pépé conduit toujours. Il doit rester 50 kilomètres
à parcourir. Il ne dit rien. Ne fait aucun commentaire.

— Tu connais la suite, pépé ?

— …

— Pépé, tu connais la suite ?

— Quelle suite ?

— Après la mort de Lucien, Hélène a donné le café
du père Louis à Claude et elle est partie vivre à Paris.

— Et Rose ?

Jamais je n'ai entendu pépé me poser une question
à propos de quelqu'un. Même pas pour me demander
si je m'étais bien brossé les dents quand j'étais petite.

— Rose a retrouvé Edna à Londres avec son fils
Roman. Ils sont restés quelque temps là-bas.

Au début, je ne vois pas ses larmes couler. Éclairé
par le tableau de bord, je ne vois que son profil et l'entends renifler discrètement.

Quand je m'aperçois enfin qu'il pleure, je n'ai pas
le temps de dire un mot : il se gare sur le bas-côté et
s'écroule sur le volant. Il est secoué de spasmes, et ses
gémissements m'arrachent le cœur.

De ma vie, je n'ai jamais vécu un moment aussi tragique. Je suis tétanisée. Au bout de quelques minutes ou quelques heures, je ne sais plus, je pose ma main tremblante sur son épaule.

Son manteau de laine bon marché me pique les doigts. Depuis que Jules et moi sommes là, pépé et mémé ne s'habillent qu'avec des vêtements bon marché. Sur les photos d'avant ils étaient beaucoup plus chics, je ne sais pas si c'est la mort de leurs enfants ou la vie de leurs petits-enfants qui les a appauvris. Je réalise à cet instant combien ils ont morflé.

— Pépé, ça va ?

Ma voix semble lui faire un électrochoc. Il se redresse aussitôt et marmonne :

— T'aulais pas un mouchoil… ?

Une fois de plus, je cherche dans mon sac, au cas où. Mais je ne suis pas le genre de fille à avoir des mouchoirs sur elle. À chaque fois, j'y mets de la bonne volonté, mais les seules choses que je trouve sont un morceau de gâteau sec, des miettes, un baume pour les lèvres usé jusqu'au plastique, mon porte-monnaie vide et un petit Pikachu que Jules m'a offert quand il était petit. C'est un sac qui ne sert à rien. Je cherche désespérément dans la boîte à gants et finis par dénicher un chiffon que je lui tends, désolée. Il se mouche bruyamment, essuie son visage.

Nous sommes toujours plongés dans la pénombre, à l'intérieur de la voiture. Le moteur ronronne, se foutant bien des états d'âme de mon pépé. Il commence à pleuvoir. Il actionne les essuie-glaces, met son clignotant et repart.

Puis plus un mot.

Nous roulons une vingtaine de kilomètres quand j'ose lui poser la question qui me brûle les lèvres. Je me dis que c'est le moment. Que plus jamais l'occasion ne se présentera de toute ma vie. Lui et moi dans la voiture, le soir du réveillon de Noël, après un orage, un cataclysme qui l'a traversé à la lecture de la lettre de Rose.

— Pépé, elle était comment Annette ?

Il se tend, c'est presque imperceptible, sauf pour moi, sa petite-fille.

Il s'humecte les lèvres. Comme si sa réponse le brûlait.

— Elle était lumineuse... J'aulais pu m'en selvil pour m'éclailer... Elle aimait les gens qui font des phlases coultes.

— Elle devait drôlement t'aimer alors.

Silence.

— Elle m'aimait.

Il a dit ces mots comme si c'était ses derniers mots. Comme s'il était né pour les prononcer dans cette voiture, là, maintenant, et qu'il avait atteint son but. S'il mourait sous mes yeux, je ne serais pas surprise.

Il double un camion. Il met dix minutes à le faire. C'est un vrai danger public. Pour chasser ma peur, je lui dis :

— Annette aimait l'oncle Alain. Jules est un enfant de l'amour. C'est sûr. Ça se sent. Ça se voit. Ça se respire.

Il me regarde drôlement. Je jurerais même qu'il

sourit. Tout à coup, j'ai le sentiment d'être assise à côté d'un homme que je ne connais pas. Comme si un magicien venait d'échanger mon pépé contre un autre homme. Je l'observe et tout en lui a changé. Depuis qu'il a prononcé ses deux derniers mots : *elle m'aimait*, il rajeunit à vue d'œil. Si ça continue, en arrivant à la maison, on fêtera ses vingt ans.

— Jules, c'est pas un enfant de l'amoul, c'est l'amoul. Dans la vie, y a des bijoux plaqués ol et des bijoux en ol. Jules, c'est de l'ol.

Là, c'est moi qui craque et qui cherche des mouchoirs en papier dans mon sac. Au cas où. Mais je tombe sur mon Pikachu tout délavé. Et mes larmes redoublent.

J'ai une vision. Pépé à la morgue, après l'accident. Pépé tout seul. Pépé reconnaissant les quatre corps, les uns après les autres. Par qui a-t-il commencé ? Un de ses fils ? Une de ses belles-filles ?

Je le vois sortant de la chambre funéraire, remontant dans sa voiture, et repartant. Comme il devait nous aimer pour rentrer chez lui, ce soir-là. Qu'a-t-il dit à mémé quand il est arrivé à la maison ? *C'est bien eux. Ils sont morts tous les quatre ?* Et pourquoi est-ce que mémé n'est pas allée reconnaître les corps avec lui ? Je le revois, le lendemain, dans son jardin, en train de brûler le bois des deux arbres fruitiers. Ses yeux mouillés, et moi, enfant. *Tes palents ont eu un accident.*

— Je t'aime pépé.
— J'espèle bien.

61

Hélène a jeté des cailloux sur la mouette pour qu'elle parte, qu'elle rejoigne Lucien, mais elle n'a pas bougé. La mouette était à elle. Elle ne partirait plus.

Elle a fini de coudre les vêtements que Lucien porterait dans l'au-delà. Des vêtements d'été en lin blanc. Un pantalon à pinces et une chemise à manches courtes avec une poche pour y glisser un paquet de gitanes et son carnet de baptême. Elle a choisi ses chaussures préférées, ses sandales en cuir brun.

Hélène a tourné la clé du café dans la serrure et l'a tendue au petit Claude en lui disant : Je te vends notre café pour un franc symbolique. Fais préparer tous les papiers chez le notaire, je les signerai à mon retour, de toute façon, comme je ne pourrai pas les lire, c'est toi qui t'en chargeras.

Pour la première fois en trente ans, elle a pris l'argent qu'elle avait économisé dans une boîte. L'argent de sa couture, environ 20 000 francs.

Puis elle s'est préparée. Elle ne voulait surtout pas porter une robe d'enterrement. Elle voulait faire la fête à Lucien. Elle a mis sa plus belle toilette, une robe blanche en soie doublée d'organdi, dont les petits boutons nacrés se fermaient par-derrière. C'était toujours Lucien qui la lui avait attachée. Le dimanche matin, elle se présentait à lui le dos nu, soulevant ses cheveux et se penchant légèrement en avant. À chaque bouton qu'il fermait, il y en avait 18, il lui disait, Je t'aime, je t'aime, je t'aime, je t'aime, sans jamais s'arrêter jusqu'au dix-huitième. Quand c'était terminé, il déposait un baiser sur sa nuque.

Le dimanche soir, quand il la déboutonnait, il commençait toujours par le premier bouton au niveau du cou, puis il descendait, tout doucement, jusqu'aux reins en soufflant de l'air chaud à la racine de ses cheveux. Au fur et à mesure qu'il déboutonnait, il murmurait, À la folie, à la folie, à la folie.

Ce matin, pour les attacher, elle n'a pas voulu demander à Rose. Elle a traîné son miroir sur pied devant l'armoire à glace pour voir son dos. Elle a tendu ses bras vers l'arrière, s'est penchée, s'est tordu les poignets, n'a pas réussi à fermer ceux du milieu. Elle a pensé, Maintenant, je suis seule. Ensuite, elle a mis un peu de rouge à lèvres, mais pas trop rouge pour être à la hauteur de sa tristesse.

Enfin, elle est montée sur un tabouret, a attrapé la valise bleue et a rejoint Rose qui l'attendait déjà dans la voiture. C'était épatant, une femme qui avait son permis de conduire.

Lucien n'avait jamais passé son permis de conduire. Mais il avait tout de même acheté une Citroën Ami 6 avec laquelle ils faisaient tous trois de courts trajets les dimanches pour amuser Rose. Ils partaient tôt le matin et rentraient à la nuit tombée pour ne pas se faire repérer par la police. Le véhicule avait rendu l'âme au début des années soixante-dix et Lucien n'en avait pas racheté d'autre. Il avait dit à Hélène, Nous prendrons le train. Ce qu'ils n'avaient jamais fait.

Ils avaient toujours fermé le café les dimanches.

Pendant le trajet entre le café et le crématorium, Rose a dit à sa mère que sa maladie s'appelait dyslexie et que des médecins spécialisés pourraient la guérir. Ce n'était pas ses yeux qui étaient malades mais quelque chose dans son cerveau qu'on pouvait rééduquer exactement comme quelqu'un qui a une jambe cassée et qu'on aide à remarcher.

Hélène a pensé que sa maladie avait un nom bien compliqué et qu'il avait fallu attendre la mort de Lucien pour guérir, peut-être.

Lucien ne serait pas enterré à Milly, ni ailleurs. Quelques années plus tôt, devant les mauvaises herbes qui proliféraient sur la tombe de Baudelaire dans le cimetière, il avait demandé à Hélène de le faire incinérer, de le faire voyager pendant l'éternité. Hélène avait promis.

Au crématorium, il n'y avait que des disques de musique classique. Hélène aurait aimé Brassens, Brel, Ferré. Elle a choisi des préludes de Bach pour le recueillement. Elle a embrassé le cercueil plusieurs fois. Pas pour embrasser Lucien à travers le bois, mais pour vérifier qu'il ne bougeait plus. Qu'il ne l'appelait pas. Que cette fois, ni Edna, ni une autre ne lui ramènerait.

Deux hommes en costume sombre ont emporté le cercueil. À l'intérieur, il y avait Lucien en habits d'été, ainsi que le chapeau et le violon de Simon, qui n'avait pas eu droit à des funérailles, lui. Et comme Lucien avait été un peu Simon dans la vie d'Edna, elle avait pensé que c'était juste.

Ce jour-là, Rose ne l'a pas appelée Hélène, elle a juste soufflé Maman en lui passant une main dans les cheveux.

Hélène a attendu dans le jardin du crématorium. Il était triste, avec des buis mal taillés et jaunis par endroits. Comme si la terre se limitait au strict minimum pour ne pas heurter les veufs avec de jolies fleurs. Et puis, il y avait Rose. Elle était beaucoup plus grande qu'elle. Parfois, Hélène se demandait pourquoi, puis elle se rappelait qu'elle ne l'avait pas mise au monde.

Ça ne m'étonne pas d'être stérile, avait dit Hélène à Lucien en rentrant de chez le médecin après la millième tentative d'un deuxième enfant, une femme dont les yeux ne savent pas lire ne peut pas avoir d'enfants. Chez les êtres humains, le ventre, ça marche avec la tête. Si mon ventre est comme mes yeux, il doit tout faire de travers. Lucien n'avait rien répondu parce que, quand Hélène était sûre, elle était sûre. Il ne pouvait pas enseigner le braille au ventre d'Hélène pour qu'elle lui donne un fils.

Un des hommes en costume sombre lui a tendu l'urne

contenant les cendres de Lucien. Hélène l'a remercié et elle a enfermé l'urne dans la valise bleue. Rose n'a fait aucune remarque. Elle n'a posé aucune question. Elle a regardé Hélène mettre son père dans la valise et a voulu reprendre la route, la ramener à Milly. Hélène a refusé. Elle lui a dit qu'elle partait en voyage avec Lucien. Que désormais, le café du père Louis appartenait au petit Claude.

Je me suis endormie sur le cahier bleu. J'ai encore mon stylo à la main. Jules vient de rentrer du *Paradis*. Il pue l'alcool et le tabac, il s'écroule à côté de moi. Je suis presque éjectée de mon lit.

— Putain, Jules, tu fais chier !

J'étais en train de rêver. Je marchais sur la plage d'Hélène. Elle n'était plus là. Je croisais Roman, habillé en blouse blanche, qui me disait que Lucien était venu la chercher. Au-dessus de nos têtes, une mouette tournait, tandis que Roman me prenait dans ses bras. Il allait m'embrasser...

Jules pose un paquet-cadeau sur mon ventre.

— C'est un type qui m'a donné ce paquet pour toi. Au *Paradis*.

— Qui ?

— Ton mec.

— J'ai pas de mec.

— Ben si... Ton mec, là, le docteur.

— Comment tu sais qu'il est toubib ?

— Ben, il me l'a dit.

— Tu dansais et il t'a dit ça comme ça ? *Salut, je suis docteur* ?

— Non. Il t'attendait sur le parking.

— Il m'attendait ?

— C'est lui qui m'a ramené, j'étais trop bourré. Y te kiffe, c'est sûr.

Jules pousse une sorte de râle. Se tourne sur le côté et ronfle immédiatement. J'essaie de le réveiller en le secouant mais rien à faire.

Je soupèse le paquet. Je déchire le papier-cadeau délicatement. Il est très joli, on dirait du velours. Il recouvre un écrin carré nettement plus grand que celui d'une bague, environ 30 centimètres. J'ouvre le couvercle et découvre une petite mouette en or blanc accrochée à une chaîne.

Jamais personne ne m'a fait un si beau cadeau. À force de me poser des questions, Je-ne-me-rappelle-plus-comment connaît beaucoup de choses de moi. Je descends l'escalier quatre à quatre, pieds nus. Il faut que je trouve mon portable pour l'appeler, le remercier, comprendre. Il est grand temps qu'à mon tour je lui pose des questions.

Dans la salle à manger, l'horloge marque 7 heures. Pépé et mémé dorment encore. C'est rare à cette heure, mais hier soir, ils se sont couchés à minuit à cause du réveillon. Sur la table, aucun reste. Dans la cuisine, tout est nickel, jamais mémé n'est allée au lit en se disant qu'elle débarrasserait le lendemain. La première fois de ma vie que j'ai découvert qu'il était possible de débarrasser le lendemain matin, c'est chez Jo. Et j'avais dix-neuf ans.

On a réveillonné tous les quatre, comme d'habitude. On n'a jamais eu d'amis. Pépé et mémé, sûrement à cause de leur tristesse, leur odeur de drame. Moi, parce qu'aucune copine ne veut traîner avec une fille démodée qui ne lâche pas son petit frère.

Jules et mémé nous attendaient devant le petit sapin artificiel qu'on ressort tous les ans de la cave. On ne prend même plus la peine d'enlever les décorations d'une année sur l'autre. On l'entoure d'une espèce de filet de pêche qui n'a jamais vu la mer, avant de le ranger sur une étagère. Puis pépé le remonte de la cave et le déplie le 22 décembre au matin. De temps en temps, on change une guirlande fatiguée. Mémé lave les boules avec une éponge, passe la balayette sur les branches en plastique, puis un désodorisant sur le tout. La magie de Noël comme on la voit dans les films, chez nous, ça n'existe pas.

Quand on est rentrés de l'hôpital, mémé regardait une émission de variétés dans laquelle tous les protagonistes étaient habillés en Père Noël et Jules jouait au solitaire sur son portable. Mémé a tout de suite repéré que pépé n'était pas comme d'habitude. Qu'il était tout chamboulé. Elle a dû penser que c'était à cause d'Hélène et moi, de l'après-midi passé à l'hôpital, des mauvais souvenirs.

Les toasts qu'elle nous a tendus avaient presque fondu tant la température de la maison était élevée.

Le thermostat était poussé au maximum. Tout comme le mousseux que je me suis forcée à boire à grosses gorgées. Jules m'a dit que j'avais l'air bizarre. J'ai dit non. Mais j'ai pensé qu'à présent, j'aurais toujours l'air bizarre. Je savais des choses que tout le monde ignorait. J'avais le sentiment d'être en avance sur les années, sur le temps. Jules ressemblait à Annette qui ressemblait à Magnus. Cette ressemblance lui avait sans doute sauvé la vie. L'avait empêché de se poser les mauvaises questions, ou les bonnes. Papa et l'oncle Alain avaient gardé leur ressemblance pour eux, sans la redistribuer. Au grand dam de mémé qui l'avait tant attendue sur nos visages. Surtout sur celui de Jules. Et à présent, je comprenais pourquoi.

Est-ce que maman connaissait ce secret ? Annette le lui avait-elle dit ? Que serait-il arrivé si Annette ne s'était pas tuée ? Les réponses de ces dernières semaines ont engendré de nouvelles questions. Ça ne s'arrêtera jamais.

Mémé m'a tendu mon cadeau comme si elle lisait dans mes pensées – un bon d'achat Fnac. La même chose pour Jules et un bon d'achat Carrefour pour pépé. Depuis que mémé a découvert les cartes-cadeaux, elle est aux anges. Cette invention du XXIe siècle a dû accélérer son processus de guérison.

J'ai bu un autre verre de mousseux et je me suis sentie un peu bourrée. Ça m'a fait du bien. Je me suis même mise à glousser à la moindre blague débile de Jules. Ensuite, on a mangé chaud. Même si ce qu'il y avait dans nos assiettes était censé être froid...

Je fouille dans tous les tiroirs du buffet. Je finis par trouver mon téléphone que mémé a rangé sur une notice rédigée en chinois ou en japonais datant de 1975. Pourquoi est-ce que mes grands-parents ne jettent VRAIMENT rien ?

Je referme le tiroir qui se trouve juste sous la photo de mariage des frères Neige. Que ressent pépé quand il passe devant ? Est-ce qu'il passe devant ou fait-il le tour par la cuisine pour l'éviter ?

Le temps que mon téléphone se recharge, je vais prendre une douche. À cette heure-ci, je suis tranquille. Chez nous, il y a deux salles de bains, enfin, salle de bains est un bien grand mot. Une vieille cabine de douche au rez-de-chaussée, dans la buanderie, et une salle de bains à l'étage. Si par malheur on tire de l'eau chaude en bas pendant que quelqu'un se lave en haut, il n'y a plus qu'un filet d'eau qui coule.

Je sors de la douche, j'enfile des vêtements et j'écoute mes messages. Je-ne-me-rappelle-plus-comment ne m'a pas menti. Il m'en a laissé quarante. Et il ne donne pas son prénom, cette fois j'en suis sûre, il le fait exprès.

Je-ne-me-rappelle-plus-comment m'a appelée tous les jours, plusieurs fois par jour. Ses messages sont drôles. Parfois il chante, parfois il me raconte juste qu'il est en train de boire un café, qu'il pleut, qu'il fait froid, qu'il a mis un pull-over rouge que je détesterais, qu'il est passé devant un fleuriste et qu'il a pensé à moi, qu'il a un frère lui aussi, qu'il aimerait me le présenter, qu'il est de garde, que si j'attrape un rhume il me soignera.

Il a laissé le dernier message il y a trois heures :

— Justine, J'étais de garde cette nuit. Je file au *Paradis*. Putain... j'espère finir la nuit dans tes bras... Sinon... joyeux Noël.

62

C'était la première fois qu'Hélène allait à Paris.

Devant le crématorium du Père-Lachaise, avant de monter dans le taxi, Hélène a embrassé sa fille et lui a confié une lettre pour Edna si elle allait la voir à Londres. En tendant l'enveloppe, elle a précisé qu'elle l'avait dictée à Claude le matin même.

À l'intérieur, il y avait une feuille blanche, vierge, qu'Edna découvrirait quelques semaines plus tard. Rose a pris l'enveloppe, sans rien dire.

Hélène pensait que si Claude avait retrouvé la trace d'Edna à Londres le jour de la mort de Lucien, ce n'était pas par hasard. C'est qu'il fallait que Rose aille la voir, là-bas. Sa lettre lui ouvrirait la voie.

Puis Hélène a dit au chauffeur du taxi :

— À l'aéroport, s'il vous plaît, monsieur.

— Lequel ? a demandé le chauffeur.

— Celui où les avions partent dans les pays chauds avec la mer.

Entre le crématorium et l'aéroport, sa valise bleue et

sa boîte à économies sur les genoux, Hélène a chanté la chanson préférée de Lucien :

Les sabots d'Hélène
Étaient tout crottés,
Les trois capitaines l'auraient appelée vilaine,
Et la pauvre Hélène
Était comme une âme en peine
Ne cherche plus longtemps de fontaine,
Toi qui as besoin d'eau,
Ne cherche plus : aux larmes d'Hélène
Va-t'en remplir ton seau.

— *Vous chantez drôlement bien.*

Le ciel était gris et bas. On était en automne et Lucien venait de mourir. Le soleil ne se lèverait plus que pour les autres, a-t-elle pensé.

Le chauffeur lui a demandé d'où elle venait.

— *De Milly, a répondu Hélène.*

— *C'est où, ça ?*

— *Dans le centre de la France.*

— *On mange bien par là-bas, non ?*

— *Ça dépend de qui fait la cuisine.*

En arrivant à l'aéroport, le chauffeur de taxi a monté le son de la radio en jurant :

— *Nom de Dieu, Brel est mort !*

Lucien adorait Brel. Hélène s'est dit qu'ils étaient tous les deux morts presque ensemble et que, du coup, ils avaient de grandes chances de se rencontrer là-haut, qu'ils devaient être dans la même file d'attente devant les portes du paradis.

Ces dernières années, Lucien soûlait plus les quelques clients qui leur restaient avec la musique de son juke-box qu'avec l'alcool de la réserve du bar. Brel en tête. Fernand, Mathilde, Frida, Madeleine, La Fanette. Dans le dernier juke-box, il y avait cent 45 tours, dont quinze de Brel.

Lucien lui disait, Ma chérie, comment ils feraient tous ces prénoms, sans lui ? Il n'y a personne pour dire les prénoms comme Brel.

Il l'appelait, ma chérie. Et elle, Lulu.

Un matin de 1954, alors qu'elle était en train de coudre sur sa machine, Lucien était entré dans son atelier pour la regarder, juste la regarder entre deux clients à servir. Elle avait levé les yeux vers lui et lui avait dit, Je t'aime d'amour. Il avait répondu, Je sais. J'ai perdu la mémoire mais pas ton amour.

Des avions décollaient et atterrissaient.

Hélène a demandé au chauffeur de taxi de l'attendre, qu'elle n'en aurait pas pour longtemps.

— Vous allez chercher quelqu'un ?

— Non, j'accompagne mon mari, vous m'attendez ?

Elle a sorti un billet de 100 francs de sa boîte. Le chauffeur lui a dit qu'à ce prix-là, il pourrait l'attendre jusqu'aux prochaines élections.

— Oh, vous savez, je n'y connais rien en politique, moi, je sers des pastis et je couds des robes.

— Ben, elles doivent être drôlement belles, vos robes, lui a répondu l'homme en reluquant le billet.

Elle est descendue du taxi, sa petite valise bleue à la main et sa boîte sous le bras. Elle a fixé les grands panneaux d'affichage, les destinations, le nom des capitales lointaines où elle n'irait jamais et comme toutes les lettres se mélangeaient dans ses yeux, elle lisait des noms de villes qui n'existeraient jamais.

Lucien lui avait expliqué les décalages horaires. Quand eux se couchaient, de l'autre côté de la Terre d'autres se levaient. Il lui avait aussi dit qu'il y a plus d'étoiles dans le ciel que de grains de sable dans le Sahara. Elle l'avait aimé pour cela. Pour toutes ces choses qu'il lui avait apprises, à elle, la petite fille de l'atelier de couture condamnée à ne jamais rien savoir si elle ne l'avait pas rencontré.

Elle a demandé à un voyageur s'il voyait à quelle heure partait le prochain avion pour un pays chaud avec la mer, qu'elle avait oublié ses lunettes.

Lucien n'avait jamais réussi à obtenir de passeport. Il était apatride aux yeux de l'administration française. Pour l'État français, Lucien Perrin avait été déporté et exterminé à Buchenwald. Et il était rentré beaucoup trop tard à Milly pour faire annuler son acte de décès à l'état civil. Ce qui comptait, c'est qu'il parte avec son carnet de baptême dans la poche. Pour Hélène, cela valait tous les passeports du monde.

Lucien était mort deux fois. La seconde, il avait décidé de partir seul. En servant une menthe à l'eau à un jeune garçon à peine plus haut que le comptoir. Il n'avait même pas eu le temps de mettre les glaçons dans le verre. Tout juste avait-il versé le sirop que son cœur s'était arrêté.

Elle a acheté un billet d'avion au hasard. Elle a sorti ses papiers d'identité. Hélène Hel. Elle a jeté un coup d'œil à la photo avant de la tendre à une hôtesse. C'est étrange comme Rose lui ressemble. Il aura fallu que Lucien l'aime pour qu'il fasse avec une autre femme une enfant qui lui ressemble.

— Vous souhaitez un billet retour ?

— Non, merci.

Un peu plus tard, Hélène a posé délicatement la valise bleue sur un tapis roulant.

— C'est votre seul bagage, madame ?

— Oui.

— Bon vol.

— Merci.

Hélène a regardé la valise bleue disparaître dans un tunnel sombre.

Quand elle est remontée dans le taxi, le chauffeur lui a demandé où était son mari. Elle a répondu qu'il était parti voir du pays.

— Pourquoi vous ne l'accompagnez pas ?

— Je le rejoindrai plus tard.

63

Rose a téléphoné aux *Hortensias* hier soir, l'état d'Hélène est stationnaire. Elle a dit cela, « stationnaire ». J'ai entendu « station balnéaire ».

Quand je suis rentrée à la maison, la musique du générique du *Cinéma de minuit* hurlait dans le salon, je me suis précipitée pour regarder. Je n'ai jamais rien vu d'aussi beau que ce générique avec tous ces visages d'acteurs en noir et blanc qui apparaissent et disparaissent.

Je me suis calée sur le canapé à l'opposé de pépé qui m'a à peine remarquée et j'ai crié quand j'ai vu le générique du film qui commençait, *La Petite Provinciale* avec Janet Gaynor. Pépé a levé les yeux vers moi.

— Qu'est-ce qui t'allive ?

— C'est rien. C'est juste que je connais bien Janet Gaynor.

Il m'a dévisagée avant de repartir dans son royaume en noir et blanc. Au bout d'une demi-heure, il dormait. Je me suis dit qu'il regardait des vieux films pour mieux rêver, pour aller là où il avait envie d'aller.

Je n'ai pas pu détacher mes yeux du téléviseur en me demandant si Hélène et Lucien avaient déjà vu un film avec Janet Gaynor au cinéma.

J'ai mal dormi. Je sais que le téléphone ne va pas tarder à sonner. Qu'on va bientôt m'annoncer qu'Hélène est morte.

En France, on a du mal avec ce mot, aux *Hortensias*, nous n'avons pas le droit de le prononcer. Les résidents évoquent souvent la mort avec cynisme, casser sa pipe, canner, crever, foutre le camp, passer l'arme à gauche, bouffer les pissenlits par la racine, être plus près de saint Pierre que de Saint-Tropez. Le personnel soignant se doit d'employer des mots dignes, disparaître, partir, s'éteindre, quitter, s'endormir sans souffrir.

Comme à son habitude, Hélène fait les choses en douceur. Elle n'a jamais aimé se faire remarquer. Elle n'aurait pas pu mourir brutalement. Elle part sans bruit, sur la pointe des pieds.

Mémé m'attend dans la cuisine avec ses produits à mise en plis. Pépé vient d'aller chercher des filtres chez le père Prost. La boîte de filtres à café était presque vide. Il ne supporte pas les boîtes presque vides. Chez nous, tout est en double. Le café, le sucre, l'huile, le vinaigre, la moutarde, le sel, le savon, le dentifrice, le shampoing, les allumettes, le beurre, la farine. Tout marche par deux. Il ne faut jamais manquer. C'est obsessionnel.

Je fais la mise en plis de mémé. Elle remarque mon pendentif. Me dit que c'est joli. Me demande qui me l'a offert.

— Je-ne-me-rappelle-plus-comment.

— Tu pourrais faire un effort, me répond-elle.

Sa remarque me fait sourire. Avec le peigne, j'attrape et enroule ses cheveux fins au bout des bigoudis multicolores. J'ai du mal à me concentrer. Je n'ai pas téléphoné à Je-ne-me-rappelle-plus-comment pour le remercier. Après avoir écouté tous ses messages, j'ai appuyé sur la touche 2 Rappeler et à la deuxième sonnerie, j'ai raccroché. Je suis terrorisée à l'idée de plaire à quelqu'un. Et puis si je l'appelais, ce serait comme officialiser quelque chose.

Mémé me tire brutalement de mes pensées. «Brutalement» est un mot faible.

— Hier, en faisant le ménage dans ta chambre, j'ai trouvé ton billet d'avion pour Stockholm.

Je me sens rougir, j'ai les mains moites. Je lutte pour enrouler ses cheveux dans les bigoudis. J'aurais dû brûler ce billet de merde dans l'insert dès que je suis rentrée. Je l'avais pourtant bien caché dans ma chambre. Elle et ses habitudes de ménage ne laissent aucune chance aux cachettes secrètes, à un ersatz d'intimité.

— Je l'ai jeté. Je suppose que tu ne voulais pas le garder.

— Non.

— Si Jules était tombé dessus, tu imagines ?

— Oui.

— Tu les as vus ?

— Oui.

— Tous les deux ?

— Oui.

Silence.

— Tu me tires les cheveux, là.

— Pardon.

Silence. Très long silence. J'ai fini de mettre les bigoudis. Je pose le filet sur sa tête. Un bigoudi tombe sur le carrelage immaculé. Je le ramasse et enroule une dernière mèche de cheveux. Je vais chercher le séchoir sous lequel elle s'endort habituellement. Mais je sens que ce matin, la chaleur du casque ne l'endormira pas. Je sens qu'elle m'observe. Elle aimerait savoir ce que Magnus et Ada m'ont dit à propos d'Annette, à propos de Jules. Je sens ses yeux posés sur moi.

Je ne peux rien dire. Parce que je ne sais pas si elle sait ni ce qu'elle sait.

Qui, en passant devant notre petite maison, avec son jardin potager, sa cabane et sa clôture en ciment, pourrait imaginer les secrets qu'elle renferme dans sa pauvre caboche ?

J'actionne le thermostat et le temps de pose. Vingt-cinq minutes sous le casque. Soulagement. J'ai vingt-cinq minutes pour inventer un mensonge digne de ce nom. Mais je ne trouve pas. J'en suis à ma troisième tasse de café lorsque la sonnerie m'avertit que le temps de pose est terminé. Je sursaute. C'est bien ce que je pensais, elle ne dort pas. D'habitude, quand je retire le casque, elle ronfle tout doucement, la tête penchée en avant et la bouche entrouverte. Mais là, elle me questionne du regard. Je retire le filet et les bigoudis un à un. Ensuite, je vais chercher la brosse en poil de sanglier et je m'applique comme je peux, en silence. Mais elle insiste :

— Jules ressemble à Magnus, non ?

— Oui, comme deux gouttes d'eau… Je suis allée les voir comme ça. Pour les rassurer. Leur dire que Jules est heureux avec nous. Qu'il va passer son bac et partir à Paris l'année prochaine.

Je sais qu'elle sait que je mens. Alors je trouve autre chose :

— Jules m'a dit qu'il voulait faire une école d'architecture qui coûte très cher. Je suis allée leur demander de l'argent.

Mémé change de couleur et vire au cramoisi.

— Tu es allée demander l'aumône chez les Suédois !

— J'ai pas demandé l'aumône, je protège Jules, c'est tout.

Pépé entre dans la pièce. Silence général. Moi, je supplie mémé de la fermer, et réciproquement. Cette fois, elle m'a crue. Je vois à sa tête qu'elle m'a crue. Tous les filtres à café du monde ne suffiraient pas à cacher les reproches qu'elle me balance du regard. J'espère qu'elle ne va pas partir se suicider.

Pépé nous observe, renifle, range les filtres à café et se sert un verre d'eau au robinet.

— Je t'ai déjà dit cent fois de ne pas boire l'eau du robinet, c'est plein de saloperies, lui lance mémé.

Pépé la regarde et s'apprête à lui dire quelque chose qu'il réprime aussitôt. Combien de mots a-t-il ravalés ? Il nous tourne le dos et quitte la pièce.

Je ne laisse pas mémé en placer une. J'imite pépé et dis que je vais être en retard au travail, je file.

J'ai presque une heure d'avance. Je passe au cimetière. Je suis devant la tombe de mon enfance. Je crois que je ne reviendrai plus. Je crois que Jules a raison. Je n'ai plus rien à faire ici.

Mon téléphone portable vibre dans ma poche. J'imagine que c'est Je-ne-me-rappelle-plus-comment. Et moi qui n'ai même pas eu la délicatesse de le remercier pour le pendentif. Je suis une infirme des sentiments possibles. Seules les choses qui ne pourront jamais exister m'intéressent.

Je me décide à lui répondre parce qu'à cet instant, à vingt et un ans, debout devant la tombe de mes parents, je me donne enfin la permission d'être potentiellement « heureuse » avec une vraie personne qui a moins de trente ans. Mais ce n'est pas le numéro de Je-ne-me-rappelle-plus-comment qui s'affiche, c'est le fixe de la maison.

— Allô ?

— C'est moi.

— Mémé ?

64

Nuit du 5 au 6 octobre 1996

Eugénie s'est réveillée, la bouche sèche. La veille, elle avait eu la main lourde sur le sel. Elle avait salé le couscous deux fois. Ce jour-là, elle avait été perturbée parce que la machine à laver était tombée en panne. Il avait fallu ouvrir le hublot de force – l'eau avait inondé le carrelage – et essorer le linge pièce par pièce dans une cuvette. Le réparateur n'avait rien pu faire. La machine était foutue. Alors, avec toute cette agitation, elle avait trop salé le bouillon du couscous. En quinze ans, cela ne lui était jamais arrivé.

Elle ne se réveillait pas la nuit. Mais depuis que les jumeaux et les petits-enfants étaient arrivés pour le week-end, elle avait entendu Jules pleurer deux fois. Il avait perdu sa tétine. Elle n'aimait pas trop qu'on donne une tétine à un bébé. Elle n'en avait jamais donné à ses fils. Christian avait sucé son pouce et Alain le bout de l'oreille de son lapin en peluche. Elle l'avait fait disparaître le jour où Alain avait eu trois ans. Il l'avait cherché partout. Elle lui avait dit que Doudou avait dû retourner dans la forêt retrouver sa maman. Il puait trop malgré les lavages fréquents et il était temps qu'il dorme sans. Elle l'avait emballé dans un sac plastique puis jeté dans la poubelle de la voisine un soir avant de monter se coucher. Elle avait failli retourner le chercher dans la nuit, mais Armand lui avait tripoté le bout du sein gauche, cela signifiait qu'il fallait remplir le devoir conjugal. Elle s'était endormie, le souffle d'Armand dans sa nuque, jusqu'à ce qu'elle soit réveillée par le camion poubelle qui passait à 5 heures. Trop tard, Doudou était parti.

Le temps avait passé très vite. Abrutie de fatigue les premières années, à peine l'un endormi que l'autre se réveillait pour téter, elle s'était fait dépasser par les courses, le linge, les repas, le ménage. Les maladies infantiles avaient été multipliées par deux à quelques jours d'intervalle. Quand l'un avait la varicelle, l'autre l'attrapait deux jours plus tard. Quelques dimanches d'été où elle avait touché le bonheur du doigt. Et les garçons avaient poussé comme les deux arbres fruitiers qu'Armand avait plantés dans le jardin le jour de leur naissance.

Elle leur avait donné toute l'attention et les soins dont deux enfants ont besoin. Tout sauf la tendresse. Elle n'avait jamais appris ça, les bisous, les câlins, les mots doux. Les marques d'affection, elle n'avait jamais su faire. Elle n'avait jamais su aimer, mettre de l'amour dans ses gestes comme on met du sel dans ses plats… Parfois trop.

Pourtant, les soirs après l'école, quand ils rentraient la faim au ventre, elle aurait voulu les serrer dans ses bras jusqu'à les étouffer, les avaler tout entiers, mais elle ne l'avait jamais fait. Elle avait été contrainte de juste bien les couvrir pour pallier sa froideur de mère, elle, la fille de ferme, l'aînée de sept enfants. « Le seul garçon de la famille », comme disait son père. Une bête de somme qui savait tout faire : la cuisine, le ménage, s'occuper de ses frères et sœurs cadets, des machines, des bêtes. Qui savait tout faire sauf embrasser.

Elle n'avait jamais réussi à vraiment aimer ses fils. Son cœur avait toujours été froid. Mais à la naissance de ses petits-enfants, quelque chose d'amoureux s'était passé, une certaine magie avait opéré. Pour un peu, elle les aurait caressés.

Elle ne l'a pas entendu respirer. Elle a tendu le bras, l'oreiller d'Armand était froid. Elle a ouvert les yeux dans l'obscurité. Allumé sa lampe de chevet. Plissé les yeux. Le réveil marquait 1 heure.

Elle a enfilé ses chaussettes. Toujours eu horreur de marcher pieds nus. Elle est descendue dans la cuisine pour boire un verre d'eau. Pas de l'eau du robinet, elle avait toujours eu horreur de l'odeur du chlore. Elle a versé de l'eau minérale dans un verre, elle n'avait jamais bu à la bouteille non plus. Elle faisait partie de ces femmes qui essuient leur verre du revers de la main quand elles ne mangent pas chez elles – ce qui lui arrivait une fois par an au repas de fin d'année de l'usine d'Armand.

Avant de quitter la cuisine, elle a jeté un regard réprobateur à la machine à laver.

Elle avait rencontré Armand au bal. Il l'avait invitée à danser. Quand il s'était approché, elle avait pensé qu'il faisait erreur. Ça ne pouvait pas être elle que cet homme voulait serrer dans ses bras. Elle portait une robe que son père lui avait offerte pour ses vingt ans. Sa première robe, rouge à pois blancs. La féminité était l'étrangère de sa vie. Celle qui ne passerait jamais la porte. Elle avait essayé de se maquiller quelquefois, mais sa peau avait rejeté les couleurs, transformant les fards en rigoles vulgaires. Elle avait toujours su qu'elle était moins bien qu'Armand. Moins bien à tous les niveaux, il était très bel homme, elle était fade ; il était intelligent, elle n'avait pas d'instruction ; il n'était pas bricoleur, elle savait tout réparer ; il n'était pas aimable, elle était bonne pâte. Mais elle avait fini par comprendre qu'il l'avait choisie au bal parce qu'elle était de ces femmes qui ne posent pas de questions. Qui filent en silence. De ces femmes qui n'emmerdent pas les hommes.

Le jour de leur mariage, elle avait été fière de s'accrocher à son bras. Elle avait presque regretté de ne pas avoir d'amies à rendre jalouses. Mais la nuit de noces avait été brutale, elle n'y était pas préparée, elle ne savait rien. Elle avait vu les bêtes se reproduire, mais elle n'avait pas vu la douleur. Sa mère ne lui avait jamais rien dit, sauf que pour être une bonne épouse, il fallait faire tout ce que son mari lui demanderait. Cette nuit-là, Armand lui avait arraché le ventre. Et il avait recommencé, chaque soir, jusqu'à ce que son sexe, les muscles de ses cuisses et son ventre s'y habituent et ne la fassent plus souffrir.

Elle avait repensé à cette phrase : *La beauté ne se mange pas en salade.*

L'accouchement des garçons avait été si douloureux qu'elle s'était promis de ne plus jamais recommencer. Elle n'avait jamais refait d'enfants. La vérité, c'est qu'elle n'avait pas aimé être mère.

Puis, avec la télévision et les magazines féminins, elle avait appris qu'on pouvait jouir en faisant l'amour. Elle s'était dit que ces choses étaient destinées aux autres femmes, les jolies. Jusqu'à ce qu'elle découvre la masturbation en feuilletant *Histoire d'O* que lui avait prêté sa voisine avec d'autres romans. Jusqu'à ce qu'elle finisse par aimer les nuits contre son mari, son grand homme.

Elle n'avait eu qu'une seule amie, Fatiha Hasbellaoui. Elle l'avait rencontrée quand elle avait travaillé chez le médecin du village, à l'époque où les jumeaux étaient adolescents. Fatiha y était cuisinière et lingère. Elle vivait à domicile et avait sa propre chambre au-dessus de la salle de consultation. C'est elle qui lui avait appris à faire le couscous de la mer. Elle aussi qui lui avait appris à rire aux éclats en savourant les cornes de gazelle et les histoires qu'elle ramenait d'Algérie. D'aussi loin que remontaient les souvenirs d'Eugénie, les trois plus belles années de sa vie avaient été celles où elle faisait le ménage chez ce médecin, surtout le matin, quand elle s'asseyait à la table de la cuisine pour boire le thé et que Fatiha lui parlait des hommes, des femmes, de la vie «là-bas» en mimant la danse du ventre. Avec Fatiha, elle avait eu des conversations de femme, des conversations qu'elle n'avait jamais eues à l'école avec les autres filles, car elle se comportait comme un garçon manqué. Fatiha lui avait parlé d'amour, de sexe, de peur, de contraception, de sentiments, de liberté, sans aucun tabou.

Mais le médecin, qui aimait le soleil plus que tout, était parti s'installer dans le sud de la France en emmenant Fatiha avec lui. Eugénie les aurait bien suivis. Le toubib le lui avait proposé, elle en avait parlé à Armand qui lui avait ri au nez : *Et on vivra avec ton salaire de bonniche, là-bas ?* Le départ de son patron et de sa seule amie l'avait longtemps plongée dans le désespoir, la solitude. Elle n'avait pas retrouvé de travail après cela. L'usine de textile n'embauchait plus depuis longtemps. Il suffisait de voir toutes les étiquettes «made in Taïwan» au dos des vêtements.

Fatiha l'appelait chaque année pour le nouvel an. À son *Bonne année Nini !*, elle répondait gaiement. Mais jusqu'à la naissance de ses petits-enfants, chaque matin, chaque jour, chaque semaine, chaque mois, chaque année, s'étaient ressemblés comme deux gouttes d'eau. D'une journée à l'autre, il n'y avait qu'une seule chose qui changeait, les vêtements qu'elle portait.

Elle remonte l'escalier et manque de glisser. Elle met trop de cire sur les boiseries. Armand dit que la maison est une patinoire.

Elle entend du bruit dans la chambre d'Alain et Annette. Annette s'est peut-être relevée pour s'occuper de Jules. Cette fichue tétine.

Quand elle pousse sa porte, elle sursaute : Alain est assis sur le lit. Il ne bouge pas. La dernière fois qu'elle l'a trouvé dans sa chambre, il devait avoir douze ou treize ans. Il avait les oreillons et souffrait le martyre. Il pleurait et brûlait de fièvre. Elle n'avait pas su trouver les gestes tendres, le réconfort dont il aurait eu besoin.

— Qu'est-ce que tu fais là, mon grand ? Qu'est-ce qui se passe ?

Alain ne répond pas. Son regard est vide. Il fixe longuement le mur d'en face, celui où sont accrochées des photos de famille.

Elle allume le plafonnier. Lui demande s'il veut boire quelque chose. Il est blanc comme un linge. Il est assis au bord du lit comme au bord d'un précipice. Elle n'a jamais vu son fils dans cet état. Des deux garçons, Alain est le plus gai, le plus enthousiaste, le plus bavard. Alain, c'est son chouchou à elle, son soleil, celui qui la fait valser dans ses bras quand il passe le pas de la porte. Armand, lui, a toujours eu un faible pour Christian, plus renfermé, plus calme, moins expansif. Alain est l'aîné des deux. Armand dit qu'il a su négocier la ligne d'arrivée avec son frère.

Eugénie s'approche, lui touche le front, puis les mains. Elles sont glacées. Elle lui couvre les épaules avec un châle. Drôle de vision. Alain, son grand fils, portant un tee-shirt où il est écrit « Nirvana » sous la photo d'un jeune homme blond et un caleçon à rayures, plus un châle rouge à fleurs sur les épaules. Il a l'air hagard. Comme s'il venait d'apercevoir un fantôme. Puis, tel un automate, il se lève. Avant de refermer la porte derrière lui, il se retourne vers sa mère et murmure :

— Tu n'avais donc rien vu, maman ?

Elle ne comprend pas. Vu quoi ?

Elle le suit dans le couloir. Elle le voit entrer dans sa chambre et refermer la porte derrière lui. Elle se tient debout, face à la porte fermée. Elle n'ose pas frapper. Elle n'ose pas entrer. Et puis Jules et Annette dorment à l'intérieur, il ne faut pas les réveiller.

Où est Armand ? En proie à une insomnie, il a dû partir marcher. Cela lui arrive de plus en plus souvent. Il a changé. Il fait des insomnies et de la dépression.

Elle se recouche, mais ne se rendort pas. Elle revoit son fils, assis sur le lit, les yeux hagards. Pourtant hier soir, il avait l'air d'aller. Il les a fait rire. A fait sauter Jules sur ses genoux. Est-ce qu'il a des soucis dans son travail ? Est-ce qu'il regrette d'avoir cédé sa moitié du magasin de disques à son frère pour partir vivre en Suède ? Est-ce qu'il s'inquiète de se séparer de son frère pour la première fois ?

Tu n'avais donc rien vu, maman ?

Non. Elle ne se pose pas les bonnes questions. Elle ne sait pas réfléchir. On ne fait pas cette tête pour des soucis de travail ou de déménagement. Il a vu quelque chose qu'il n'aurait pas dû voir.

Tu n'avais donc rien vu, maman ?

Armand revient dans la chambre à 4 heures. Qu'a-t-il fait de 1 heure à 4 heures du matin ? Elle ferme les yeux, ne bouge pas, retient son souffle. Il s'allonge près d'elle. Son corps est brûlant. Il n'arrive pas de l'extérieur.

— Où étais-tu ?

Armand ne répond pas. Lui tourne le dos. Elle allume la lampe de chevet et le regarde. Il porte une chemise et non son pyjama. Une des belles chemises qu'il met le dimanche. Mais que fait-il tout habillé en pleine nuit ? Armand ne bouge toujours pas. Ne dit pas un mot. Elle a l'habitude de ses silences qui signifient depuis toujours : je suis supérieur.

Au fond, la seule fois où il l'a regardée, c'est le jour du bal. Le jour où il l'a choisie. Elle a toujours été une femme d'intérieur, pas une femme que l'on regarde. Armand n'a jamais eu à se plaindre d'avoir un trou dans une de ses chaussettes. Il a toujours trouvé son linge repassé et parfaitement plié dans les armoires. Il est toujours rentré du travail dans une maison impeccablement tenue, avec une assiette remplie. Il ne lui a jamais dit merci. Jamais vraiment parlé, à part quelques commentaires sur tel ou tel politique, journaliste sportif, chanteur, présentateur télé. Il a toujours fait comme s'ils n'existaient pas ensemble. Il a toujours vécu de son côté. Alors qu'elle a si souvent eu envie de traverser pour le rejoindre.

Elle observe son dos, fort. Elle fait quelque chose qu'elle n'a jamais fait, elle baisse le drap d'un coup sec. Il porte un slip. Pas de pantalon de pyjama. Il se retourne vers elle, les yeux à la fois remplis de colère et de honte. Il ne l'a jamais frappée. Pourtant, elle a toujours eu peur de lui, insidieusement.

Sa chemise est entrouverte. Elle regarde son torse, musclé. Ils ont toujours fait l'amour dans le noir. Son corps, elle le connaît au toucher, à l'odeur. Faire l'amour. Il vient de faire l'amour, il pue l'amour. Son visage, ses cheveux, ses mains, son regard puent le sexe d'une autre. Pourtant il n'est pas sorti. Il n'a pas quitté la maison. Elle le regarde, horrifiée.

Tu n'avais donc rien vu, maman ?

J'arrive aux *Hortensias*. Jo est là. Elle est sur le départ. Elle a fait la nuit. Elle a les traits tirés. Elle me parle immédiatement d'Hélène. M'explique qu'on a déjà rangé ses affaires, qu'un autre résident entre à 14 heures et prendra sa place chambre 19. Je demande à voir ses effets personnels. Ils sont consignés dans des cartons dans le bureau de madame Le Camus. Sa fille passera les chercher dans l'après-midi.

— Et toi, tu as des nouvelles ? me demande Jo.

— Je suis allée à l'hôpital hier. Elle est toujours dans le coma, je crois que son corps a lâché l'affaire.

— Justine, elle a quatre-vingt-seize ans, faut pas s'attendre à des miracles.

— Faites tous chier avec l'âge ! Hélène aura toujours l'âge du jour où elle a rencontré Lucien dans l'église !

Jo me demande si ça va. Me dit que j'ai mauvaise mine. Je lui réponds que ce n'est rien, que je viens d'avoir ma grand-mère pendant une heure au téléphone et qu'elle m'a confié des trucs et comme elle ne m'a jamais rien raconté de sa vie, pas même une histoire de Blanche-Neige avant de m'endormir, ça m'a secouée.

Jo me propose de boire un café avec elle pour vider mon sac. J'ai envie de lui répondre que pour une fois, dans mon sac, il n'y aura peut-être pas de mouchoirs mais des histoires bien plus dingues que celles des feuilletons que regardent les résidents à la télé. Mais au lieu de ça, je la serre dans mes bras et lui demande comment elle a fait pour aimer Patrick toute sa vie. Elle me répond qu'elle n'a rien fait, qu'elle a de la chance.

Avant d'aller dans les vestiaires, je monte au dernier étage, la mouette est bel et bien partie. Pour la première fois, j'ai envie de partir moi aussi. De quitter mon travail, ma maison, de sortir de cette vie pour entrer dans une autre.

En redescendant, je passe devant la chambre de monsieur Paul dont la porte est entrouverte. Il n'y a pas eu d'appels du corbeau aux familles des *oubliés* depuis des mois.

J'aperçois quelqu'un de dos, penché vers lui, qui lui parle à l'oreille. Je vois de la délicatesse dans la façon dont le visiteur tient la main de monsieur Paul, je referme la porte tout doucement.

Je vais chercher ma blouse dans les vestiaires. Je me désinfecte les mains. Je croise Maria.

— Tu fais quoi pour le réveillon ? me demande-t-elle.

— Quel réveillon ?

— Hé, Justine, réveille-toi, la nuit prochaine, on change d'année.

Je me fous de changer d'année. En plus, la prochaine, je ne la sens pas du tout.

— Maria, y a un type dans la chambre de monsieur Paul, tu le connais ?

— C'est son petit-fils. Il vient souvent.

— Ah bon ? Jamais vu avant. Je pensais que monsieur Paul n'avait pas de visites…

— Moi, je le vois tout le temps, en général il passe tôt le matin.

— Ah bon. Première nouvelle.

Je suis rentrée dans la salle de soins. En préparant mon chariot, j'ai pensé à Roman, à l'amour triste, l'amour perdu, l'amour qui n'existe pas. En attaquant le premier couloir, la première porte, la première chambre, le premier bonjour, les premières douleurs, les premiers oublis, les premières insultes, les premières histoires, les premières alèses, j'ai eu envie de mourir à la place d'Hélène. Mais je savais bien que c'était elle qui allait gagner. Elle avait trop d'avance sur moi.

66

Lucien et Hélène ont inventé leur anniversaire de mariage. Le premier jour de l'année. Celui des promesses. Le 31 décembre, ils fermaient le café à midi pour partir en voyage de noces.

C'est le seul jour de l'année où Lucien partageait la chambre d'Hélène. Même après le juke-box et le départ de Rose, ils ont toujours fait chambre à part.

La chambre d'Hélène n'a jamais changé en quarante ans. Un lit à barreaux en fer forgé blanc. Une coiffeuse, une armoire, un miroir sur pied, des murs bleu pâle, des rideaux de voile et de dentelle aux deux fenêtres, l'une donnant sur l'arrière du café, l'autre sur la place de l'Église.

Au fur et à mesure que Rose a grandi, de nouvelles photos dans de nouveaux cadres. Tous les dix ans, Lucien l'a repeinte de la même couleur.

Le 31 décembre à 13 heures, Lucien posait la valise bleue sur le parquet de la chambre d'Hélène et ils refaisaient la même croisière qu'à l'été 36. Chaque année, ils changeaient de destination, mais chaque année, Lucien *voulait visiter des pays chauds. À cause du soleil. Des pays où il y avait la mer. À cause de la mer.*

Chaque année, c'était Lucien le capitaine du voyage. Sa destination préférée était l'Égypte. La mer Rouge. Il plongeait dans les draps en fermant les yeux et racontait à Hélène qu'il y voyait des sirènes, dont une avait le regard bleu comme les murs de sa chambre.

À minuit, ils se souhaitaient un bon anniversaire de non-mariage.

Le 2 au matin, ils rouvraient le café à 6 h 30, la peau gorgée du soleil qu'ils avaient rêvé et de l'amour qu'ils avaient fait. Il faut toujours mettre de la vérité dans ses rêves, ou le contraire.

Dimanche 6 octobre 1996

Tu n'avais donc rien vu, maman ?
Si. Une fois, elle avait vu. Cette façon qu'ils avaient
de s'éviter. Eugénie pensait juste qu'Armand n'appré-
ciait pas trop Annette, ou plutôt qu'il s'en fichait. Il
était plus avenant avec Sandrine. Et puis, deux ans
plus tôt, un peu avant la naissance de Jules, elle avait
surpris Armand et Annette en grande conversation.
Eugénie avait été stupéfaite par cette proximité sou-
daine. Cette complicité. Celle de ceux qui se regardent
à peine tant ils se connaissent. Un peu comme Fatiha
et elle, quand elles buvaient le thé chez le toubib. Sauf
qu'Armand semblait boire du petit-lait, dévorait l'instant. Eugénie n'avait jamais vu le visage de son mari
sous cet angle. On aurait dit qu'il avait des projecteurs
braqués sur lui. Comme sur la scène où elle avait vu
Salvatore Adamo chanter *Laisse tes mains sur mes
hanches* sous un chapiteau à Mâcon. Ses traits habituellement durs, fermés, étaient comme avalés par

la proximité d'Annette. Elle avait découvert le beau visage souriant d'un homme sous son toit, un inconnu. Et c'était son mari.

Eugénie n'avait pas osé les déranger. Elle était retournée voir si le four était à bonne température pour sa tarte aux pommes.

Eugénie, Alain, Annette sont assis autour de la table de la cuisine. Sandrine et Christian ne sont pas encore descendus prendre le petit déjeuner.

Eugénie ne regarde pas Annette. Alain ne regarde pas Annette. Eugénie et son fils ne cessent de se regarder.

Alain insiste pour emmener Jules au baptême. Mais Eugénie n'en démord pas, Jules restera à la maison, avec elle. L'enfant est fiévreux, il faut le garder au chaud. De toute façon, ils seront rentrés en fin d'après-midi, non ?

Alain est encore en pyjama. Annette porte une robe de chambre en soie noire. Ses doigts nerveux caressent la nappe. Eugénie est déjà habillée. Elle ne s'est jamais dévêtue devant ses enfants, ni présentée en pyjama.

Christian débarque dans la cuisine. Alain se pousse pour faire une place à son frère. Alain observe le bol de lait d'Annette, sa cuillère qui retire la peau et la met sur la nappe en toile cirée. Ce matin, pense Eugénie, mes fils ne se ressemblent plus. Alain est d'une pâleur à faire peur. Il n'arrête pas de répéter qu'ils vont emmener Jules avec eux. Annette est silencieuse, presque aussi pâle qu'Alain.

— Je ne vous laisserai pas emmener Jules.

C'est sans appel. Eugénie, qui n'a jamais été autoritaire, qui n'a jamais rien imposé à ses hommes, ne changera pas d'avis. Surpris, Christian l'observe. Il n'a jamais entendu sa mère dire un mot plus haut que l'autre mais cette fois, sa phrase est tombée comme une sentence. Alain se lève de table et remonte dans sa chambre. Annette le suit.

Christian trempe une tartine dans son café au lait et demande à sa mère si ça va.

— Fais attention qu'Alain ne mette pas Jules dans la voiture.

Christian sent que quelque chose ne va pas. La tension est palpable. Son père peut faire la tête quand il est contrarié, mais sa mère a toujours été d'humeur égale.

Armand s'est planqué dans l'abri de jardin. Il a voulu partir, fuir la maison, mais son pneu est crevé. Une entaille d'au moins deux centimètres. Est-ce Alain qui a voulu se venger en crevant son pneu plutôt que de le crever, lui? C'est la seule chose qu'il mériterait. Que son fils lui fasse la peau.

Cet après-midi, Armand se pendra. Il débarrassera le plancher. Eugénie touchera une pension de veuve, il a une bonne assurance-vie à l'usine, et Alain partira vivre en Suède avec Annette et Jules. Plus rien d'autre n'existera. Il ne ressent plus rien depuis qu'Eugénie l'a insulté ce matin. Elle l'a insulté en chuchotant. Il ne savait pas qu'il était possible de chuchoter le mot *ordure.* Il croyait qu'il était forcément hurlé. Elle lui a dit que jamais elle ne lui pardonnerait ni ne le laisserait partir. Qu'il était son mari et qu'il le resterait. À la façon dont elle l'a dit, avec cette haine qui la défigurait, ça ressemblait à un crachat rempli d'amour. Oui, c'est comme si elle lui avait craché au visage en lui disant Je t'aime.

Quand Armand a croisé Alain dans l'escalier tout à l'heure, il a reçu un coup de poing imaginaire dans la gueule. Alain a juste jeté un coup d'œil aux chaussures de son père. Armand a vu son regard.

Quand Alain était petit, il avait la manie de piquer les chaussures de son père. Il rentrait de l'école et en enfilait une paire. Elles n'étaient pas nombreuses. Une pour l'hiver, une pour l'été. Et souvent, les chaussures faisaient plusieurs années. Alain paradait pendant des heures, imitant son père. Il faisait même ses devoirs dans les chaussures de son père. Combien de fois Armand les avait-il cherchées en partant travailler à 4 heures du matin et les avait-il trouvées près du lit où son fils était endormi ?

Alain avait longtemps nagé dedans. Mais vers l'âge de quatorze ans, il avait commencé à avoir du mal à y entrer les pieds. À quinze ans, c'était terminé, fini de jouer. Les chaussures de son père étaient devenues trop petites. Il avait pris deux pointures en un an, mais désormais Alain était plus intéressé par les copains et les filles. Armand, lui, prit un coup de massue. Il ne pensait plus qu'à cela : Mon fils ne rentre plus dans mes chaussures. C'était la fin de quelque chose, une triste fin.

Armand entend quelqu'un pousser le portillon, entrer dans le jardin et sonner à la porte.

C'est Marcel, son collègue, qui vient d'arriver avec son estafette. Armand quitte sa tanière à regret.

— Salut, Malcel.

Marcel, c'est le type qu'il appelle dès que quelque chose ne fonctionne plus dans la maison. Pour bricoler, pour récupérer. Hier soir, il est passé réparer la machine à laver et ce matin, il va l'emmener à la déchetterie. Mais avant, il veut vérifier une pièce du moteur qui s'encrasse toujours et à laquelle il n'a pas pensé hier soir…

— Si vous saviez le nombre de machines qu'on envoie à la casse à cause de cette foutue pièce.

Eugénie fait réchauffer du café pendant que Marcel fouille le ventre de la machine. Armand tourne en rond et répond à son collègue par onomatopées quand l'autre lui parle de pompe de vidange, d'électrovanne, de capteur de niveau et de résistance de chauffe… Faut aussi qu'il vérifie le « piège à objets ». Armand ignorait qu'il y avait aussi des pièges dans les machines à laver.

Christian est remonté dans sa chambre pour se préparer. Annette revient dans la cuisine, Jules dans les bras. Marcel lève la tête, son regard change quand il se pose sur Annette. Putain, qu'elle est belle.

— Elle est vraiment foutue, y a plus rien à faire, déclare Marcel.

Armand et Marcel veulent débrancher le tuyau d'évacuation et fermer l'arrivée d'eau, mais quelqu'un l'a déjà fait. Armand jette un regard machinal en direction d'Eugénie sans penser une seule seconde que c'est elle qui s'est occupée de tout. Les deux hommes soulèvent la machine ensemble. *Nom de Dieu, ça pèse une tonne.*

Au même instant, Annette confie Jules à Eugénie. Cette dernière prend l'enfant dans ses bras, le serre contre elle, mais ne l'embrasse pas. Les deux femmes ne se regardent pas.

Pendant qu'il traîne la machine à laver avec Marcel, Armand entend des voix provenant des chambres et un des jumeaux descendre l'escalier. Alain ou Christian ? Armand n'a pas le courage de lever la tête. Ils ne vont sans doute pas tarder à partir à ce baptême. Et ce soir, quand ils rentreront, il se sera pendu. Annette ne lui pardonnera pas, mais au fond, ce ne sera pas si grave. Et la vie continuera, elle continue toujours. Elle n'a pas besoin de lui, la vie. Que pourrait-elle bien faire d'un type comme lui ?

Armand et Marcel sortent de la maison en soufflant comme des bœufs, c'est vrai que c'est sacrément lourd. Dehors, il fait froid. Armand aide Marcel à charger la machine à laver dans la camionnette, l'attache avec un tendeur. Il entend un moteur démarrer, il se retourne et entrevoit la Clio qui disparaît à vive allure. Les jumeaux sont à l'avant. Sandrine a appuyé sa tête contre la vitre arrière. Le temps d'une seconde,

Armand aperçoit les cheveux blonds d'Annette, son dernier coucher de soleil.

Elle venait trois fois par an. Trois jours à Noël, trois jours à Pâques, le week-end du 15 août. Il avait suffi d'un jour en octobre pour que tout s'arrête. Il la voyait peu, pourtant elle prenait tout l'espace. Il ne lui restait rien, pas une miette, pas une minute qui lui appartienne. Il était dépourvu de toute pensée qui ne soit pas elle. Le jour comme la nuit.

Les quelques fois où ils s'étaient retrouvés là-haut, dans le débarras, ce cimetière à jouets, calés dans un recoin où le plafonnier ne fonctionne plus, il avait senti sa vie passer dans la sienne.

La nuit dernière, ni lui ni Annette n'ont entendu Alain monter l'escalier. Ils ont vu la porte s'ouvrir. Puis Alain a appelé Annette. Plusieurs fois. Annette s'est agrippée à Armand. Il a senti ses ongles rentrer dans sa peau. Ils se sont terrés, terrorisés, honteux à l'idée d'être découverts.

Alain s'est approché, comme attiré par leur souffle. La lumière du couloir les éclairait suffisamment pour qu'ils aient l'air de deux animaux pris au piège, deux misérables silhouettes collées l'une à l'autre sur le plancher, entre deux cartons de vaisselle.

Paralysé, Alain a essayé de dire quelque chose, mais aucun son n'est sorti de sa bouche. Puis, au bout d'une éternité, il a reculé et refermé la porte derrière lui sans faire de bruit, pour effacer ce qu'il venait de voir.

Armand est pris d'un vertige. Marcel lui demande si ça va, lui dit qu'il n'a pas l'air dans son assiette.

— C'est lien, je dois couver quelque chose.

Armand lui glisse quelques pièces de 10 francs dans la poche pour le service rendu.

— Poul tes gosses, dit Armand.

L'autre éclate de rire.

— J'ai jamais eu de gosses.

T'as de la chance, pense Armand.

Jules dans les bras, Eugénie les observe depuis la cuisine, cachée derrière la fenêtre.

Armand se dit qu'il faut qu'il en finisse vite. Il ne pourra pas supporter ce regard accusateur une journée de plus.

— Salut Malcel, à la plochaine.

La matinée s'écoule doucement, il fait comme s'il allait continuer à vivre. Il plante des choux de printemps et des salades d'hiver dans son potager. Une vieille habitude d'octobre. La terre est gelée. L'hiver est précoce. Toute la matinée, il sent les yeux d'Eugénie dans son dos.

À midi, il trouve une assiette, la sienne, sur la table de la cuisine. Les restes du couscous trop salé de la veille. Il hésite à s'asseoir puis se dit qu'il vaut mieux faire comme d'habitude pour ne pas éveiller les soupçons. Depuis qu'il est marié, c'est la première fois qu'il déjeune seul un dimanche. Il observe l'emplacement vide de la machine à laver et se dit que quand il ne sera plus là, il ne laissera aucun vide.

Il n'y a pas un bruit dans la maison. Elle doit être à

l'étage avec les enfants. En avalant son couscous, il se demande pourquoi Eugénie a tellement insisté pour garder Jules. Il se demande aussi s'il doit laisser une lettre d'adieu à Annette. Non. Pour lui dire quoi ? Je t'aime ? Elle le sait. Ni à sa femme. Ni à ses fils.

La nuit dernière, avant qu'Alain ne les découvre, il a senti les larmes de la jeune femme couler sur son cou pendant qu'elle lui parlait du visage d'une Vierge Marie qu'elle avait restaurée près de Reims. Alors qu'elle lui décrivait le bleu cobalt, il sentait sa bouche frissonner contre son oreille.

Elle pleure de plus en plus souvent, de plus en plus longtemps. Il faut *vraiment* en finir.

En avalant son couscous, il pense à la peau d'Annette qui se fragilise, malmenée par le froid des cathédrales et des églises, les cicatrices qu'elle se fait sur les mains et les avant-bras en manipulant le verre. Il pense à ses poignets, fins comme des bijoux. La vision de ses mains d'ouvrier sur sa peau blanche lui est toujours apparue comme une image mentale mais jamais comme une réalité. Jules l'a ramené sur terre.

Le jour de sa naissance a été le plus beau et le pire de sa vie. Jusqu'à la nuit dernière, pour le pire.

Quand il s'était penché sur son berceau à la maternité pour le prendre dans ses bras, Eugénie lui avait désigné la pancarte accrochée au-dessus du bébé : « Ce bébé est fragile, seules les caresses de son papa et de sa maman sont autorisées. » Comme le soir où il avait embrassé Annette pour la première fois, Armand avait eu envie de prendre le nourrisson et de se sauver, de l'enlever et de disparaître. Mais comme le soir où il avait embrassé Annette pour la première fois, il n'avait rien fait et il était rentré chez lui.

Il lave son assiette, ses couverts et son verre, les pose sur le rebord de l'évier. De toute façon, Eugénie repassera derrière lui. Elle n'aime pas sa façon de nettoyer les choses. Elle dit toujours que ce n'est ni fait ni à faire.

Il a décidé de se pendre dans la pièce où Alain les a surpris la nuit dernière. Le plafond est haut et c'est la seule porte de la maison qui ferme à clé de l'intérieur. Cette fois, il n'oubliera pas. Pas comme la nuit dernière. En plus de fermer la porte à clé, il collera un mot dessus, laconique, pour que personne n'entre avant d'avoir appelé la police.

Il y a une corde dans l'abri de jardin, enroulée autour de la grande échelle verte. Il sort la chercher. Il fait d'abord semblant de regarder ses plantations. Tourne un peu. Il est sûr et certain qu'Eugénie l'observe depuis une des chambres de l'étage. Dans l'abri, il n'ose pas poser les yeux sur son vélo, comme quand on passe à côté de quelqu'un qu'on a trop aimé. Il déroule la corde et la glisse dans un sac-poubelle qu'il cache sous son blouson d'hiver.

Il ouvre la porte du débarras. Il allume sa lampe de poche et dirige le faisceau de lumière sur la charpente. Depuis son escabeau, il balance la corde plusieurs fois jusqu'à ce qu'elle s'enroule autour de la poutre maîtresse et l'attache solidement. Il commence à faire son nœud de pendu, s'y prend à plusieurs reprises.

En s'exécutant, il se souvient que lorsque les jumeaux étaient enfants, ils faisaient des tours de magie et de faux nœuds dans des foulards. Ils ne lui ont jamais donné leur truc. Il ne sait en faire que de vrais.

Il redescend au rez-de-chaussée, il n'a plus beaucoup de temps, Eugénie et les enfants se sont assoupis sur le canapé devant la télévision. Armand entend le marchand de sable passer. Les enfants veulent toujours regarder la même cassette. Il soulève la bouteille de gaz qui est sous l'évier et cherche la mèche de cheveux d'Annette qu'il a cachée au fond du placard, à l'intérieur d'une enveloppe du Trésor public. Il l'ouvre et glisse la mèche de cheveux dans sa poche.

Il écrit le mot d'avertissement sur le carnet qui sert habituellement à noter la liste des courses : *N'entrez pas. Appelez la police.* Il déroule un morceau de Scotch, le rompt avec ses dents. Il s'apprête à remonter lorsqu'il voit une voiture de flics se garer devant la maison. Armand n'en croit pas ses yeux. Comment peuvent-ils être déjà là ? Est-il en train de rêver ? Il les observe qui poussent le portillon et pénètrent dans son jardin.

Merde, qu'est-ce qu'ils viennent foutre là ? En plus, ils ont l'air de faire la gueule. Armand en connaît un des deux de vue. Un gars du village dénommé Bonneton, un peu plus jeune que lui. Les deux officiers s'apprêtent à sonner à la porte. Non. Il ne faut pas. S'ils sonnent, cela réveillera Eugénie et les enfants.

Il froisse le mot et le met dans sa poche avant de descendre ouvrir la porte. Il se retrouve nez à nez

avec eux. L'adjudant Bonneton fait un salut militaire
à Armand et prend la parole :

— Bonjour. Monsieur Neige ?

Armand est surpris par la question. Bonneton sait
très bien qui il est.

— Oui.

— Vos fils Christian et Alain Neige sont-ils les
propriétaires d'un véhicule de marque Renault imma-
triculé 2408 ZM 69 ?

68

Hélène n'est jamais retournée au café du père Louis après la mort de Lucien. Elle en aurait été incapable. Trente ans après, quand elle est revenue à Milly pour y finir ses jours selon sa volonté, elle n'a pas souhaité passer devant son ancien café. Elle a prié Rose de l'emmener aux Hortensias sans faire de détour.

Ce café, si démodé à la fin des années soixante-dix avec son vieux juke-box, son mobilier des années cinquante, son parquet sombre et ses vitres teintées, Lucien et Hélène auraient pu le vendre cent fois. Mais ils trouvaient toujours un prétexte pour ne pas s'en séparer, dont le petit Claude.

À partir des années soixante-dix, des lieux plus modernes avaient ouvert. Des brasseries aux grandes baies vitrées, au carrelage blanc, aux chaises en plastique et aux jeux vidéo à manettes qui attiraient la jeunesse. Des brasseries enfumées où l'on entendait des groupes anglo-saxons jouer de la guitare électrique et non pas Brel et Brassens soliloquer à longueur de journée avec Lucien, « le revenant », fumant gitane sur gitane derrière le bar.

Claude a tenu le café du père Louis jusqu'en 1986. À la fin, seuls quelques vieux venaient y boire des verres de vin avant dix heures du matin.

Le café a ensuite été transformé en cabinet médical, un médecin généraliste s'y est installé pendant quelques années. Il recevait ses patients au rez-de-chaussée et avait fait rénover les appartements à l'étage, un qu'il habitait, seul, et l'autre qui était occupé par son employée de maison.

Cela plut à Hélène que son café soit remplacé par la salle de consultation d'un médecin, à ses yeux il n'y avait guère de différence. « Qu'on entre dans un café ou chez un médecin, c'est que l'on veut se faire soigner de la solitude », disait-elle.

Après le départ du médecin, aucun confrère ne s'y installa. Le petit Claude, qui était tombé amoureux de son employée de maison, l'avait suivie quand elle avait quitté Milly.

L'établissement a été rasé au début des années quatre-vingt-dix pour construire des logements sociaux qui n'ont jamais été construits.

*

En octobre 1986, après la vente du café au médecin, Claude a rendu visite à Hélène pour lui ramener quelques effets personnels dans des cartons. Elle vivait à Paris, elle avait alors soixante-neuf ans. Elle avait travaillé dix ans chez Franck & Fils, rue de Passy, comme petite main.

Elles étaient treize couturières à travailler au septième étage du grand magasin, dans un atelier clair où la vue sur la rue de Passy et la mouette était imprenable. Elles y faisaient les retouches de vêtements de prêt-à-porter et de haute couture, puis elles les repassaient avant de les emballer dans du papier de soie. Elles étaient toutes assises autour d'une grande table et cousaient soit à la main, soit à la machine, selon les retouches à réaliser.

Hélène y était heureuse et avait longtemps refusé d'en partir. Le chef du personnel lui concéda d'y rester jusqu'à l'âge de soixante-huit ans. Elle vivait dans le XVIe arrondissement, à deux pas du magasin où elle passait encore souvent saluer ses anciennes collègues.

Son appartement lui était prêté par une comtesse qui vivait rue de la Pompe. En guise de loyer, Hélène fournissait quelques robes cousues main à la comtesse et à ses trois filles. Elles choisissaient les étoffes et les modèles qu'elles découpaient dans des magazines, Hélène les réalisait.

Elle habitait au troisième étage. Claude n'a pas pris l'ascenseur. Il a frappé à la porte, son carton sous le bras et le cœur battant à cause des trois étages mais surtout à cause d'Hélène qu'il allait revoir.

Lorsqu'elle lui a ouvert la porte, il y a eu une bonne odeur de cire et de papier. Rien n'avait changé dans sa physionomie si ce n'est qu'elle portait des lunettes et un pantalon. C'était la première fois qu'il ne la voyait pas en robe. Ses cheveux avaient blanchi. Ils se sont serrés dans les bras l'un de l'autre, longtemps.

Claude lui a parlé de Fatiha, l'employée de maison

du médecin qui avait racheté le café du père Louis. Une belle Algérienne dont la qualité principale était de rire beaucoup. Hélène lui a dit que Fatiha sonnait comme le titre d'une jolie chanson.

Le reste de l'après-midi, derrière des tasses de thé qu'Hélène remplissait toutes les dix minutes, elle a lu des extraits de livres à Claude. Des livres qui n'étaient pas en braille. Elle en choisissait au hasard dans sa modeste bibliothèque, les ouvrait à n'importe quelle page et lui disait, Écoute, cette fois, c'est toi qui écoutes.

De nombreuses séances chez une orthophoniste avaient corrigé sa dyslexie.

Elle parlait exagérément fort et il aurait été impossible de ne pas comprendre ce qu'elle lisait tant elle articulait. De la voir aussi fière que l'écolière qu'elle n'avait pas pu être, Claude en a eu les larmes aux yeux.

Hélène lui a dit qu'elle avait hâte de retrouver ses parents et Lucien dans l'au-delà, pour leur faire la surprise.

Tous les 6 octobre, mémé dépose une couronne de fleurs au pied de l'arbre qui a tué ses enfants. Le 5 au soir, elle se fait livrer les lys blancs et les roses rouges. Le premier fleuriste est à 20 kilomètres, avant, elle leur téléphonait, maintenant, elle demande à Jules de les commander sur Internet. Il suffit de cliquer sur «Livraison fleurs deuil» et de choisir entre «bouquet fleurs enterrement, coussin fleurs obsèques ou composition tristesse».

Tous les 6 octobre, elle quitte la maison à 8 heures du matin, ses fleurs sous le bras et sa canne à la main. Elle marche en claudiquant jusqu'à l'arbre pendant trois quarts d'heure, dépose sa couronne, l'entoure d'un ruban qu'elle fait broder et rentre à la maison.

Pépé n'a jamais voulu l'accompagner, jamais voulu l'emmener en voiture jusqu'à l'arbre, pépé a toujours haï ce rituel.

Mémé a toujours refusé que Jules ou moi l'accompagnions. Nous n'avons pas eu le choix du cimetière quand nous étions enfants, mais elle nous a épargné la couronne de fleurs dans le fossé. Si quelqu'un s'arrête en voiture à sa hauteur pour lui proposer de l'escorter, elle refuse.

Chaque samedi du mois, quand je ne suis pas de garde, Jules et moi passons devant la couronne de fleurs en allant au *Paradis*. Les deux premières semaines, les fleurs font ce qu'elles peuvent pour ressembler à des fleurs, mais dès la fin du mois, elles ont perdu toutes leurs couleurs. En novembre, la couronne ne forme plus qu'un amas marron, qu'on pourrait prendre pour un animal ou un vêtement jeté dans le fossé si on roule vite.

Aux premières chutes de neige, quelqu'un l'enlève. Nous avons longtemps pensé qu'il s'agissait du cantonnier mais quand Jules avait une quinzaine d'années, il a appris par hasard que c'était pépé.

L'hiver dernier, pépé l'a laissée pourrir. Au printemps, il ne restait plus que le ruban blanc sur lequel on pouvait lire ces mots à peine lisibles : « Pardonnez-moi ».

Hélène est décédée en fin d'après-midi.

Elle est partie en laissant sa légende : il y a autant d'oiseaux que d'humains sur la terre. Et l'amour, c'est quand plusieurs personnes se partagent le même.

*

Rose a demandé à Claude s'il souhaitait un souvenir d'elle, une robe, un foulard ou quelque chose d'autre. Il a répondu, La photo de Janet Gaynor.

71

Dimanche 6 octobre 1996

Entre 5 heures et 6 heures du matin, pendant que l'autre salopard faisait semblant de dormir, là, juste à côté d'elle, dans leur lit, elle avait réfléchi.

Après l'avoir insulté, alors que son cœur n'avait jamais battu aussi fort, pas même le jour de l'accouchement des jumeaux, Eugénie avait pensé lui tirer une balle dans les genoux pendant son sommeil, pour qu'il se retrouve cloué dans une chaise roulante. Mais cette douleur-là n'était pas assez forte. Il aurait continué à bouffer, à boire, à dormir comme avant. Et il serait passé pour une victime. Non, plus rien ne devait être comme avant. Et puis, elle n'aurait pas supporté d'aller en prison. Personne ne la forcerait à quitter sa maison, et sûrement pas lui, l'ordure qui se tapait sa belle-fille, l'ordure pour qui elle avait sacrifié sa vie. L'ordure qui l'avait humiliée de la pire façon qui soit, en couchant avec la femme de son fils, de *leur* fils.

Il fallait qu'elle trouve un moyen de lui faire faire

des cauchemars dans ce lit, jusqu'à son dernier souffle. Et c'est là qu'elle avait décidé de l'éliminer de la surface de la terre. Pas physiquement. Non, pas d'un seul coup, il fallait qu'il souffre. Mourir tout de suite aurait été trop facile, il fallait le torturer jusqu'à ce qu'il en crève. Il fallait trouver un moyen pour qu'il périsse à petit feu, une agonie qui s'éterniserait. Lui trouver un enfer. Un enfer qui lui soit personnel. L'enfermer vivant derrière des murs invisibles, les murs de la honte, de la culpabilité.

Elle avait lu que les nazis avaient expérimenté la douleur physique et morale sur des prisonniers en torturant un parent ou un être cher. Elle avait lu que pour faire du mal à quelqu'un, un mal fou, un mal insupportable, il ne fallait pas s'en prendre à la personne directement, mais à celle qu'elle chérissait le plus au monde. C'est ainsi que dans sa tête était née l'idée du mal. De l'origine du mal.

Faire du mal à Annette pour le détruire, lui.

Le réveil marquait 6 heures. Il fallait aller vite.

Eugénie est sortie dans la rue. Il faisait froid et nuit. Elle portait la robe de chambre en mohair que l'autre ordure lui avait offerte à Noël dernier. La voiture d'Armand était garée sur le trottoir d'en face, comme d'habitude.

Elle a enlevé une roue en quelques minutes. Elle s'y connaissait très bien en mécanique. À la ferme, c'est elle qui faisait les vidanges du tracteur. Ses frères étaient même jaloux. Aucun véhicule n'avait de secret pour elle. Son père lui avait tout appris. Même

Armand l'ignorait, et elle avait aimé que personne ne sache qu'elle avait été un garçon manqué. Elle a commencé à gratter les flexibles de freins avec un économe, ce petit couteau à légumes qu'elle avait utilisé pendant toute l'enfance des jumeaux pour éplucher les pommes de terre. Elle n'avait jamais fait de frites surgelées. Toujours des pommes de terre Charlotte qu'elle choisissait avec soin, pelait et découpait en longs et fins quartiers. En grattant la première couche de caoutchouc, elle a pensé au corps d'Armand quand il était revenu au lit, à son corps avec l'odeur de la chatte d'une autre sur lui.

Ce corps qui l'avait déflorée. Ce corps auquel elle avait donné sa vie et deux enfants. Ce corps qui lui avait fait peur, mal, et qu'elle avait fini par adorer. Ce corps qui l'écrasait, se frottait, frissonnait contre elle depuis plus de trente ans. Son parfum dont les chemises s'imprégnaient et qu'elle respirait en douce avant de les laver. Elle avait soigné ses ampoules, posé des pansements sur ses écorchures, poli ses ongles, rasé sa nuque, mis de la crème chauffante sur ses courbatures, administré des sirops contre la toux.

Tandis qu'elle sabotait les freins, elle transpirait, la haine remontait par bouffées de chaleur. Ses mains ne tremblaient pas. Sa vie était foutue. Comme la machine à laver. Elle le savait qu'elle était foutue, bien avant que Marcel ne vérifie «une dernière chose». Et quand la vie est foutue, on ne tremble plus, on ne pleure plus, on hait.

Elle a revissé les écrous de la deuxième roue, récupéré le cric qu'elle a remis à sa place, dans l'abri de jardin, avec les autres outils et produits. Désherbant, colle à bois, perceuse, visseuse, marteau, ponceuse, clés à molette, tournevis. Ces outils qu'elle avait fait semblant de ne pas connaître alors qu'en douce elle avait tout réparé dans la maison, jusqu'aux toilettes qui se bouchaient tout le temps parce que le conduit d'évacuation était trop étroit.

« L'autre » ne s'était jamais posé de questions en rentrant la gueule enfarinée de son usine. Jamais un siphon bouché, jamais un gond de porte qui grince, jamais un clou à planter, jamais un lé de tapisserie qui se décolle, jamais un meuble à monter, jamais de moisissure, jamais un coup de peinture à donner, jamais une ampoule à changer, jamais de chaudière en panne, jamais une planche à clouer, jamais une vis qui se dévisse, jamais de fissures dans les murs, jamais de point de rouille naissant.

Elle est entrée dans sa cuisine. Cela ne lui avait pris que quinze minutes. Elle a lavé l'économe, l'eau chaude lui a fait mal aux doigts. Elle l'a rangé avec les autres couverts.

En remontant se coucher, elle a rendu grâce à Armand : enfin elle ressentait quelque chose de fort. Enfin elle était transportée par un sentiment puissant, même si c'était de la haine. Elle avait lu qu'il n'y a qu'un pas entre la haine et l'amour.

72

En fin d'après-midi, Lucien est arrivé à la nage. Il est sorti de la Méditerranée, essoufflé.

Il y avait encore du monde sur la plage et dans l'eau. Le soleil était déjà bas, mais il faisait toujours chaud. Le sable sillonné d'empreintes était tiède. L'air sentait le sucre des beignets, le sel des baraques à frites et le vent portait les rires et les cris de joie en direction du ciel, une symphonie comme seule la mer sait en faire jouer aux enfants un soir de vacances.

Hélène était étendue sur sa serviette, sous un parasol. Elle lisait un roman et portait un maillot de bain orange deux pièces. Il s'est allongé près d'elle, sur la serviette à côté où ses vêtements secs étaient roulés en boule depuis trente-cinq ans. Il s'est essuyé et a enfilé sa chemise froissée. Elle lui a souri. Elle avait du sable dans le nombril, il l'a enlevé du bout des doigts. Sa peau était chaude et légèrement collante, un mélange de monoï et de sueur. Elle a frissonné et lui a dit, Je sais lire maintenant, écoute. Il a répondu, Je t'écoute et après, on repart tous

les deux. Elle a fait oui de la tête. Elle a mouillé son
index, a tourné plusieurs pages, a choisi un extrait du
roman et a commencé à lire.

73

Dimanche 6 octobre 1996

Vers 7 heures du matin, Annette avait dû descendre
l'escalier tout doucement pour ne pas faire de bruit,
ne réveiller personne. Elle avait dû se faire chauffer
un peu de lait, le boire dans le bol avec son prénom
écrit dessus – un cadeau d'anniversaire d'Eugénie
quand elle «fréquentait» Alain. «Fréquenter» est
le mot qu'on utilisait dans la famille d'Eugénie pour
définir un couple avant le mariage.

Annette avait dû enfiler sa parka, ses baskets,
décrocher les clés de la voiture d'Armand du clou à
l'entrée, sortir de la maison, démarrer, rouler 9 kilomètres en direction de la vieille chapelle du mont
Chavanes – un endroit qui ressemblait au Canada en
pleine Bourgogne – pour aller faire son footing.

À chaque fois, c'était le même rituel. En arrivant
là-haut, elle se garait en contrebas, montait jusqu'à
la petite chapelle dont la porte était toujours ouverte
pour admirer le lever du jour à travers un vitrail

datant du XVIe siècle représentant la mise au tombeau de Marie-Madeleine. Plus de cierges ni de bancs, juste les murs, le sol poussiéreux et ce vitrail miraculeusement conservé qui fascinait la Suédoise.

Elle rentrait une heure plus tard, prenait une douche, nourrissait Jules et les soûlait au petit déjeuner avec cette Marie-Madeleine. Cette femme dont on ne savait pas si elle avait été la maîtresse de Jésus, la mère de ses enfants ou juste une amie fidèle. Une pute en quelque sorte, exactement comme elle. Une pute, pute, pute, pute, pute, pute, pute, pute, pute. Eugénie ne disait jamais de gros mots, elle les pensait.

D'après les calculs d'Eugénie, Annette avait dû passer au premier carrefour sans freiner parce que, à cette heure matinale, il n'y avait personne, elle avait dû longer la rivière jusqu'au passage à niveau, à 2 kilomètres de la maison, où un méchant virage l'avait forcément obligée à freiner, et boum. Sa jolie petite gueule partie en fumée.

De temps en temps, Eugénie jetait un coup d'œil en direction de «l'autre» qui faisait toujours semblant de dormir en lui tournant le dos. Allongée dans son lit, elle a fait le parcours d'Annette de la maison à la chapelle une bonne dizaine de fois, les yeux collés au plafond strié par la lumière du réverbère qui filtrait à travers les volets.

Elle s'est levée pour préparer le petit déjeuner des enfants. Qui viendrait leur annoncer l'accident d'Annette? Annette défigurée, Annette grièvement blessée, Annette morte, Annette retournée à la poussière. Qui ?

On lui organiserait un bel enterrement, parmi de somptueux vitraux. On poserait des roses blanches sur son cercueil. Armand ne s'en relèverait pas. Alain referait sa vie et elle, Eugénie, garderait Jules en attendant. Pas question que le petit reparte là-bas, chez ces Suédois de malheur.

Quand Annette est entrée dans la cuisine, Jules dans les bras, pâle comme la mort et les yeux rougis, Eugénie a juste baissé les yeux, sans rien dire. Pas un bonjour. Annette a préparé le biberon du petit et elle est ressortie.

C'était la première fois qu'Annette ne partait pas faire son jogging un dimanche matin avec la voiture d'Armand. Elle ne prenait jamais la voiture des jumeaux pour rouler jusqu'à la chapelle. La voiture d'Armand supportait mieux les côtes pour monter là-haut. Ça, c'est ce qu'elle croyait jusqu'à la nuit dernière. Elle venait de comprendre qu'Annette aimait prendre la voiture d'Armand parce qu'elle était à Armand. Même les jours de pluie et de neige, elle y allait, comme si une main invisible l'y forçait.

Eugénie a regardé par la fenêtre, la voiture n'avait pas bougé. Elle a remarqué aussi que les deux voitures étaient garées l'une derrière l'autre. La Peugeot d'Armand et la Renault des jumeaux. Ça non plus, ce n'était jamais arrivé. Les garçons garaient toujours la Clio dans le bateau du trottoir qu'Armand avait fait construire pour eux, juste en face du jardin. Un abaissement sur le trottoir qui restait vide quand les jumeaux n'étaient pas là. Même qu'elle enlevait les mauvaises herbes qui poussaient dans le béton quand ils restaient trop longtemps absents. Parce que leur voiture ne faisait plus d'ombre au trottoir. Quelque chose avait dû les gêner hier soir.

Eugénie s'est rappelé l'estafette de Marcel... Il avait bu l'apéro après avoir essayé de réparer la machine à laver. Eugénie est sortie dans la rue et a crevé le pneu avant gauche de la Peugeot d'Armand pour que personne ne puisse l'utiliser aujourd'hui. Elle s'est dit qu'elle réparerait les flexibles de freins demain.

Elle est très vite revenue à la maison, elle voulait vérifier qu'Annette et Alain n'emmenaient pas Jules à ce fichu baptême. Elle avait trop peur qu'une dispute éclate entre eux.

Et puis on boit, à un baptême, c'était trop dangereux.

74

Roman m'a dit :

— Je hais les dimanches.

— Vous pourrez toujours venir me voir.

J'ai dit ça à mes pieds parce que ce matin, son regard m'était à nouveau impossible. La mort d'Hélène m'avait ramenée à la case départ de ses yeux.

— Vous allez rester dans la région ?

— Où voulez-vous que j'aille ?

— Eh bien, justement, j'ai un cadeau pour vous.

Il l'a dit à la bière qu'il était en train de boire. Parce que je devais avoir quelque chose d'impossible à regarder moi aussi.

Nous étions dans le hall froid et impersonnel de la gare TGV, celle qui est à quarante minutes de Milly en voiture. Quelques tables de bistrot avaient été posées là, dans un coin, à côté d'un comptoir de fortune sur lequel trois voyageurs étaient accoudés et sirotaient un café. Nous étions assis près d'une porte automatique qui s'ouvrait et se refermait sur l'extérieur sans que jamais personne ne passe. De temps en temps, notre conversation était entrecoupée par le grondement furieux d'un train qui filait en direction de Lyon, Marseille ou Paris.

Le matin, Roman m'avait téléphoné aux *Hortensias* pour me dire qu'il voulait me voir mais pas là-bas. Là-bas, aux *Hortensias*, il serait incapable d'y remettre les pieds pour l'instant. Il m'a tendu une enveloppe. Une grande enveloppe.

— Vous l'ouvrirez quand je ne serai plus là.

Il a dit ça à mes yeux parce que cette fois, nous nous sommes regardés. En même temps.

— D'accord. Moi aussi j'ai quelque chose pour vous.

Je me suis penchée vers mon sac qui était posé par terre. Jo dit toujours qu'il ne faut pas poser son sac par terre, que ça porte malheur et qu'on n'aura jamais d'argent si on fait ça. J'ai pensé à l'amour de Jo pour Patrick en tendant le cahier bleu à Roman.

— C'est l'histoire de vos grands-parents. J'ai fini de l'écrire.

— Merci.

Il a caressé la couverture du cahier bleu comme si c'était la peau d'une femme. Et, sans me regarder, en respirant les pages de papier au hasard, il a murmuré :

— Le jour où je vous ai demandé d'écrire l'histoire d'Hélène, vous aviez un cil sur la joue... Je vous ai demandé de faire un vœu.

— Oui, je m'en souviens.

— Et... vous l'avez fait, votre vœu ?

— Oui. C'est lui.

Je lui ai montré le cahier bleu. Mon vœu, c'était de l'écrire jusqu'au bout, de ne pas abandonner en chemin.

Il y a eu un grand silence, une grève générale, aucun TGV pendant plusieurs minutes. Il a bu une gorgée de bière. Il a caressé la couverture bleue avec ses doigts de fille. Puis il a dit :

— C'est un beau titre « La dame de la plage ».

— Où sont les cendres d'Hélène ? j'ai demandé.

— Ma mère les a jetées dans la Méditerranée.

— Hélène l'appelait sa valise bleue.

Il a fini sa bière.

— Et Edna ?

— Edna vit à Londres, chez sa fille cadette. Elle aura quatre-vingt-quatorze ans le mois prochain. Elle a eu deux enfants après... Rose.

— Vous la voyez ?

— Quelquefois.

La voix d'une femme s'est invitée à notre table, celle qui annonçait son départ imminent. Il s'est levé, m'a pris les mains, les a embrassées et s'est dirigé vers le quai.

Son départ m'a laissée sur le carreau.

J'ai fait comme dans les films, j'ai commandé un whisky. Le genre d'alcool que je déteste, mais j'avais trop envie de me retrouver dans le film d'un autre. J'ai bu mon whisky cul sec. Ça m'a brûlée à l'intérieur. Je me suis mise à flotter un peu. J'ai pensé à Hélène et à Lucien. Et je les ai vus tous les deux, derrière le bar.

Ils avaient changé de bistrot. J'ai même vu Louve, dormant dans la sciure.

J'ai pensé à la Méditerranée. J'ai pensé à la mouette. J'ai pensé à après, à pépé et Annette.

L'enveloppe que Roman m'avait donnée était toujours sur la table. C'était une enveloppe kraft, alors elle devait contenir bien plus qu'une carte postale. Je l'ai ouverte. À l'intérieur, il y avait des documents. Tout ce qu'il y a de plus sérieux. Le genre de documents que l'on range toute sa vie dans un tiroir pour ne pas les perdre. C'était un acte de propriété.

Je l'ai relu plusieurs fois parce qu'il y avait mon prénom et mon nom partout, mais je n'ai pas compris tout de suite de quoi il s'agissait. Tout était rédigé en italien.

J'ai failli re-commander un whisky lorsque j'ai vu l'autre enveloppe, plus petite et plus blanche, glissée au milieu. Avec «Justine» écrit à l'encre, aussi joliment que sur *Mal de pierres.*

Dans l'enveloppe, j'ai trouvé un mot. C'était toujours l'écriture de Roman : «Justine, la maison sarde est à vous. Ma famille et moi-même vous la léguons.»

J'ai regardé autour de moi. Je me suis pincé le bras. Je me suis levée.

J'allais quitter le hall de la gare quand le serveur du comptoir m'a rattrapée par le bras. Celui que je venais de me pincer.

— Mademoiselle, vous avez oublié ça.

De l'index, il a désigné un immense colis posé contre la grille baissée d'un point presse.

— Ce n'est pas à moi.

— Si. Le monsieur avec qui vous étiez m'a dit que c'était pour vous. Même que ça pèse une tonne.

Sur le paquet, toujours le même «Justine» écrit à l'encre bleue.

J'ai demandé des ciseaux au serveur. Il n'en avait pas. Mais il a sorti un petit couteau de sa poche. Il a coupé les ficelles délicatement en répétant trois fois, *À mon avis, ça a de la valeur.* C'est vrai qu'on aurait dit un tableau tout droit sorti d'un musée emballé précautionneusement. Un tableau que je ne pourrais pas emporter toute seule tant il était grand et lourd. Il ne rentrerait jamais dans la voiture de pépé.

Pendant que le serveur dépaquetait le mystérieux objet, je n'arrêtais pas de regarder à l'intérieur de mon sac pour vérifier que les deux enveloppes étaient vraiment là. Qu'elles ne s'étaient pas envolées. Que tout cela n'était pas un rêve. Même si c'en était un. Moi, Justine Neige, orpheline, vingt et un ans, bientôt vingt-deux, j'étais propriétaire d'une maison parce que j'avais écouté une femme me raconter son histoire.

Les quatre voyageurs accoudés au bar se sont rapprochés de nous. Quand le serveur a fini par enlever la multitude de cartons et de papiers qui protégeaient l'objet, j'ai découvert qu'il ne s'agissait pas d'un tableau mais d'une immense photo en noir et blanc sous verre.

J'ai eu un mouvement de recul. Quelqu'un m'avait suivie sans que je m'en aperçoive.

Sur la photo, la mouette d'Hélène était au premier

plan, j'étais sûre que c'était elle, je l'aurais reconnue entre mille. Elle volait derrière moi, à contre-jour, dans la ruelle où je nourris le gros chat.

La photo était d'une beauté à couper le souffle.

Les quatre voyageurs ont murmuré qu'elle était magnifique. Le serveur n'arrivait pas à détacher ses yeux de la photo. Il l'a fait pivoter. Au dos, elle était signée de la main de Roman et portait un nom et une date : « Justine et l'oiseau, 19 janvier 2014 ».

Trois jours après la mort d'Hélène, la mouette était venue me dire au revoir. Et Roman avait immortalisé cet instant.

75

Dans la chambre 19, le nouveau résident s'appelle Yvan Géant. Il a quatre-vingt-deux ans. Il s'est pété le col du fémur. C'est un homme au regard bon, que tout le personnel soignant adore. De temps en temps, il essuie une larme du revers de la main en silence. Il ne supporte pas de vivre ici. Il me dit souvent, *Justine, jamais je n'aurais imaginé que je finirais ma vie dans un endroit pareil.*

Pour changer ses idées et les miennes, je le fais parler. Dès qu'il se met à raconter, il change de visage. J'ai eu envie de continuer à écrire. Pourtant, monsieur Géant n'a pas de petit-fils aux yeux bleus.

Je suis allée chez le père Prost acheter un nouveau cahier.

Je note ce que me raconte monsieur Géant sur mon nouveau cahier. Parfois, je lui relis. Ça le fait rire. Il me dit que c'est comme s'il écoutait l'histoire de quelqu'un d'autre, que mes mots sont plus jolis que sa vie. Comme on me dit tout le temps que quand un vieux meurt, c'est une bibliothèque qui brûle, je sauve quelques cendres.

Quand j'ai fini ma journée, monsieur Géant me parle, et j'écris :

La première fois que je suis allé passer un mois chez ma tante Aline et mon oncle Gabriel, j'avais six ans. C'était en hiver. Je m'étais cassé le bras et mes parents, qui travaillaient toute la journée à la tannerie, ne voulaient pas me laisser seul à la maison. Aline et Gabriel avaient une ferme un peu isolée dans la montagne vosgienne, au-dessus du Thillot.

Je dormais avec ma tante, et mon oncle dormait au-dessus de nous, dans une autre chambre. La nuit, il faisait tellement froid qu'on dormait avec un passe-montagne. J'adorais ce froid qui nous enveloppait. Je suis tombé amoureux de ma tante et de la vie là-bas. Je suis retourné chez eux jusqu'à l'âge de quinze ans pendant mes grandes vacances, toutes mes grandes vacances et chaque dimanche.

Aline, c'était comme ma deuxième mère. Elle n'avait jamais eu d'enfant et je ne sais pas pourquoi. Chez moi, on était quatre, mes parents n'avaient pas le temps de s'occuper de nous. Chez ma tante, je devenais fils unique.

Mon oncle Gabriel avait eu un fils d'un premier mariage qui s'appelait Adrien mais il avait vingt ans de plus que moi. Sûrement le même âge que ma tante Aline mais à l'époque, je ne m'en rendais pas compte. Quand on est petit, tous les grands sont des vieux.

Là-bas, je passais ma vie dans la montagne. Je ne travaillais jamais pour eux. La seule chose qu'ils me demandaient, c'était de ranger le foin dans le grenier à la fin de l'été. On prenait deux grands draps, on nouait les quatre coins, on mettait le foin à l'intérieur. Ça sentait bon.

Aline, c'était un ange. D'elle, il me reste une odeur, celle des branches de sapin que je faisais brûler dans le fourneau. Toute ma vie, j'ai béni le jour où je me suis cassé le bras.

76

6 octobre 1996

22 heures. Armand vient de rentrer de la chambre funéraire avec les gendarmes. Il a fait semblant de reconnaître les corps, il a tourné le dos au coroner et a fermé les yeux.

Il a dit, *Ce sont eux*. Il a juste identifié la paire de chaussures que portait Alain.

Armand n'a rien dit à Eugénie. Dans son silence, elle a entendu que c'étaient eux. Que c'était fini. Qu'ils étaient morts. Tous les quatre.

Eugénie Martin épouse Neige est recroquevillée sur le canapé. Elle est incapable de pleurer ses fils, de hurler, de se taper la tête contre les murs, de perdre connaissance, de se laisser mourir. Une seule pensée l'obsède, dévore son chagrin, la tétanise, empêche tout processus de deuil : elle se demande si elle ne s'est pas trompée de voiture.

Elle refait le parcours mentalement, sort dans la rue froide et noire emmitouflée dans sa robe de chambre en mohair, son cric à la main. Elle se place près de la voiture, enlève la roue, sort l'économe de sa poche et gratte les flexibles de freins en sentant toujours l'odeur de sa belle-fille sur les doigts de son mari.

Et si la haine et la précipitation lui avaient fait faire une erreur fatale, confondre deux voitures noires, une 206 Peugeot et une Clio Renault ? C'est sans doute une coïncidence, une monstrueuse coïncidence, elle a dézingué la Peugeot et c'est avec la Renault qu'ils se sont tués.

C'est un accident, juste un accident. Pourtant, à chaque fois qu'elle refait les gestes de la matinée, elle n'est plus tout à fait sûre. Tantôt elle enlève la roue de la Peugeot, tantôt celle de la Renault. Il lui suffirait de sortir dans la rue et de s'accroupir pour savoir. Il lui suffirait.

Ce n'était jamais arrivé que Christian ou Alain ne se garent pas à leur place. Jamais. Les places, chez eux, c'est sacré. Chacun sa place sur le portemanteau, à la table de la cuisine, à la table de la salle à manger, sur le canapé du salon, dans son lit, pour garer sa voiture. Chacun sa place.

Pourquoi est-ce que Marcel a garé son estafette là où les jumeaux se mettent depuis toujours ? depuis le jour où ils ont leur permis de conduire ? Pourquoi est-ce que la machine à laver est tombée en panne ? Pourquoi est-ce qu'Annette n'est pas montée voir Marie-Madeleine au mont Chavanes ?

Il lui suffirait…

6 octobre 1996

23 heures. Ils sont morts. Tous les quatre. Mettre
à jour le livret de famille, front contre vitre, yeux
dans la nuit, à l'intérieur de la nuit, jambes collées au
radiateur, couilles brûlées, larmes acides, odeur funé-
rarium sur chemise, tête glacée, il la voit sortir dans
la rue, transie, défoncée on dirait, Eugénie explosée
comme la bagnole, dans le même état, bringuebalante,
confuse, contre un arbre, Eugénie, sa silhouette,
chagrin qui rend fou, déforme la vision, impossible,
impossible, la silhouette de sa femme sur le trottoir,
impossible, comme une voleuse, hérédité, cercueils,
plaques mortuaires, obsèques, sa femme dans la rue,
regrets, lumière pâle du réverbère dans ses cheveux,
pompes funèbres, mairie, déclaration décès, demain
matin, mutuelle, banque, fermeture des comptes,
hallucination, assurance vie, debout face à la voiture, sa femme debout face à la voiture, longtemps,
un fantôme, inhumation, changement d'adresse, elle
s'accroupit, cherche quelque chose, inhumain, enlève
un enjoliveur d'un coup sec, des chansons, cérémonie
religieuse, les écrous, visse le cric dans le sens des
aiguilles d'une montre, sa femme comme un homme,
mèche blonde, Trésor public, la voiture en lévitation,
sa voiture, ma voiture, une roue dans les mains, sa
femme, ma femme, une roue, ne bouge plus, couper
les compteurs, informer fournisseurs d'énergie, eau,

gaz, électricité, elle, à genoux, se retourne, lève la tête vers la fenêtre de la chambre, condoléances, me regarde, inhumain, son regard, inhumain, une suppliciée, les vitraux, la peau d'Annette, ce sont eux, les chaussures, dévisse dans le sens contraire des aiguilles d'une montre, le sens contraire, défunts, rentre à la maison, levée des corps, sa femme dans la rue, rubrique nécrologique, maintenant elle est rentrée dans la maison, revenue à la maison, roue, remettre la roue, avant de rentrer, actes de décès, déclarer les revenus perçus par les défunts l'année de leur décès, brûler les deux arbres fruitiers, pourquoi sa femme, pourquoi Eugénie dans la rue, à genoux devant sa voiture, la voiture, ma voiture, pneu crevé ce matin, ce matin, Marcel, machine à laver, foutue.

77

Je suis de celles qui restent. De celles qui ne projettent pas de partir. Les autres, les filles et les garçons de ma classe, ceux qui reviendront une fois par an dans leur trou pour rendre visite à des parents, me croiseront et me diront, *Justine, tu ne changes pas.*

Je suis de celles que les années ne modifieront guère, un peu comme ces statues, figures familières, que l'on trouve sur les places des églises ou des mairies et dont on ne se rappelle plus qui elles représentent.

De celles qui gardent leur maison d'enfance pour en faire, un jour, leur maison d'adulte.

Je ne quitterai jamais Milly pour vivre ailleurs.

Je ne vivrai jamais très loin de mes grands-parents, ni de la tombe de mes parents.

Je fais toujours des mises en plis à mémé une fois par semaine. Et quand je touche sa tête pour séparer ses mèches de cheveux avec mon peigne, j'évite de penser à l'origine du mal.

Pépé est assis à côté de nous. Il nous regarde, lit *Paris Match*, fait quelques commentaires, ce qu'il ne faisait jamais avant. Avant qu'on se retrouve tous les deux dans la voiture le soir du réveillon de Noël. Avant « elle m'aimait ».

Je n'ai jamais reparlé d'Annette avec lui. Je n'en reparlerai jamais. Je n'ai jamais reparlé du 6 octobre avec mémé. Je n'en reparlerai jamais.

Je me fais l'effet d'un enfant qui découvre qu'un de ses parents est un criminel de guerre, et qui garde le silence. Garder le silence pour Jules.

Jules qui a eu son bac sans mention. Il a quitté Milly pour vivre à Paris le 27 août dernier. Au début, quand je passais devant la porte de sa chambre éteinte, j'avais le sentiment qu'il était mort. Maintenant, je m'habitue. Jules ne reviendra jamais à Milly. Sauf pour Noël, Pâques et le week-end du 15 août.

Pendant les vacances scolaires, Jules ira dans ma maison sarde. Je lui ai donné les clés.

L'été dernier, j'étais avec Jules quand j'ai glissé la clé dans la serrure de ma maison. C'est lui qui m'a tenu la main quand j'ai pleuré des larmes de joie. C'étaient les premières que je pleurais. Je n'arrivais même pas à voir la mer par les fenêtres.

Jules est tombé fou amoureux des gens de Muravera, surtout des brunes. L'île est tellement belle qu'on dirait une autre planète. D'ailleurs, là-bas, la mer s'appelle Tyrrhénienne.

La maison est mitoyenne. Les voisines, Silvana et Arna, sont deux sœurs, des veuves qui ressemblent à la grand-mère de Milena Agus, l'auteur de *Mal de pierres*. Leurs longs cheveux frisés sont blancs.

Quand Jules est là-bas, Silvana et Arna prennent soin de lui. Elles lui offrent de la poutargue de thon et des galettes de pain. Jules est le fils qu'elles n'ont jamais eu. Jules est le fils de bien des gens. Il croit toujours vivre grâce à l'héritage de l'oncle Alain qui continue de sourire à côté de sa femme et de son frère sur sa tombe. Je veux le lui laisser croire. Parce que les croyants sont plus forts que les autres. C'est le curé des *Hortensias* qui le dit.

Après la gare TGV, Roman m'a envoyé une carte postale aux *Hortensias*. C'est Starsky qui me l'a apportée, et j'ai compris qu'il l'avait lue à la façon dont il m'a regardée. Ça m'a fait l'effet d'un viol que ses yeux se soient posés sur les mots de Roman.

Très chère Justine,
Une longue pensée pour vous depuis la Corse.
Le cahier bleu lu et relu dans mon pull-over.
Si je l'avais lu avant, ce n'est pas une maison que je vous aurais offerte, mais l'empire des oiseaux.
Tendrement,

Roman

P-S : Continuez à écrire...

Je la connais par cœur. 65 syllabes, 97 consonnes, 82 voyelles. Je l'ai accrochée sous une des fenêtres de ma maison de Muravera. Pour faire une autre fenêtre.

Je pense souvent à Hélène, à Lucien, à leur mouette. Ils me manquent. Leur histoire d'amour me manque.

Parfois, je me dis que Roman m'a offert la maison de Muravera pour que je les voie nager.

Aux *Hortensias*, nous avons remporté une victoire : un petit bâtard qui porte le prénom ridicule de Titi. Il pèse 5 kilos, il vient de la SPA, tous les résidents en sont marteau, moi la première. Titi a changé la vie d'Yvan Géant, le monsieur de la chambre 19. Il ne pense qu'à une chose, promener Titi dans le parc des *Hortensias*. En fin de compte, les chiens c'est comme le beau temps, ça change les idées.

Le corbeau a sévi de nouveau. Il y a eu trois appels la semaine dernière depuis la chambre 29. Le personnel est sous surveillance. À part Starsky et Hutch, ça n'intéresse plus les journaux ni la télévision. Les vieux, on en parle pendant les canicules, et après, on oublie.

Starsky et Hutch vont bientôt partir à la retraite, le local du «service municipal et espace public» est sur le point de fermer. Toutes les archives ont déjà été déplacées à Mâcon, dont celles de l'accident de mes parents.

Dans quelques années, Starsky et Hutch rentreront peut-être aux *Hortensias*. Est-ce que le corbeau qu'ils n'arrêteront jamais appellera leur famille s'ils sont des oubliés du dimanche ?

J'ai craqué. J'ai montré les lignes de ma main à Jo. Un soir où j'ai dîné chez elle avec Maria. Patrick n'était pas là. On a pas mal bu et j'ai fini par lui tendre la main. Elle m'a dit que j'aurais une jolie vie et deux enfants. Un garçon et une fille.

Une chance sur deux de ne pas devenir une oubliée du dimanche.

78

Hier soir, j'ai découvert qui était le corbeau.

Tous les résidents dormaient. Même madame Gentil, à qui j'avais dû tenir la main parce qu'elle était angoissée à cause des «bombardements».

Avant de s'endormir, madame Gentil m'a raconté ce qu'elle nous raconte depuis des mois à Jo, Maria et moi. C'est toujours la même histoire : elle est née en 1941, sa famille vivait dans la cave de la maison pour se protéger des bombes. Elle entendait les sirènes et les avions quand ils passaient dans le ciel. Un matin, elle s'est réveillée dans une chambre inconnue. Il y avait des fleurs sur la tapisserie et de grandes fenêtres traversées par le soleil. Elle a pensé qu'elle était morte, qu'elle était au paradis. En vérité, la guerre était finie et ses parents l'avaient montée d'un étage dans la maison pendant qu'elle dormait.

J'étais donc à l'office, il devait être 23 heures. Il n'y avait aucun bruit, à part Titi qui ronflait dans son panier. Quelqu'un a actionné l'appel d'urgence depuis la chambre de monsieur Paul. J'ai foncé parce que l'infirmière était au troisième étage.

Entre l'office et la chambre 29, j'ai repensé au corbeau. J'ai tout imaginé sur son identité. Comme dans *Les Choses de la vie*, le film de Claude Sautet, j'ai revu les visages de pépé, mémé, Jules, Roman, Maria, Jo, Patrick, Starsky, Rose, madame Le Camus, le curé, le kiné, moi. J'ai imaginé tous ces visages en train d'appeler les familles des oubliés du dimanche de la chambre de monsieur Paul.

J'ai poussé la porte 29 et j'ai aperçu mon reflet dans la glace. Mon double. Ma jumelle. Peut-être que j'avais une jumelle maléfique ? Vu ce que je venais de découvrir sur ma famille, plus rien ne pouvait m'étonner. Ou alors, j'avais une double personnalité, dont l'une avait un ascendant très fort sur l'autre.

Monsieur Paul dormait paisiblement, tout allait bien. J'ai désactivé l'appel d'urgence.

À côté de mon reflet, le corbeau se tenait debout, près du lit. Il était en grande conversation avec le fils de madame Gentil, cette pauvre madame Gentil que j'avais dû apaiser vingt-cinq minutes plus tôt à cause des bombardements.

— Bonsoir monsieur, établissement *Les Hortensias* à Milly, j'ai le regret de vous annoncer le décès de madame Léonore Gentil. Oui. Non. Elle vient de s'éteindre. Elle a fait un arrêt cardiaque. Elle n'a pas souffert. Non, pas maintenant, la chambre mortuaire est fermée. Présentez-vous à l'accueil demain matin à 8 heures. Oui. Je suis sincèrement désolé. Toute l'équipe soignante des *Hortensias* se joint à moi pour vous présenter ses sincères condoléances. Bonsoir, monsieur.

Je me suis assise sur le lit. Mes jambes ne me portaient plus. Le corbeau avait actionné l'appel d'urgence parce qu'il savait que c'était moi qui étais à l'office. Moi qui étais de nuit. Moi qui serais dans la chambre 29 quand il appellerait le fils de madame Gentil. Il voulait que je sache qui il était.

Le corbeau a retiré le modificateur de voix qu'il avait posé sur l'appareil et il a raccroché.

Il s'est approché de moi. J'ai caressé son visage comme si je le voyais pour la première fois. D'ailleurs, je le voyais pour la première fois. Je le voyais tel qu'il était, et non plus comme je voulais qu'il soit. Il a souri. J'ai mis mes doigts dans les fossettes qui creusent ses joues.

Quand je lui racontais les oubliés du dimanche, je ne pensais pas qu'il m'écoutait. Je pensais juste qu'il m'entendait. En plus, c'était après le *Paradis*. J'étais bourrée, et le lendemain matin, je ne me souvenais pas de grand-chose. Juste des bribes de phrases. Lui s'est souvenu pour moi.

Il ne m'avait toujours pas dit un mot. Moi non plus.

Il portait un pull à rayures qui n'allait pas du tout avec son pantalon prince de Galles. Comme d'habitude. J'ai pensé, Il va falloir que je lui apprenne à coordonner les couleurs.

C'était la première fois que je faisais un projet en pensant à quelqu'un qui existe pour de vrai.

Il a pris le pendentif de la mouette entre ses doigts et m'a embrassée dans les cheveux. Comme le jour où il m'avait emmenée à l'aéroport Saint-Exupéry.

— Ça fait longtemps que tu fais le corbeau ?

Il a souri.

— Depuis que je te connais.

— Et on se connaît depuis longtemps ?

Il ne m'a pas répondu. Il a caressé la joue de monsieur Paul et il a chuchoté, *C'est mon grand-père.*

J'ai fermé les yeux et je lui ai dit :

— Comment tu t'appelles ?

Merci à mes grands-parents, Lucien Perrin, Marie Géant, Hugues Foppa et Marthe Hel.

Merci à Eloïse Cardine, aide-soignante en gériatrie, qui m'a TOUT donné.

Merci à mon comité de lecture personnel, essentiel, vital, précieux : Arlette, Catherine, Maman, Papa, Pauline, Salomé, Sarah, Vincent, Tess, Yannick.

Merci à Maëlle Guillaud.

Enfin, je rends grâce à Claude Lelouch pour mille et treize raisons.

Composition réalisée par MAURY-IMPRIMEUR

Achevé d'imprimer en juin 2020 en Italie par
Grafica Veneta, 35010, Trebaseleghe
Dépôt légal 1re publication : octobre 2017
Édition 37 – juin 2020
LIBRAIRIE GÉNÉRALE FRANÇAISE
21, rue du Montparnasse – 75298 Paris Cedex 06